LARRY ROHTER

Deu no New York Times

O Brasil segundo a ótica
de um repórter do jornal mais
influente do mundo

Este livro é dedicado à memória de

David, meu sogro, e Sinval, tio da minha esposa,

dois amigos queridos que tanto me
incentivaram a viajar e conhecer o Brasil.

Editora Objetiva Ltda.
Rua Cosme Velho, 103
Rio de Janeiro — RJ — CEP: 22241-090
Tel.: (21) 2199-7824 — Fax: (21) 2199-7825
www.objetiva.com.br

Capa e projeto gráfico
Tita Nigrí

Tradutores
Otacílio Nunes
Daniel Estill
Saulo Adriano
Antonio Machado

Revisão
Ana Kronemberger
Rodrigo Rosa
Eduardo Carneiro

Editoração eletrônica
Abreu's System

CIP-BRASIL. CATALOGAÇÃO-NA-FONTE
SINDICATO NACIONAL DOS EDITORES DE LIVROS, RJ

R637d

Rohter, Larry
Deu no New York Times : o Brasil segundo a ótica de um repórter do jornal mais influente do mundo / Larry Rohter ; [tradução Otacílio Nunes... et al.]. - Rio de Janeiro : Objetiva, 2008.

416p. ISBN 978-85-7302-927-7

1. Rohter, Larry. 2. Características nacionais brasileiras. 3. Brasil - Usos e costumes. 4. Repórteres e reportagens. I. New York Times. II. Título.

08-4336. CDD: 981
CDU: 94(81)

SUMÁRIO

APRESENTAÇÃO

Setembro de 1972. Depois de dez horas no ar, o avião mergulhou abaixo da espessa camada de nuvens que cobria o Rio de Janeiro e começou a lenta aproximação do Aeroporto do Galeão. Sou um dos passageiros a bordo, um estudante de pós-graduação de 22 anos em sua primeira viagem ao Brasil, e a primeiríssima vista que tenho é a da Igreja da Penha. Caiada de branco e cintilando à luz do sol tropical do começo da manhã, delicada e acolhedora mas ao mesmo tempo assertiva, seus pináculos gêmeos se destacam serenamente acima da cidade esparramada e fuliginosa.

Mesmo agora, depois de tantos anos e tantas viagens entrando e saindo do Brasil, aquele momento permanece vívido e indelével em minha memória. Toda vez que venho ao Rio de Janeiro penso naquela primeira chegada e no igualmente memorável passeio de carro pela cidade que se seguiu. Na época eu era funcionário da Rede Globo, trazido de Nova York para trabalhar no VII Festival Internacional da Canção, e sentado a meu lado em uma van da emissora a caminho do hotel, em Copacabana, estava outro estrangeiro de olhos igualmente arregalados em sua primeira visita ao Brasil: Georges Moustaki, o cantor e compositor franco-grego que fora convidado a se apresentar no Festival.

Quando nosso motorista se ofereceu para ligar o ar-condicionado, Moustaki insistiu em que a janela permanecesse aberta para que ele e eu pudéssemos ver, ouvir e cheirar tudo de perto. "*Très belle*!", ele proclamava a cada detalhe que lhe agradava ou intrigava. "*C'est magnifique*!" Não importava se estávamos passando pela Favela da Maré, na época apenas um pequeno assentamento se comparada ao que é hoje, ou se começávamos a avistar o Cristo Redentor e o Pão de Açúcar, se estávamos presos no tráfego barulhento da avenida Brasil ou parados num sinal vermelho na avenida Atlântica, com o oceano a nossa esquerda: tudo, bom ou ruim, era novo e diferente, para ele e para mim, e portanto interessante.

Então foi essa minha apresentação ao Brasil, o verdadeiro começo da longa estrada, com todos os seus desvios e viradas surpreendentes, que me levou a um envolvimento de vida inteira com o país e, por fim, a escrever este livro. Mas quando penso no passado, tudo me parece muito inesperado e improvável, porque nada em minha formação e criação apontava na direção do Brasil ou me guiava para uma ligação permanente. Eu não tinha parentes de ascendência brasileira ou portuguesa. Ninguém em minha família falava português, tinha feito negócios com o Brasil ou, como às vezes ocorre mesmo em setores improváveis do Meio-Oeste americano, tinha vivido no país como missionário. Tudo que eu fiz para aprofundar e intensificar meu envolvimento depois daquele primeiro pouso no Galeão Velho foi por escolha pessoal, e não o resultado de alguma espécie de tradição ou de laços de família.

Nasci em Oak Park, Illinois, um subúrbio de Chicago que é também a terra natal do escritor americano Ernest Hemingway. Meu pai, criado no West Side de Chicago no mesmo bairro de Benny Goodman, era músico de jazz, um saxofonista, clarinetista e arranjador que liderou uma orquestra até que a asma e um acidente de automóvel, quando voltava de uma apresentação durante uma nevasca, o obrigaram a começar uma segunda carreira como contador. Mas eu cresci cercado de música, o que ajuda a explicar por que sempre me senti tão à vontade no Brasil, o país mais musical do planeta. E quando meu pai se aposentou, aos 75 anos, era controlador-geral da Autoridade Regional de Trânsito em Chicago, encarregado de investigar contratos fraudulentos e outras malversações de dinheiro público na administração de metrôs e ônibus — uma função que, hoje me dou conta, era em parte semelhante ao que eu faço como jornalista.

Minha mãe, por outro lado, era uma imigrante da Escócia, filha de uma enfermeira e um goleiro de futebol e trabalhador de estaleiro de Glasgow. Mas, como meu pai, ela também terminou fazendo carreira na política e no serviço público. Atuou em grupos cívicos como League of Women Voters [Liga das Eleitoras] e Americans for Democratic Action [Americanos pela Ação Democrática], e em 1980 se tornou a primeira mulher a ser escolhida presidente da Junta de Educação de Chicago. A política em Chicago sempre fora famosa por suas transações secretas, corrupção e chefões, de forma que ouvir minha mãe falar, dos anos 1960 em diante, sobre o que ela enfrentava em seus esforços para reformar o sistema escolar se mostrou mais tarde um excelente treino para meu trabalho como repórter na América Latina. Na primeira vez que ouvi a palavra "clientelismo", entendi exatamente o que significava, porque tinha visto aquilo minha vida inteira, praticado em Chicago pelo que era conhecido como "A Máquina", o poderoso e corrupto aparelho político montado pelo prefeito Richard J. Daley, cacique da segunda maior cidade americana de 1955 até seu falecimento, em 1976.

Assim que completei 16 anos, a idade legal mínima para se ter um emprego nos Estados Unidos, meus pais decidiram que era hora de eu trabalhar, depois das aulas e nas férias. Muitos de meus amigos passavam o verão flanando na praia ou só jogando beisebol. Mas meus pais insistiram em que eu provasse do mundo do trabalho real, e então arranjei um emprego em uma fábrica de lâmpadas nos arredores do centro de Chicago, ganhando salário mínimo, na época de US$ 1,25 por hora, para unir os soquetes ao corpo das lâmpadas. Nos dias quentes de verão, eu às vezes caminhava alguns quarteirões até a Haymarket Square — o lugar do massacre de operários em 1886 que é a razão pela qual o mundo comemora o 1º de maio como Dia do Trabalho — para almoçar aos pés da estátua que homenageia os operários mortos.

Durante meus anos de colegial e faculdade eu teria outros empregos: carteiro, balconista em uma papelaria, recenseador, montador e instalador de espelhos. Mas o emprego na fábrica de lâmpadas, que eu mantive por dois anos, acabou sendo uma das experiências mais formativas de minha vida, e levou diretamente a meu interesse pela América Latina. Havia três linhas de produção na fábrica, segregadas por raça, língua e etnia. Uma era européia oriental, principalmente judia; outra era constituída de negros; e a terceira era exclusivamente hispânica, com mexicanos, exilados cubanos, dominicanos e porto-riquenhos.

Inicialmente, porque eu era branco e conseguia entender russo e até um pouco de iídiche e polonês, fui mandado para trabalhar com os europeus orientais. Mas quando os donos da fábrica descobriram que eu também falava espanhol, língua que eu estudava desde o jardim-de-infância, me colocaram nessa linha de produção. A maioria dos trabalhadores latino-americanos não sabia falar inglês, e os gerentes da fábrica precisavam de alguém que servisse de intérprete para eles. Como estava ganhando apenas o salário mínimo e não percebia que meu talento me dava direito a um bônus, eu representava a solução mais fácil e mais barata para o problema deles.

Sendo filho de uma imigrante, senti de imediato uma afinidade com os latino-americanos — e eles comigo. No almoço, eles me convidavam para dividir os pratos que traziam de casa, e me faziam perguntas sobre a melhor maneira de se adaptar aos desafios da vida nos Estados Unidos: como lidar com a burocracia, como evitar problemas com a polícia, como se comportar de forma apropriada e não causar constrangimento ou chamar atenção desnecessária sobre eles, explicar por que os americanos agiam de certas maneiras em situações em que eles, latino-americanos, agiriam de maneira diferente. Era uma aula de sociologia melhor do que qualquer coisa que eu poderia ter estudado na faculdade, e me imbuiu de uma simpatia pelos oprimidos que sinto ainda hoje. Como me disse uma vez um amigo brasileiro: "Você sempre se dá bem com o povão. É a elite que te dá problemas."

Essa experiência também ajudou a formar minha consciência política. Os dominicanos eram refugiados da ditadura de direita de Rafael Leonidas Trujillo, que governara o país por trinta anos com apoio dos Estados Unidos, e os cubanos eram refugiados da ditadura de esquerda de Fidel Castro, mais recente. Os dois grupos eram solidários um com o outro, e eu os ouvia falar com tristeza e nostalgia sobre a vida que levavam antes em sua terra natal. Através deles, cheguei a entender que a coloração ideológica é menos importante que o sofrimento humano que ela causa em nome de um culto à personalidade ou de metas e benefícios gerais que se revelam ilusórios. Assim, mais tarde, como jornalista eu escreveria sobre Fidel em Cuba e Mao na China de forma tão crítica quanto a que adotei em relação a Pinochet no Chile ou Videla na junta militar argentina.

Mas o Brasil ainda não estava em meu horizonte: não parecia haver muitos brasileiros em Chicago naquela época, e o país parecia longínquo, distante da realidade que eu vivia. O contato só ocorreu depois que comecei a estudar na Escola de Diplomacia e Relações Internacionais da Universidade de Georgetown, na cidade de Washington, em 1967, e conheci minha futura mulher durante meu terceiro ano lá. Ela cursara o colegial em uma escola católica no Rio de Janeiro e se mudou para os Estados Unidos para estudar na Escola de Idiomas e Lingüística de Georgetown, e foi por intermédio dela que fui apresentado à cultura e à sociedade brasileiras, no início, via literatura e comida, mas especialmente por meio da música.

Como muitas pessoas que cresceram no Brasil na década de 1960, ela tinha uma coleção de discos que incluía Chico Buarque e os tropicalistas. Eu achava a música intrigante, muito mais interessante que a bossa nova que concorrera com os Beatles nas estações de rádio americanas apenas alguns anos antes. Quando ficou claro que nosso relacionamento era sério, decidi que era melhor eu aprender português, e para me ajudar ela me deu material para ler: romances de Jorge Amado e Clarice Lispector, poemas de Carlos Drummond de Andrade (*E agora, José?*) e João Cabral de Melo Neto (*Morte e Vida Severina*). Mas eu nunca tive sequer uma aula formal de português: tudo que aprendi foi com ela.

Na verdade, minha mulher teve um papel fundamental em todos os aspectos da minha crescente vinculação com o Brasil. Foi através dela que aprendi a decifrar a sociedade brasileira. Foi ela quem me apresentou as delícias da cultura e culinária brasileiras. Mas ela é uma pessoa extremamente discreta que não gosta de aparecer, e tenho que respeitar a sua vontade. Basta dizer que ela vem de uma tradicional família carioca, uma família grande, daquelas que gostam de se reunir aos domingos num churrasco ou para festejar o aniversário de um primo. Ela tem várias tias, tios e primos, e eles e os filhos também foram de uma generosidade irrestrita ao longo dos anos, me oferecendo *insights* sobre vários aspectos da vida no Brasil, tanto os agradáveis como os desagradáveis — do futebol no Maracanã e do desfile em uma escola de samba a ser vitimado pelo crime na rua e ter de suar para passar no vestibular.

Depois que nos graduamos, em 1971, fomos os dois para Nova York, eu para estudar história e política chinesas na Universidade de Columbia e ela para trabalhar na TV Globo, que na época estava montando uma sucursal nos Estados Unidos. Comecei a conviver com os seus colegas, e no fim o chefe dela, José Kaisermann, me convidou para também trabalhar para a Globo. Parecia que ia ser divertido e o horário de trabalho era flexível o suficiente para não interferir em minhas aulas. Então eu topei.

A experiência, que durou dois anos, foi uma aula de Brasil. Todos os chefões e alguns dos atores mais famosos da Rede Globo apareciam por lá às vezes, e eu conheci personagens que vão dos executivos José Bonifácio de Oliveira e Walter Clark a Regina Duarte, que ia filmar cenas de uma novela, e Tarcísio Meira e Glória Menezes. Para a maioria deles eu era um joão-ninguém, só um garoto, mas eu já era um repórter em formação, observador e atento, e ansioso por aprender tudo que pudesse sobre o Brasil e os brasileiros com as pessoas com quem trabalhava todos os dias e aquelas que nos visitavam.

A figura que mais me intrigou e impressionou não era do show business, mas sim Juscelino Kubitschek. Na época ele estava exilado, e sempre que ia a Nova York passava no escritório da Globo, na Terceira Avenida 777, para conversar com Kaisermann, que fizera parte da equipe de Juscelino quando ele era presidente. Eu ainda não sabia muita coisa sobre a política brasileira, mas apenas estando em um elevador com Juscelino era possível sentir sua aura, sua presença, preenchendo o espaço. E a mistura de afeto e reverência com que todos os funcionários brasileiros o cumprimentavam deixava claro que, mesmo fora do poder, ele permanecia uma figura carismática, e por essa razão era uma ameaça à ditadura militar. Eu nunca conhecera ninguém como ele, e portanto fui estimulado a aprender mais sobre o sistema político brasileiro e os líderes que ele produzia. Em minha inocência e ignorância, eu não sabia que Juscelino era a exceção, não a regra.

Trabalhar na Globo não apenas me propiciou *insight* sobre o Brasil e os brasileiros e me ajudou a melhorar meu português, como também proporcionou minha primeira experiência real de reportagem. Durante a convenção do Partido Republicano de 1972, trabalhei como assistente de produção, e também ajudei a produzir alguns dos primeiros segmentos americanos para um programa dominical no horário noturno que, nos disseram, devia ser uma variação brasileira do antológico noticiário *60 Minutes*, que acabava de se tornar popular na Rede CBS nos Estados Unidos. Estou falando, é claro, do *Fantástico*, que, no melhor estilo antropofágico brasileiro, acabou evoluindo para algo inteiramente diferente.

Então, quando recebi um convite para trabalhar no Festival Internacional da Canção, em setembro de 1972, aceitei mais do que depressa. Oficialmente, eu seria uma "ligação" com os artistas americanos e canadenses que iam se apresentar como concorrentes ou como convidados especiais, o que significava que eu seria tradutor e intérprete deles. Os dois maiores nomes eram Santana e Wilson Pickett, e eu os acompanhei enquanto eles viajavam pelo país, tendo assim uma visão dos bastidores do Brasil e do mundo do show business brasileiro.

Mesmo agora, me lembro vivamente de assistir a uma das fases da competição de detrás do palco do Theatro Municipal, quando Maria Alcina enlouqueceu a platéia cantando "Fio Maravilha", de Jorge Ben — ao que o público respondia em coro "nós gostamos de você". Durante um intervalo, eu tinha saído por uma porta lateral do teatro para comprar um copo de suco de laranja gelado, e me lembro de bebê-lo enquanto assistia à apresentação de

Maria Alcina e pensar em como tudo aquilo era incrível. Também fez parte de meu trabalho acompanhar os músicos americanos e canadenses quando eles visitaram a escola de samba da Mangueira. Observar a reação extasiada deles à música e traduzir para eles enquanto conversavam com Cartola, Nelson Sargento, Carlos Cachaça, Nelson Cavaquinho e outros membros da velha guarda foi outro ponto alto daquela experiência inicial no Rio.

Em outro momento, fui levado em uma excursão pelos estúdios da Rede Globo na rua von Martius, no Jardim Botânico, onde fui apresentado ao Chacrinha. Convidado a sentar e assistir a seu programa das laterais, eu simplesmente não sabia como entendê-lo nem o que estava acontecendo: tudo parecia muito exagerado e extravagante, como uma paródia de um show de variedades americano que era hilariante porque parecia muito amadorístico. Mas aquela, percebi depois, foi a melhor apresentação que eu poderia ter tido da geléia geral do tropicalismo. Da mesma forma, quando ele declarou "Este programa acaba quando termina!", eu não tinha nenhuma idéia do que aquilo significava. Foram precisos muitos anos mais de experiência de Brasil para que eu percebesse que aquela declaração, aparentemente absurda para um americano, era na realidade quase o equivalente brasileiro de um koan de um mestre zen.

Mas aquela primeira viagem também me expôs o lado menos atraente do Brasil — a pobreza e a repressão. Eu me lembro de estar em uma manhã ensolarada com David Clayton-Thomas, o principal vocalista da banda Blood, Sweat & Tears, na calçada em frente ao Copacabana Palace, onde ele estava hospedado, quando um engraxate se aproximou e ofereceu seus serviços. Clayton-Thomas não precisava que seus sapatos fossem engraxados, mas as roupas do garotinho eram tão maltrapilhas e seu rosto tão magro, que o cantor ficou comovido e presenteou o menino com uma nota de cem cruzeiros. Na época, isso equivalia a cerca de 16 dólares, o salário mínimo para uma semana de trabalho, e o menino ficou estarrecido com sua boa sorte. Agradeceu a Clayton-Thomas e quis abraçá-lo, mas nesse mesmo instante um policial viu o menino e, pensando que era um pivete, correu atrás dele, com o cassetete levantado, apesar dos protestos do músico.

No VII FIC, a repressão foi especialmente espalhafatosa e feia. A grande cantora Nara Leão, presidente do júri que devia escolher um vencedor brasileiro, tinha feito declarações criticando a ditadura, e em conseqüência os militares tinham ordenado que o júri inteiro fosse dissolvido e substituído por um novo, presumivelmente mais dócil. Eu estava ao lado do palco no Maracanãzinho quando um dos jurados, Roberto Freire, foi até o microfone para tentar ler um manifesto protestando contra a arbitrariedade, e assisti com uma mistura de raiva e ansiedade quando ele foi retirado à força pela polícia e espancado quando não podia mais ser visto por ninguém da platéia, onde havia começado uma pancadaria e uma confusão geral. Portanto ali estava não apenas uma metáfora, mas a coisa em si: censura e força bruta tentando esmagar o espírito vivaz do povo brasileiro.

Para qualquer brasileiro com menos de 50 anos, essas histórias podem soar como algo tirado da história antiga. Mas há um motivo para eu mencioná-las: elas foram importantes na formação de minha visão sobre o Brasil. Desde o início, o Brasil sempre me pareceu um país de extremos: de riqueza e pobreza, de generosidade e egoísmo, de compaixão e crueldade. Como qualquer outro povo, os brasileiros não gostam de ver seu lado ruim exposto, e fazem o melhor que podem para camuflá-lo da vista de estrangeiros. Mas estar no Brasil pela primeira vez e ver as coisas de dentro, como um funcionário subalterno de uma empresa que participava ativamente do sistema que imperava no país naquele momento, era uma sorte inesperada. Oferecia uma vantagem e uma oportunidade únicas que me permitiam enxergar além do "oba-oba" que normalmente seduz quem visita o país pela primeira vez.

Eu queria, naturalmente, mais do que tinha experimentado e conseguir organizar e entender aquelas contradições. Assim, os cinco anos seguintes de minha vida foram dedicados a encontrar uma maneira de voltar ao Brasil como correspondente, morando no país em vez de apenas visitando. Em abril de 1974, fui trabalhar como repórter de cultura no jornal *The Washington Post*, assumindo uma função antes desempenhada por Carl Bernstein, famoso pela cobertura do caso Watergate. Nessa posição, tentei, sempre que podia, satisfazer meu interesse crescente pela cultura brasileira. Escrevi talvez a primeira reportagem em grandes órgãos da imprensa americana sobre Milton Nascimento, por exemplo, e tentei informar aos washingtonianos sobre o Cinema Novo e outras tendências no cinema brasileiro. Também entrevistei Pelé quando ele virou jogador do New York Cosmos, em 1975, e conheci muitos diplomatas da embaixada brasileira em Washington — entre eles Rubens Ricupero, cujas responsabilidades na época incluíam as de adido cultural.

Em 1977 surgiu finalmente a oportunidade que eu esperava. A Washington Post Company, proprietária tanto do jornal diário de mesmo nome como da revista *Newsweek*, estava procurando alguém para ser seu correspondente no Rio de Janeiro, e, por causa de minha proficiência em português, de meu interesse no Brasil e de minha experiência no país, fui escolhido. Cheguei em 1º de setembro, minha última matéria como repórter de cultura tendo sido o obituário de Elvis Presley duas semanas antes, e em pouco tempo eu já estava abarrotado de trabalho. Nem bem fazia um mês que eu chegara, por exemplo, e tive de escrever sobre a crise que levou o general Ernesto Geisel a demitir o general Sylvio Frota, seu ministro do Exército, para evitar um potencial golpe de Estado. Eu me considerava extremamente afortunado: ainda jovem, estava no lugar em que queria estar, fazendo o trabalho que queria fazer.

E é aí realmente que este livro começa. Ao longo dos anos, tive o privilégio de encontrar e entrevistar milhares de brasileiros de todas as idades e raças e de todas as regiões do país. Alguns deles, como fica óbvio nesse meu relato, são famosos no Brasil ou mesmo no mundo. Muitos, muitos outros não são, mas enriqueceram meu conhecimento e minha compreensão do país, ou me ensinaram novas maneiras de encarar a vida em geral ou especificamente no Brasil. Não consigo imaginar que teria tido uma experiência tão frutífera em termos intelectuais e emocionais se tivesse me atido a meu plano original e me tornado um correspondente especializado em China e leste da Ásia. Tem coisas que só acontecem no Brasil, e sou grato por ter experimentado algumas delas.

Só para deixar claro o que está sugerido nesta introdução: este livro é menos sobre o Brasil do que sobre minha experiência pessoal do Brasil desde 1972, primeiro como um jovem turista, depois como um correspondente novato tentando aprender o ofício e finalmente como macaco velho que, movido pela curiosidade, às vezes mete a mão em cumbuca ou trepa em galho seco. Seria uma insensatez para qualquer estrangeiro ter a pretensão de "conhecer" o Brasil bem o suficiente para explicá-lo com autoridade para estrangeiros, que dirá para brasileiros. Espero ter evitado essa armadilha, e escrito um livro que não é sobre *o* Brasil, mas simplesmente sobre o *meu* Brasil.

LARRY ROHTER

CULTURA

Durante uma entrevista que fiz com Celso Lafer quando ele era chanceler no governo FHC, num determinado momento nossa conversa passou para a natureza do poder e como as nações o projetam. Quando mencionei a distinção entre *soft power*, poder exercido através da cultura e das idéias, e *hard power*, poder baseado em recursos financeiros e no aparato militar, e perguntei a ele como isso se aplicava ao Brasil e seu lugar no mundo, a resposta dele foi esclarecedora. Ele admitiu que o Brasil carecia de mecanismos suficientes de *hard power*, como um exército forte ou uma economia poderosa, mas sobressaía no exercício do *soft power*, por meio dos esportes e especialmente da cultura.

A cultura que os brasileiros construíram é, sem a menor dúvida, sua maior glória e realização. Talvez seja, de fato, o melhor cartão de visita do Brasil no mundo e a faceta da vida brasileira que é mais conhecida e mais admirada em outros lugares. Quanto à imagem do Brasil nos Estados Unidos e no Japão, esse é indiscutivelmente o caso, já que as duas nações preferem o beisebol ao futebol, que consideram um esporte menor e essencialmente desinteressante. A assombrosa vitalidade e variedade da expressão criativa brasileira, por outro lado, tornou o país uma superpotência cultural respeitada em todos os lugares do mundo e oferece uma porta de entrada para conhecer seus costumes e seu povo.

Certamente, essa foi minha experiência inicial. Meu pai era músico, líder e arranjador de uma orquestra de jazz, e meu filho também é músico. A música e a canção sempre me falaram de modos como nenhuma outra forma de arte é capaz de fazer. Portanto, quando comecei a conhecer o Brasil fui, naturalmente, cativado pelo modo como os brasileiros se expressam através da música. O que chamou minha atenção não foram só as manifestações formais e estruturadas, na forma do carnaval ou dos discos de Gilberto Gil, Chico Buarque, Caetano Veloso, Os Mutantes, Os Novos Baianos, Jorge Ben e Elis Regina que minha futura esposa tocou para mim desde a primeira vez que nos encontramos. Foi também o modo como a música permeava a vida cotidiana dos brasileiros, como descobri na primeira vez que fui de ônibus à praia no Rio de Janeiro, quando surgiu uma batucada espontânea e os passageiros jovens começaram a cantar.

Aos 22 anos de idade, em pleno governo Médici, essa foi para mim a indicação mais clara da complexidade da sociedade brasileira, e eu fiquei fascinado. Por um lado havia o Brasil oficial, vivendo sob uma ditadura sombria e repressiva. Essa era a fase do "pra frente Brasil" e do "Brasil, ame-o ou deixe-o". Ainda me lembro de estar no aeroporto Santos Dumont pela primeira vez, prestes a voar para São Paulo com alguns dos artistas que iriam se apresentar no Festival Internacional da Canção, e ver os cartazes que a polícia pusera nas paredes, com fotografias de "terroristas" procurados que eram estudantes da minha idade e se pareciam muito comigo. Foi uma coisa soturna, assustadora e intimidante.

Mas era óbvio que também existia outro Brasil, paralelo, que vivia por trás daquele Brasil fúnebre e oficial. O Estado, em outras palavras, não coincidia com a sociedade; havia um abismo entre os dois que excedia em muito o que eu tinha vivido como estudante universitário nos Estados Unidos durante a Guerra do Vietnã. Naquela conjuntura de conflito e protesto, nós éramos uma minoria e sabíamos disso. Mas no Brasil que eu visitei pela primeira vez em 1972, toda a sociedade parecia estar trabalhando para minar o regime no poder, e sua ferramenta mais eficaz parecia ser a cultura popular, especialmente a música.

Certas canções daquele período ainda estão vivas em minha memória, e foram decisivas para estimular minha crescente curiosidade sobre a cultura brasileira. Eu ainda estava aprendendo português, por exemplo, da primeira vez que ouvi *Cálice*, escrita por Gilberto Gil e Chico Buarque e cantada por Chico e Milton Nascimento. Quando percebi o jogo de palavras entre "cálice" e "cale-se", foi como se uma lâmpada acendesse em minha cabeça. Eu sentia prazer não só com a inventividade e a agilidade verbal que os artistas mostravam e o modo como estavam burlando o poder, mas também por conseguir entender o que eles tinham feito.

Mais tarde, a mesma coisa aconteceu quando ouvi *O que Será* e *Apesar de Você*. Em uma festa durante minha primeira viagem ao Brasil, em 1972, alguém tinha tocado para mim a então proibida *Para não Dizer que não Falei de Flores*, de Geraldo Vandré, mas por mais que ficasse comovido pela letra, eu tinha reservas. Essa era uma canção claramente escrita com um propósito político, e pouca coisa mais. Mas quando eu ouvia as melhores canções de Chico Buarque, Gilberto Gil, Caetano Veloso e outros, o casamento de criatividade artística e propósito político era harmônico e esteticamente agradável. Ginga e crítica sociopolítica ao mesmo tempo? Essa era uma música que nos fazia dançar ao mesmo tempo que nos forçava a pensar, e essa é tanto uma combinação rara como uma poderosa realização artística.

E o mais notável é que tudo isso ocorria em um ambiente que era tão pouco propício à criação artística em termos econômicos quanto era em termos políticos. Diferentemente dos artistas em alguns países europeus, os brasileiros talentosos não se beneficiavam de subsídios estatais destinados a encorajá-los ou sustentá-los. E em contraste com os Estados Unidos, não havia aqui uma estrutura de apoio de grandes gravadoras e estúdios de cinema privados, nem redes de clubes e salas de concerto. Tudo parecia precário e desorganizado. No entanto, apesar de todas as mazelas e da pobreza do Brasil, o impulso criativo florescia, e músicos e outros artistas conseguiam produzir trabalho da melhor qualidade a despeito de todas as barreiras e impedimentos que enfrentavam.

Nunca, nem antes nem depois, estive em um lugar em que a expressão musical em particular fluísse tão naturalmente. Uma coisa que sempre me impressionou foi a placa que vi na parede do restaurante Caneco 70, na orla carioca, no bairro do Leblon, que ficou lá na sala principal até o restaurante fechar, em 2005. “É terminantemente proibido fazer batucada nas mesas, cantar ou tocar instrumentos musicais enquanto a clientela está comendo.” Só no Brasil um aviso assim precisava ser colocado, porque só no Brasil uma exuberância tão impossível de conter transbordava de um cenário formal para a vida cotidiana.

A mesma sensação de entusiasmo enérgico era evidente nos filmes brasileiros, especialmente no Cinema Novo. Eu adorava o romantismo atrevido da declaração de Glauber Rocha de que, para fazer um filme, "basta uma idéia na cabeça e uma câmera na mão". Essa era de certa forma uma expressão do que depois se tornou conhecido como estética punk, mas uma década inteira antes dos Sex Pistols e do movimento faça-você-mesmo surgirem na Inglaterra. E quando eu assistia aos filmes de Glauber, em particular *Deus e o Diabo na Terra do Sol* e *O Dragão da Maldade contra o Santo Guerreiro*, parecia a cinemática equivalente a um solo de guitarra de Jimi Hendrix. As idéias que jorravam para ser expressadas eram tantas e tão complexas que pareciam soterrar a tecnologia disponível para seu criador, que era limitada e às vezes até rudimentar.

Glauber, é claro, era uma figura extremamente complicada, e eu só o conheci superficialmente. A última vez em que o vi foi em Brasília em 1979, parado em frente ao Hotel Nacional, esculhambando a "esquerda festiva" e berrando slogans a favor do governo Geisel. A política dele era tão não-linear quanto seus filmes, mas não há como negar sua importância para o mundo do cinema. Numa entrevista que fiz anos depois com o ganhador do Prêmio Nobel de Literatura Gabriel García Márquez sobre projetos de cinema que ele patrocinava em Cuba e no México, ele estava tentando explicar a estética que movia seu trabalho. Querendo ajudar, citei uma frase de Glauber: "Nós, cineastas brasileiros, precisamos abandonar a tabela Kodak e descobrir as luzes secretas dos trópicos." Gabo é um grande admirador do Cinema Novo; foi por essa razão que ele escolheu Ruy Guerra para filmar uma adaptação de *A Incrível e Triste História de Cândida Erêndira e Sua Avó Desalmada*. Então, seus olhos se arregalaram e ele disse: "É isso mesmo." Ele não tinha ouvido a expressão antes, e ficou tão impressionado que a anotou em seu caderno para uso futuro, cheio de elogios para Glauber, a quem ele chamava "aquele gênio maluco".

Mas mesmo as chanchadas comuns, um mundo apartado do incansável experimentalismo de Glauber, pareciam ter seus momentos de inspiração. Eu já estava trabalhando como repórter de cultura do *The Washington Post* quando assisti a *Vai Trabalhar, Vagabundo*, de Hugo Carvana, em um festival de cinema brasileiro em Washington patrocinado pelo American Film Institute em 1975 ou 1976. Eu tinha sido destacado para escrever um artigo sobre o festival, e saí maravilhado com o modo como um filme que na superfície parecia tão simples e tão despretensioso podia estar cheio de tanta *joie de vivre*, como diriam os franceses, e humor.

Como estrangeiro, outra coisa que me impressionou na cultura brasileira quando entrei em contato com ela foi que, acima de tudo, ela tinha a ver com a auto-expressão por si só. Nos Estados Unidos, as pessoas não se tornavam necessariamente músicos, atores ou escritores apenas porque tinham um impulso criativo. A era da celebridade global instantânea ainda não havia verdadeiramente chegado, mas já havia aqueles que queriam uma carreira em entretenimento basicamente porque ela lhes permitia tornarem-se ricos ou famosos, sendo o processo criativo em si uma preocupação secundária.

Naquela época, essa simplesmente não era uma opção para a maioria dos artistas brasileiros. Sim, alguém como Jorge Amado podia viver dos direitos autorais de seus romances, mas ele era uma rara exceção. E mesmo ele, como depois foi o caso dos músicos baianos que foram sua prole, tinha sido forçado a se exilar porque suas crenças políticas ofenderam o poder. Graciliano Ramos tinha sido preso, Carlos Drummond de Andrade tinha de ganhar a vida como funcionário público, Nelson Rodrigues tinha de escrever colunas de jornal para conseguir pagar as despesas; a lista era muito longa. Ser um artista no Brasil exigia um verdadeiro comprometimento com o ofício e a disposição de se sacrificar por ele.

É claro que os melhores atores, escritores e músicos do Brasil naturalmente também queriam aclamação e aprovação. Mas essa nem sempre parecia ser sua principal motivação. Se eles escreviam um livro, ou uma canção, ou um roteiro de um filme, não era porque esperavam ficar ricos ou famosos fazendo isso — não em um país que ainda era pobre e tinha grandes segmentos da população que eram analfabetos. Tudo que os artistas faziam era feito porque eles tinham algo que precisavam dizer, mesmo que os censores o proibissem ou o público não estivesse interessado.

E ainda que tivessem ambições de fazer uma carreira internacional, os artistas brasileiros eram limitados por sua língua, um tema ao qual quero voltar para examiná-lo de forma mais extensa. Diferentemente de um cantor e compositor argentino como Carlos Gardel ou de atores mexicanos como Jorge Negrete, Libertad Lamarque ou Dolores del Rio, que podiam aspirar ao estrelato em um continente inteiro que falava a mesma língua que eles, os brasileiros não tinham uma audiência natural além das fronteiras do Brasil. Portugal era o único mercado em que eles podiam realisticamente esperar penetrar, e não só ele era pequeno, mas a censura lá era talvez ainda mais feroz do que aqui.

Olhando para trás, penso que minha desilusão com a rigidez da esquerda brasileira também começou nessa época. A expressão "patrulha ideológica" ainda não existia, mas eu ficava perplexo de conhecer pessoas que condenaram o rock'n'roll ou mesmo o uso de guitarras e pianos elétricos na música brasileira com argumentos que eram ideológicos e não estéticos. Desde o momento em que o tropicalismo surgiu, esses críticos argumentaram que a música pop era "alienante", uma importação capitalista indesejada imposta pelo imperialismo americano e que pretendia eliminar a "verdadeira" cultura brasileira.

Isso me pareceu patentemente ridículo desde a primeira vez em que o ouvi. Como alguém com um par de orelhas podia não ouvir e entender que os melhores músicos brasileiros, com sua enorme criatividade, não estavam copiando as convenções da música pop anglo-americana? Eles as estavam subvertendo e modificando de uma forma que era totalmente brasileira. Mesmo quando Milton Nascimento e Beto Guedes interpretavam uma canção como "Norwegian Wood", dos Beatles, para lembrar apenas um exemplo, ela soava totalmente diferente porque eles eram brasileiros, trazendo sua cultura e sua visão de mundo para a canção e transformando-a.

Na época, eu ainda não tinha lido Oswald de Andrade e não conhecia sua teoria da antropofagia como a característica fundamental da cultura brasileira. Quando finalmente a conheci, tudo fez um perfeito sentido. As características distintivas da cultura brasileira, era óbvio, eram não só sua extraordinária abertura e receptividade a influências externas, mas sua extraordinária capacidade de transformá-las e abrasileirá-las — ou, para concordar com a metáfora que Oswald de Andrade usava, de consumi-las, digeri-las e absorvê-las, e depois cuspi-las em novo formato, forma e substância.

Acho interessante que na entrevista com Celso Lafer que citei no início deste texto, ele tenha ligado esporte e cultura, porque há uma relação entre os dois que é extremamente relevante mas não imediatamente aparente. Durante uma entrevista com Tostão que fiz para outra matéria, antes da Copa de 2006, pedi para ele me explicar como é que o Brasil consegue fabricar tantos craques de futebol apesar de uma infra-estrutura futebolística que é corrupta, limitada, precária e ineficiente.

"Nós, brasileiros, estamos acostumados a ter que improvisar quando estamos num aperto", ele respondeu, quase sem pausa. "Aquela habilidade intuitiva para driblar as regras e improvisar na hora é o que distingue o craque do jogador excelente, e é também a base da nossa música e da nossa arte."

Acho que o Tostão tem plena razão. Os anos de ditadura, é claro, já ficaram muito para trás, e praticamente não há mais necessidade de os artistas dissimularem. Mas a cultura brasileira hoje me parece exatamente tão dinâmica, vital e adaptativa como era naquela época sombria. Da mesma forma como o Brasil fabrica craques de futebol, também é uma fábrica de artistas de alta qualidade, sobretudo na área de música e cinema. Nesses dois campos há toda uma geração que brotou desde quando comecei a conhecer o Brasil, produzindo trabalho interessante não apenas para os brasileiros, mas também para o mundo afora.

No mundo do cinema, por exemplo, a última década foi marcada pelo surgimento de diretores como Walter Salles, Fernando Meirelles, Andrucha Waddington, José Padilha e Breno Silveira. Salles foi o primeiro dessa safra, com *Central do Brasil*, e mostrou que os tradicionais *road movies* e *westerns* de Hollywood podem ser transferidos para outros cenários e, portanto, universalizados. Mas foi Meirelles quem teve talvez uma influência ainda maior no cinema internacional. Na sua estréia, *Cidade de Deus*, ele parece definitivamente ter resolvido o dilema de Glauber Rocha: Meirelles realmente foge do padrão Kodak e manipula a luz dos trópicos de uma maneira assustadora. O resultado é que seu olhar e seu estilo foram copiados e imitados no mundo inteiro, inclusive em Hollywood. Desde o sucesso de *Cidade de Deus*, inúmeros filmes, programas de televisão, vídeos da MTV e comerciais imitaram sua técnica — e sua equipe técnica encontrou trabalho permanente em outros projetos que pretendiam duplicar seu estilo visual desbotado, deliberadamente superexposto.

Então, sejam quais forem os sentimentos ambíguos que se possa ter sobre o impacto da globalização na economia brasileira, acho que há pouca dúvida de que a globalização foi predominantemente benéfica para a cultura brasileira. No passado, embora o Brasil fosse um produtor de cultura tão competente, o país era basicamente um importador de cultura, devido ao modo como a indústria cultural global era organizada. Hoje, no entanto, graças em grande parte à internet, o fluxo se dá nas duas direções, e eu ousaria dizer que o Brasil agora exporta até mais cultura do que importa.

E mais, os artistas brasileiros foram extraordinariamente rápidos e ágeis em tirar vantagem das novas tecnologias e ferramentas disponíveis em todo o mundo e usá-las para produzir um trabalho que, embora marcadamente brasileiro, tem apelo para setores globalizados da população de outros lugares. Um grupo como

Chico Science & Nação Zumbi era ao mesmo tempo brasileiro e universal, antigo e extremamente moderno, o que ajuda a explicar por que artistas com mentalidade semelhante do mundo inteiro, como MIA ou Asian Dub Foundation, têm acorrido ao Brasil nos últimos anos. Eles estão vindo não só para mostrar seu próprio trabalho, mas para aprender, e os brasileiros deviam se orgulhar disso.

Para o jornalista, tudo isso é um prato cheio. A produção cultural do Brasil é enorme, variada e de alta qualidade, o que por si só é suficiente para justificar a cobertura. Mas em um mundo globalizado, os leitores americanos, ou pelo menos os leitores do *New York Times*, têm curiosidade de saber o que está acontecendo culturalmente em outras partes do mundo e são perspicazes o suficiente para saberem que não precisam esperar mais para que isso chegue a eles; só precisam se conectar on-line e encontrá-lo eles mesmos na forma original.

Por causa dessa trajetória ascendente, fico desconcertado quando leio comentários de brasileiros que falam como se sua identidade cultural estivesse sitiada, correndo perigo de perder sua brasilidade em face de um ataque estrangeiro. Na década de 1970, o crítico e historiador José Ramos Tinhorão era o expoente mais vociferante desse ponto de vista. Mas esse pensamento continua vivo, como mostra um livro publicado em 2006 em que Samuel Pinheiro Guimarães, o número dois no Itamaraty no governo Lula, sustenta que o Brasil precisa de uma gama de barreiras e cotas para barrar a penetração de influências estrangeiras e estrangeirizantes e proteger a integridade de sua própria cultura.

No mundo do cinema, talvez a idéia de cotas tenha uma certa utilidade, dados o poder financeiro dos estúdios de Hollywood e todo o aparelho de marketing deles. Mas em outros setores da cultura, mais descentralizados, não vejo ameaças sérias à cultura brasileira. Apesar disso, existe entre muitos críticos e patrocinadores de cultura aqui no Brasil (muito mais do que entre os criadores em si) uma mistura esquisita de ufanismo e falta de autoconfiança, em que atitudes, de uma hora para outra, vão de um extremo ao outro, como um pêndulo.

Essa falta de autoconfiança, infelizmente, leva a distorções: há hoje uma clara hierarquia em que algumas formas de expressão cultural são consideradas, às vezes arbitrariamente, acho eu, mais elevadas que outras, e o resultado é uma peculiar distorção de valores e prestígio. A meu ver, quando o brasileiro senta para ponderar sua própria cultura, ele tende a supervalorizar algumas manifestações culturais e subvaloriza — ou até despreza — outras, injustamente.

Como exemplo da primeira categoria, eu citaria o carnaval. Repetidamente, ano após ano, com a insistência de uma bateria de escola de samba, somos lembrados que o carnaval, especialmente como é celebrado no Rio de Janeiro, é a maior festa do mundo e a expressão máxima da cultura do povo. O gênio do samba e a magnificência das fantasias produzidas por costureiras pobres que moram em favelas são exaltados como uma realização que é supostamente tida na mais alta conta pelo resto do mundo.

Mas essa é uma avaliação caracteristicamente brasileira ou mesmo carioca, que não é necessariamente partilhada por estrangeiros. Sim, é verdade que as pessoas vêm dos Estados Unidos, da Europa e do Japão todo ano para o carnaval e parecem cair na folia com grande entusiasmo. Mas quantas repetem a visita ano após ano? Duvido que a Riotur tenha feito uma pesquisa sobre essa questão, mas meu palpite é que a atitude da maioria dos estrangeiros visitantes depois de terem provado o carnaval do Brasil é "estive lá, fiz aquilo". Para eles, o Brasil é a parada mais famosa em um circuito que também inclui o Mardi Gras em Nova Orleans e o carnaval regado a ritmos como calipso e soca de Port-of-Spain, em Trinidad e Tobago. E quantos estrangeiros de fato permanecem as duas noites no desfile de carnaval do Rio e terminam vendo todas as 14 escolas de samba desfilando? Eu diria que muito poucos. Uma noite é normalmente mais que suficiente, e muitos estrangeiros saem depois da terceira ou quarta escola.

O apelo original do carnaval, que em grande parte resulta de sua espontaneidade, também foi desgastado por sua crescente comercialização. Certamente o desfile no Rio de Janeiro foi seqüestrado por empresas como a TV Globo e a Brahma, com sambas-enredo que grandes empresas ou mesmo líderes estrangeiros como Hugo Chávez podem comprar para divulgar seus próprios interesses comerciais ou sua imagem. As atrizes e modelos, que só querem aparecer seminuas para promover suas carreiras, acabam ganhando mais destaque que os próprios integrantes das escolas de samba, o que é outro desvio inauspicioso. E a crescente influência da televisão parece levar a um desequilíbrio estrutural no carnaval carioca: os elementos visuais hoje em dia têm mais peso que o conteúdo musical, o próprio samba que é o coração do carnaval. O caráter popular da festa está diminuindo, e as pessoas comuns que querem participar são obrigadas a procurar se satisfazer nos blocos de seus bairros. Isso é realmente saudável para o desfile na Marquês de Sapucaí?

Outro exemplo de um aspecto da cultura brasileira elogiado muito mais do que ele provavelmente merece é a obra do arquiteto Oscar Niemeyer. Sei que isso pode soar chocante, porque há um consenso quase universal aqui no Brasil de que Niemeyer é um gênio. Mas, como Nelson Rodrigues costumava dizer, "toda unanimidade é burra". Deixando de lado a política stalinista de Niemeyer, que é execrável, há uma contradição fundamental e irreconciliável entre o que ele professa e a obra que ele produziu. Ele afirma querer uma sociedade baseada em princípios igualitários, mas sua arquitetura, para usar a linguagem do mundo da computação, não é *user-friendly*. Ao contrário: ela é profundamente elitista e mesmo egoísta, concentrada principalmente em fazer declarações grandiosas e eloqüentes por si mesmas, para satisfação de Niemeyer e seus admiradores, mesmo que cause desconforto ou inconveniência ao usuário.

Penso que uma parte da estima que os brasileiros dedicam a Niemeyer se deve ao fato de ele ter sido endossado tão fortemente por outros arquitetos proeminentes que são estrangeiros, como Le Corbusier. Essa é uma manifestação de uma característica da cultura brasileira que julgo infeliz: uma ansiedade e uma falta de autoconfiança que levam os brasileiros a só valorizar o que é seu quando ele foi validado por estrangeiros. Isso é um remanescente de uma mentalidade colonial que infelizmente persistiu até o século XXI, e levou, como eu disse antes, a distorções nos valores culturais brasileiros.

No começo da década de 1970, quando eu era estudante de pós-graduação e morava em Nova York, conheci o percussionista Airto Moreira e sua mulher, a cantora Flora Purim. Eu os encontrei pela primeira vez no supermercado do bairro: estava comprando comida, ouvi algumas pessoas falarem português no corredor ao lado, fui até lá e me apresentei. Eles moravam a um quarteirão de distância de mim, e à medida que os conheci melhor, a história deles se tornou o primeiro exemplo que encontrei da importância da validação. Os dois tinham sido músicos no Brasil, com sucesso razoável, Airto fazendo parte do quarteto de seu amigo Hermeto Paschoal. Mas foi só depois que eles foram para os Estados Unidos e se juntaram com gente como Miles Davis e Chick Corea que começou o oba-oba na imprensa aqui no Brasil e veio a verdadeira aceitação.

Airto e Flora ficaram de repente mais talentosos, só por beberem a água de Nova York? Duvido disso, embora haja algo a dizer em favor do desafio de tocar com Miles Davis, Weather Report e Chick Corea, que força qualquer músico a aprimorar seus recursos. Eu argumentaria que a única coisa que realmente mudou foi a percepção de Airto e Flora aqui no Brasil. "Se Miles Davis e Chick Corea acham que eles são bons, eles devem ser realmente bons." Foi essa validação por parte de monstros sagrados do jazz que deu a Airto e Flora o prestígio que eles sempre mereceram. Eles não são os únicos que sofreram essa experiência: da geração deles, Eumir Deodato, Moacyr Santos,

Dom Um Romão e Naná Vasconcelos tiveram de passar pelo mesmo processo. E como uma prova de que as coisas realmente não mudaram muito no século XXI, o exemplo mais recente é Bebel Gilberto.

Esse intenso desejo de validação cultural do exterior também leva certos setores da sociedade brasileira a desqualificar ou até desprezar aspectos de sua própria cultura que eles pensam que não atraem os estrangeiros, ou que temem que os estrangeiros menosprezem. O exemplo mais claro dessa tendência lamentável é, eu acho, a maneira como a cultura do Nordeste é tratada.

O forró, por exemplo, foi por muitos anos rejeitado como "música para empregadas e motoristas de táxi", uma coisa brega. O recente boom do forró entre jovens no Rio de Janeiro e em São Paulo só ocorreu depois que artistas estrangeiros celebrados como Peter Gabriel, David Byrne e Paul Simon recorreram aos ritmos do forró para fazer alguns de seus discos de sucesso. Os críticos e ouvintes brasileiros perceberam, e o gênero ganhou respeitabilidade. Talvez tenha sido só uma coincidência o fato de um selo de aprovação estrangeira ter sido seguido pelo reconhecimento por parte dos brasileiros do valor de algo que é inteiramente deles. Mas eu não penso assim.

Vale a pena notar que mesmo o samba, hoje considerado a expressão máxima da cultura brasileira, esteve sujeito a esse mesmo processo. Embora tenha evoluído a partir do maxixe nos primeiros anos do século XX, o samba foi durante muitos anos considerado *declassé* por árbitros da cultura do Brasil, que olhavam de cima para artistas como Pixinguinha e Carmen Miranda. Só quando o samba ganhou o selo de aprovação da Europa — como quando Darius Milhaud compôs sua "Suite Brésilienne" na década de 1930 e Paris foi varrida por uma loucura pelo que se chamava "*les danses brunes*" — os brasileiros finalmente se dispuseram a abraçá-lo como deles. Em outras palavras, foi preciso o *imprimatur* da França para tornar o samba palatável a uma elite relutante a aceitar sua própria identidade.

Escrevi todas as vezes que pude sobre a cultura do Nordeste, em quase todas as formas que encontrei. *A Paixão de Cristo* em Nova Jerusalém durante a Semana Santa. Cordel e xilogravura. Os bonecos gigantes de Olinda. Repentistas. Ciranda, maracatu e mangue beat. Obras teatrais como *Auto da Compadecida*. Em um ou outro momento, todos esses foram temas de reportagens que escrevi, e muitos deles geraram uma reação intensa de leitores americanos e europeus, na forma de perguntas por e-mail, reimpressões em outros jornais e aparições na lista das "25 reportagens mais trocadas por e-mail" do *New York Times*.

Por que este meu enfoque na cultura do Nordeste? Se o ideal brasileiro é o da miscigenação, seja ela racial ou cultural, então o Nordeste é seu principal cadinho. Foi no Nordeste que as três principais correntes da identidade nacional brasileira — europeus, africanos e ameríndios — se encontraram pela primeira vez e formaram a mistura que faz do Brasil o que ele é hoje em dia. E como o Nordeste é mais pobre do que outras regiões do país e foi historicamente mais isolado dos grandes centros cosmopolitas de cultura no Sul, mais urbanizado, a cultura da região tem sofrido menos intervenções de influências de fora. Ou seja, o Nordeste é ao mesmo tempo o berço da cultura brasileira e seu melhor laboratório.

Mas em vez de se orgulharem dessas extraordinárias manifestações culturais de pura brasilidade, muitos brasileiros, especialmente no Sul, parecem ter vergonha delas. Suspeito que parte desse fenômeno é simplesmente preconceito — o mesmo preconceito contra o Nordeste e seu povo que leva o presidente de uma importante empresa multinacional a dizer que o Brasil não perderia nada se o Piauí desaparecesse, ou o que o ministro José Graziano expressou quando ligou os imigrantes do Nordeste ao crime dizendo, em 2003, ao principal grupo de empresários de São Paulo, que se os nordestinos "continuarem vindo para cá, nós vamos ter que continuar andando de carro blindado". Para quem tem essa visão, alguém como J. Borges, o grande poeta de cordel e criador de xilogravuras que mora em Bezerros, Pernambuco, não é um artista. É apenas mais um caboclo nordestino.

Quando deixei o Brasil pela primeira vez, em 1982, para me tornar editor regional da Ásia para a revista *Newsweek*, viajando de um lado para outro entre Pequim, Hong Kong e Tóquio, fiquei impressionado com o fato de os criadores de cultura popular serem muito mais respeitados e até venerados na China e no Japão do que no Brasil. No Japão, por exemplo, os mais renomados praticantes de formas de arte consideradas essenciais para a identidade cultural da nação, como ikebana, fabricação de espadas e teatro nô, são designados "tesouros nacionais" e recebem um estipêndio regular que lhes permite aperfeiçoar seu ofício, especialmente se não há mercado comercial suficiente para sustentar o que eles produzem.

Se um sistema como esse existisse no Brasil, seguramente um de seus beneficiários seria meu amigo Dila, um criador de cordel e xilogravuras que conheço desde a década de 1970. Dila, também conhecido como José Ferreira da Silva, vive em Caruaru, a alguns quarteirões do museu dedicado a Luiz Gonzaga, e é um gênio naquilo que faz; uma especialista em arte estrangeira que entrevistei para uma reportagem que está incluída neste bloco chega mesmo a compará-lo a Van Gogh. Mas como o Brasil realmente não valoriza seu talento, ele vive de forma humilde, numa casa pequeníssima que inclui a pequena e primitiva oficina gráfica que é a sustentação econômica dele e de sua mulher. Totalmente negligenciado, ele ganha pouco, muito pouco, com suas xilogravuras e cordéis sobre o cangaço, e a luta para sobreviver acaba minando a criatividade dele e o deixa cansado e deprimido. Ah, se ele estivesse no Japão!

Até aqui neste texto, focalizei mais a palavra cantada e falada do que a palavra escrita, exceto no caso do cordel. Isso não significa que o Brasil não tenha grandes romancistas ou poetas, só que a música e o cinema brasileiros são mais conhecidos pelo mundo fora do Brasil do que a literatura do país. Isso talvez seja injusto, mas é um fato, e durante anos me perguntei por que isso ocorria. Eu queria ter respostas, mas não tenho; tenho só teorias.

Por que Machado de Assis não é lido de forma tão ampla como Balzac ou Flaubert? Por que Guimarães Rosa não é tão conhecido como James Joyce? Por que as peças de Nelson Rodrigues não são encenadas com tanta freqüência quanto as de Eugene O'Neill ou Tennessee Williams? Por que os poemas que Elizabeth Bishop escreveu quando vivia no Brasil aparecem em mais antologias que os de Manuel Bandeira e Carlos Drummond de Andrade, os poetas cuja obra ela traduziu e buscou divulgar e promover quando vivia aqui? Todas essas perguntas são desconcertantes e legítimas.

Em regra, acho que os brasileiros são rápidos para perceber desfeitas, mesmo quando elas não são intencionais, de modo que aqui há uma tentação a falar de maneira raivosa sobre o chauvinismo cultural do hemisfério norte. Há definitivamente um cânone global de literatura, e brasileiros que merecem estar nessa lista foram excluídos. Mas acho que esse fenômeno é mais um resultado da língua que o Brasil fala do que uma função do subdesenvolvimento do país ou de seu distanciamento geográfico dos centros de poder cultural. Em outras palavras, se Machado de Assis tivesse escrito não em português mas em inglês, francês ou espanhol, ele seria reconhecido universalmente como um dos maiores escritores do mundo.

Afinal, Fernando Pessoa é um dos grandes poetas do século XX — talvez até o maior — e no entanto é criminosamente subclassificado, muito menos lido em tradução e discutido do que seus pares como T. S. Eliot ou mesmo Kaváfis, Czeslaw Milosz e St. John Perse. Pessoa não é brasileiro, embora alguns leitores estrangeiros tenham a impressão de que é; ele é de um país que fica muito mais próximo do que o Brasil dos centros tradicionais de poder cultural na França, na Alemanha e na Itália. Mas ele é igualmente prejudicado pelo fato de escrever em português, que, por razões que nunca poderão ser explicadas, continua a ser considerado uma língua mundial "menor".

O mesmo vale para romancistas portugueses como Lobo Antunes e mesmo Saramago, que só começou a ser lido amplamente fora do mundo luso-hispânico quando teve a boa sorte de ganhar o Prêmio Nobel. Se Fernando Pessoa não consegue abrir caminho para obter o reconhecimento que merece, então a tarefa deve ser até mais difícil para os brasileiros ainda menos conhecidos: Drummond de Andrade, Manuel Bandeira, João Cabral de Melo Neto, Ferreira Gullar e seus irmãos no mundo da ficção.

Línguas são sempre um desafio para traduzir apropriadamente, mas talvez a versão da língua portuguesa falada no Brasil seja particularmente difícil por causa de sua musicalidade. Eça de Queiroz descrevia o português do Brasil como "português com açúcar", e isso, ao lado dos tremendos senso de humor e inventividade que os brasileiros trazem para a criação da gíria, é quase impossível de transmitir em outra língua. Sei disso porque minha mulher e eu tentamos na década de 1980 traduzir algumas das tragédias cariocas de Nelson Rodrigues para o inglês e tivemos de desistir. Era simplesmente difícil demais capturar, verter e encontrar equivalentes aceitáveis para os ritmos e o vocabulário especificamente cariocas que permeiam suas peças; observo que o grosso de sua obra permanece sem tradução ainda hoje, vinte anos depois, portanto, não sou obviamente o único que procurou enfrentar esse problema e foi derrotado por ele.

Não é por acaso, acho, que o escritor brasileiro mais conhecido no mundo hoje é Paulo Coelho. A sua linguagem é enxuta, até deliberadamente sem adorno, como ele reconheceu para mim em uma entrevista de 1999. Isso o torna mais fácil de traduzir, obviamente, que Guimarães Rosa, ou mesmo Rubem Fonseca ou Dalton Trevisan, cujas parábolas com os anos se tornaram cada vez mais despojadas até sua essência. Mas tanto Fonseca como Trevisan ainda retêm em seus escritos ritmos e elementos de fala que têm um tom marcadamente brasileiro; pouca coisa nos romances de Paulo Coelho, em contraste, os identifica como brasileiros. Isso não pretende ser uma crítica negativa, porque há evidentemente algo de bom a ser dito em favor da universalidade. É só uma declaração de fato que ajuda a explicar a popularidade de Paulo Coelho e que ele mesmo admite.

Um dos efeitos da subavaliação de romances e poesia escritos em português é que ela deixou os brasileiros inseguros sobre a saúde e a vitalidade de sua língua. Essa ansiedade e nervosismo levou a algumas iniciativas bobas, como o plano de Aldo Rebelo de proibir os brasileiros de usar palavras emprestadas de línguas estrangeiras — especialmente se a língua em questão for o inglês, que ele vê como um instrumento da dominação cultural americana.

Mas o Brasil não precisa desse tipo de protecionismo por várias razões, e a principal é que os brasileiros mostram a mesma incrível capacidade criativa de transformar, adaptar e assimilar palavras estrangeiras em sua língua falada que demonstram ao tomarem emprestados estilos estrangeiros na música, no cinema e nas artes visuais. Então, para Aldo Rebelo e aqueles como ele: relaxe e goze, como diria Marta Suplicy. Vocês não têm nada com que se preocupar.

Gilberto Gil ouve o futuro, alguns direitos reservados

Data: 11 de março de 2007

SALVADOR (BA) — Na quarta-feira, o ministro da Cultura do Brasil, Gilberto Gil, falará sobre direitos de propriedade intelectual, mídia digital e assuntos relacionados na South by Southwest Music and Media Conference, em Austin, no Texas. Duas noites depois, o cantor, compositor e astro pop Gilberto Gil inicia uma turnê de três semanas pela América do Norte.

Raramente, os mundos da política e das artes convergem de maneira tão pouco convencional quanto no caso de Gil, cujo itinerário inclui uma apresentação solo no Carnegie Hall, no dia 20 de março. Mais de quarenta anos depois de pegar a guitarra e tocar para o público pela primeira vez, Gilberto Passos Gil Moreira é uma anomalia: não faz apenas música, também faz política.

Enquanto as indústrias fonográfica e cinematográfica lutam para se adaptarem ao desafio da proliferação do conteúdo pela internet, Gil surge como um elemento central na busca global por formas mais flexíveis de distribuir os trabalhos artísticos. No exercício de seu duplo papel, às vezes ele precisa harmonizar as prioridades, que competem entre si.

Como um criador de música, ele se interessa pela proteção dos direitos autorais. Mas, como membro do governo de um país em desenvolvimento, festejado pelo pulso criativo de seu povo, Gil também deseja que os brasileiros tenham acesso irrestrito às novas tecnologias para criar e disseminar a arte, sem precisar abrir mão de seus direitos para as grandes empresas que dominam a indústria cultural.

"Acho que estamos avançando rapidamente em direção à obsolescência e ao desaparecimento de um modelo único tradicional e sua substituição por outros, que são híbridos", disse Gil em uma entrevista realizada em fevereiro, em sua casa no Nordeste brasileiro, um dia antes do início do carnaval. "Minha visão pessoal é que a cultura digital traz consigo uma nova idéia de propriedade intelectual e essa nova cultura do compartilhamento pode, e deve, alimentar as políticas governamentais."

Criado no interior pobre e árido do Nordeste brasileiro, Gil, 64, vem se alternando por mundos diferentes a maior parte de sua vida. Nenhum negro brasileiro ocupou o cargo de ministro antes de ele ser nomeado, há quatro anos, e, quando jovem, recém-saído da universidade, ele trabalhou em uma multinacional em uma época em que poucos negros brasileiros tinham acesso a empregos como esse. Mais tarde, durante a ditadura militar, foi preso e forçado a ir para o exílio na Inglaterra.

Depois de voltar para o Brasil, na década de 1970, fez gravações que encorajavam os negros brasileiros a se reconectarem com suas raízes africanas, e foi um pioneiro na defesa da música de Bob Marley e do reggae. Mas Gil também leu extensamente sobre filosofia e religiões orientais, adotou uma dieta macrobiótica, levando o compositor, produtor e crítico Nelson Motta a descrever seu estilo como "Afro-Zen".

Pessoalmente, Gil é caloroso, calmo e envolvente, uma figura esbelta e jocosa, com cabelos rastafári e jeito de duende que tende a desarmar seus críticos. Tanto como artista ou indivíduo, ele sempre teve uma tendência a uma mente aberta e gostos ecléticos; o poeta Torquato Neto uma vez disse sobre ele: "Existem várias maneiras de cantar e fazer música brasileira, e Gilberto Gil prefere todas elas."

Um fascínio pela tecnologia é outra constante na longa carreira de Gil. Escreveu sua primeira canção sobre computadores, chamada *Cérebro eletrônico*, nos idos da década de 1960, e voltou regularmente ao tema em composições como *Parabolicamará* e *Pela Internet*; esta última, escrita no início da década de 1990, contém os versos:

> Eu quero entrar na rede
> Promover um debate
> Juntar via internet
> Um grupo de tietes de Connecticut
> [...]
> Eu quero entrar na rede pra contactar
> Os lares do Nepal e os bares do Gabão

"Não acho que exista qualquer outra pessoa como Gil em lugar nenhum do mundo", diz John Perry Barlow, ex-letrista do Grateful Dead, que é amigo de Gil e co-fundador da Electronic Frontier Foundation, um dos grupos que estão à frente do esforço para reformar o atual sistema de direitos sobre a propriedade intelectual. "Ele é um ponta-de-lança. Vem pensando em questões sobre propriedade intelectual há tempos e claramente percebe a importância disso tudo. Mas ele também ocupa uma posição única para implementar suas idéias."

Uma das primeiras ações de Gil ao assumir o Ministério da Cultura em 2003 foi criar uma aliança entre o Brasil e o embrionário movimento Creative Commons. Fundado em 2001, o Creative Commons pretende oferecer uma alternativa para o sistema tradicional de direitos autorais de "todos os direitos reservados", que, para os partidários do movimento — de cientistas e artistas a advogados e consumidores —, impede a criatividade e a circulação do conhecimento na era da internet.

Como alternativa, o Creative Commons concebeu uma estrutura mais flexível, que permite aos artistas decidir que parte de seus direitos autorais desejam reter e o que querem compartilhar com o público. Com a ajuda de Gil e de diversos outros colaboradores, a organização criou licenças que permitem aos criadores e consumidores copiar, remixar ou samplear obras de arte digitais, desde que o artista original receba os créditos adequadamente.

Mais de 145 milhões de trabalhos foram registrados com licenças da Creative Commons, incluindo vídeos, fotografias, textos, blogs e música, é claro. Como o Brasil é um "país com música em seu código genético", para usar as palavras de Barlow, e como a música brasileira tornou-se uma força global, a idéia de relaxar os controles automáticos sobre o trabalho artístico mantidos por um punhado de conglomerados concentrados em outro hemisfério gerou grande identificação aqui.

"Veja o caso dos sites de remix musicais, que se tornaram um foco de criatividade na internet e produziram um enorme arquivo de músicas que podem ser utilizadas legalmente", cita Lawrence Lessig, autor do livro *Free Culture* e fundador da Creative Commons. "Isso permitiu que um grande número de pessoas exibisse seus trabalhos artísticos e fossem contratadas por selos de gravadoras e websites, e tudo isso começou porque Gil nos fez pensar sobre o tipo de liberdade necessário para a música."

Como ministro da Cultura, Gil também apoiou um programa chamado Pontos de Cultura. Pequenas doações governamentais são feitas para diversos centros comunitários em bairros pobres de algumas das maiores cidades do Brasil, para a instalação de estúdios de gravação e de vídeo, e os moradores são instruídos sobre como utilizá-los.

O resultado foi uma enxurrada de vídeos e músicas, boa parte rap ou eletrônica, com ênfase política e racial. Como as rádios comerciais brasileiras, que os críticos dizem ser movidas a pagamentos promocionais, ou jabás, não tocam as novas músicas, os artistas transmitem suas canções através de rádios comunitárias e distribuem seus CDs independentemente, em mercados e feiras, em vez de usar os selos de gravadoras.

Com esse projeto, "está sendo criado conteúdo livre de licenças e se está demonstrando a criatividade latente na sociedade", diz Lessig.

A postura oficial do Brasil em relação aos direitos sobre o conteúdo e a propriedade intelectual decorre, em grande parte, da experiência do próprio Gil. No final da década de 1960, ele e seu grande amigo, Caetano Veloso, além de vários outros, aqui e em São Paulo, iniciaram o movimento conhecido como Tropicalismo, que misturava poesia de vanguarda, influências pop estrangeiras e estilos musicais nativos, então considerados cafonas e inferiores.

De certa maneira, os tropicalistas adotaram o *sampling* antes da existência das tecnologias digitais, usando técnicas de copiar e colar, misturar e combinar, comuns atualmente, mas consideradas estranhas na época. Em anos recentes, sua música e sua abordagem foram adotadas por artistas famosos de diversos estilos, como David Byrne, Nirvana, Beck, Nelly Furtado e Devendra Banhart.

Quando a *world music* começou a aparecer nos Estados Unidos e na Europa e Byrne, Paul Simon, Peter Gabriel e outros começaram a incorporar os ritmos brasileiros em seus trabalhos, Gil inicialmente mostrou-se cético em relação ao fenômeno, reclamando de "safáris culturais" de aventureiros em Land Rovers, "em busca de espécies raras". Mas, graças em grande parte aos avanços tecnológicos, ele diz, essa prática "mudou completamente" e os astros pop agora estão mais "respeitosos" com as outras culturas.

"Atualmente, a hegemonia do hemisfério norte, de certa maneira, foi rompida", diz. "As tendências locais podem se manifestar e adotar linguagens e modelos de apresentação próprios. Já não se trata mais de uma visão de transformar alguma matéria-prima regional em um único produto padronizado. Atualmente, temos todos os tipos de situações locais que utilizam elementos universais", como o rap brasileiro, sul-africano ou árabe.

Como tropicalista, Gil também se envolveu em um episódio equivalente à vaia para Bob Dylan no Newport Folk Festival, em 1965. Quando os tropicalistas tocaram guitarras elétricas e rock em um festival da canção em São Paulo, em 1967, foram vaiados e acusados de serem agentes do imperialismo americano, que tentava impor influências estrangeiras nocivas à música brasileira.

As reclamações de Gil sobre a inadequação dos direitos autorais devem-se, em parte, à sua própria experiência. Como muitos músicos, ele assinou contratos no início de sua carreira que, essencialmente, retiraram seus direitos autorais sobre as músicas que compôs. Mas ele enfrentou uma batalha judicial de sete anos para recuperar seus direitos, encerrada recentemente com um julgamento favorável, que abre as portas para outros artistas brasileiros recuperarem seus direitos da mesma maneira.

"Os antigos contratos eram de concessão total, os direitos sobre o trabalho eram cedidos ao contratante de maneira absoluta", ele diz. "Briguei para recuperar o controle de meu próprio trabalho, argumentando que existe um direito unilateral de romper o contrato. E ganhei. Foi a primeira vez que isso aconteceu no Brasil, com base na rescisão do contrato pelo artista, e sem um acordo negociado."

Agora que Gil recuperou a propriedade de seu próprio catálogo de mais de quatrocentas canções, ele está colocando na prática o conceito de "copyleft" (um trocadilho com copyright), como o sistema alternativo às vezes é chamado. Ele detém todos os direitos sobre algumas canções, alguns direitos sobre outras e declara-se "sem reservas de direitos" para outras tantas, que agora são liberadas para que outras pessoas as usem em remixes e vídeos.

Com uma abordagem assim, o artista "não precisa mais transferir a administração de seus direitos para uma entidade chamada gravadora, estúdio de cinema ou editora musical", explica Gil. "Ele mesmo pode fazer isso."

Apesar de todos os flertes com a política ao longo dos anos, foi só no final da década de 1980, quando se elegeu vereador de Salvador, a terceira maior cidade brasileira, que Gil aventurou-se pelos partidos políticos convencionais. Seu eleitorado foi uma mistura incomum de negros pobres da classe trabalhadora, membros da classe média, predominantemente brancos, e ambientalistas.

Mas ele desistiu após o primeiro mandato, recusando convites para concorrer a uma vaga no Congresso, alegando estar cansado das contendas partidárias e que desejava retomar sua carreira artística. Por isso, muitos brasileiros se surpreenderam quando ele voltou para a política, após a eleição do primeiro governo de esquerda do país em 2002, quando aceitou o convite para ser o ministro da Cultura, e, novamente, no ano passado, quando concordou em permanecer no cargo no segundo mandato.

"Continuo não gostando de política", diz. "Prefiro ver minha posição no governo como a de um administrador, um gerente. Mas a política é um ingrediente necessário. A política está presente no governo, no dia-a-dia com os ministros, na discussão sobre a questão da divisão orçamentária, sobre como o bolo é fatiado, a distribuição dos recursos. É preciso escolher prioridades, cuidar de alguns e deixar outros de lado."

A gestão de Gil não está livre de controvérsias. Ele é membro do Partido Verde, não do Partido dos Trabalhadores, que está no poder. Assim, ao ser nomeado pela primeira vez, alguns membros do partido governista ofenderam-se pelo cargo não ter sido entregue ao próprio PT, e reagiram com manifestos criticando a escolha do presidente Luiz Inácio Lula da Silva por um artista pop, algo ideologicamente suspeito.

"É preciso lembrar que o Tropicalismo foi combatido pela tradicional esquerda stalinista, e que, ainda hoje, algumas dessas mesmas pessoas estão no Partido dos Trabalhadores e nos sindicatos", diz Nelson Motta, que também é autor de *Noites Tropicais*, uma história da música popular brasileira desde os anos 1960. "Desejam colocar a cultura sob o controle do Estado e nada sabem sobre o mundo digital e a internet, assim, é claro, opõem-se a revolucionários autênticos como Gil, que sempre buscou coisas novas."

Desde que Gil tornou-se ministro, o gasto do governo brasileiro com a cultura cresceu mais de 50%, um testemunho do seu prestígio e de sua capacidade de negociação. Como ministro, ele dedicou seu tempo a vender a música brasileira no exterior, mas também trabalhou para chamar a atenção dos mercados estrangeiros para cinema, pintura, escultura e literatura brasileiros.

"Uma coisa que é preciso lembrar sobre o Gil", diz Hermano Vianna, antropólogo, escritor e figura de ponta no movimento da cultura digital no Brasil, "é que ele vê a cultura não apenas como arte, mas também como uma indústria. Para Gil, a cultura não é apenas um acessório, mas uma parte importante da economia e até mesmo um motor para o desenvolvimento econômico".

Ao longo dos últimos quatro anos, no entanto, Gil reduziu as suas apresentações, a parte que ele mais gosta em sua atividade musical, diz, e praticamente deixou de gravar. Seu disco mais recente, *Gil Luminoso*, é uma coletânea de 15 de suas músicas, incluindo *Cérebro Eletrônico*, regravada em 1999, apenas com voz e violão, para acompanhar um livro sobre ele.

Por que abrir mão de algo tão gratificante quanto tocar música em nome de algo tão desgastante quanto a administração pública? "A vida não é só prazer", diz. "A primeira frase das escrituras védicas é 'Tudo é sofrimento'. A dificuldade é estimulante, desafiante, um elemento que faz parte do pulso da vida."

Além disso, ele está em um ponto da vida em que "não quero mais um compromisso com minha carreira, no sentido clássico de uma profissão", diz. "Não vejo mais a música como um campo a ser explorado. Para mim, ela agora é uma área alternativa de ação, parte de um amplo repertório de possibilidades de que disponho. A música é algo visceral em mim, algo que emana de mim, e mesmo quando não estou pensando nela, estarei fazendo música, sempre."

Um revolucionário ainda em ação

Data: 17 de novembro de 2002

RIO DE JANEIRO (RJ) — A esta altura de sua carreira, seria fácil para Caetano Veloso acomodar-se no papel de velho estadista da música popular brasileira. Ele tem sido uma força cultural indelével neste país desde a década de 1960, muitas de suas mais de 325 músicas transformaram-se em *standards* no Brasil e seus cabelos, um dia extravagantemente encaracolados, agora estão comportadamente aparados e com tons grisalhos.

Mas Caetano, que acaba de fazer 60 anos, recusa-se a agir conforme a idade ou a se deitar sobre os louros. Em vez disso, continua a ser o que os brasileiros chamam de *moleque* — um sujeito travesso, provocador, curioso sobre tudo o que atravessa seu caminho e pulando de uma polêmica para outra.

"Musicalmente, sinto-me muito feliz e produtivo atualmente", diz Caetano em uma recente entrevista concedida em seu espaçoso apartamento, com vista para a praia de Ipanema e entulhado de livros e obras de arte. "Não é que eu fique buscando as polêmicas; apenas sinto-me apaixonado pelas descobertas que continuo a fazer."

Na verdade, Caetano encontra-se com uma agenda excepcionalmente cheia. Sua apresentação em Nova York, nesta semana, é parte de uma turnê pelos EUA, a ser concluída em breve. Ele tem um novo disco em parceria com seu amigo Jorge Mautner, chamado *Eu não Peço Desculpa*; e acaba de lançar *Noites do Norte ao Vivo*, nos EUA, um CD duplo que inclui músicas de diferentes momentos de sua carreira; e seu primeiro livro, *Verdade Tropical*, acaba de ser lançado em inglês.

Um best-seller amplamente discutido quando lançado no Brasil, há cinco anos, *Verdade Tropical* tem "elementos de memória, um pouco de autobiografia e alguns espasmos ensaísticos que, ocasionalmente, assumem um tom algo antropológico", diz Caetano. "Mas, acima de tudo", acrescenta, "é a história de um movimento".

Esse movimento, claro, é o Tropicalismo, a filosofia anárquica e abrangente que transformou a sociedade brasileira no final da década de 1960, desafiando e debochando dos dogmas culturais e políticos. Para o choque dos tradicionalistas, nada ficava de fora daquilo que uma das canções da época chamava de "geléia geral" do Tropicalismo: instrumentos elétricos, igualdade política, influências estrangeiras, liberdade sexual, celebração de estilos musicais nativos considerados cafonas, drogas capazes de abrir as portas da percepção e poesia de vanguarda.

O livro de Caetano recaptura o tumulto e a excitação da época, incluindo um relato dos bastidores de uma apresentação histórica, caótica e hilária em um festival — uma participação considerada o equivalente brasileiro à de Bob Dylan em Newport, o momento histórico em que o bardo abandonou os instrumentos acústicos e o folk tradicional, deixando os puristas irados. Pela primeira vez, ele também fala amplamente do preço que pagou por suas convicções no final da década de 1960: prisão por cerca de três meses pela ditadura militar, seguida de dois anos de exílio em Londres.

"Um amigo comum uma vez me disse que a memória de Caetano não é apenas fotográfica, mas também cinematográfica", diz Carlos Calado, autor de *Tropicália: A história de uma revolução musical*, o relato mais completo sobre a época. "Isso significa que o livro é um documento vital para qualquer pessoa interessada pela música popular brasileira, e é excepcionalmente confiável, eu acrescentaria."

Atualmente, Caetano diz, "o que fizemos foi absorvido pela corrente sanguínea da vida cultural brasileira", tão completamente que o Tropicalismo já não chama mais a atenção. Mas ele persiste em ser fiel aos princípios subjacentes do movimento, não só pela incorporação de novas influências, como o reggae e o rap, mas também continuando a criticar ferozmente a mesmice estética e as desigualdades sociais.

"Infelizmente, o que mais interessava a gente naquela época continua sem solução", ele diz. "Continua difícil para o Brasil, enquanto nação, criar um ambiente social aceitável por si só, e, como criadores de música popular, sempre buscamos provocar ou sugerir a necessidade de uma segunda abolição, que venha realmente libertar esse país", de uma maneira que o fim da escravidão, há mais de um século, não conseguiu.

O disco solo mais recente de Caetano, *Noites do Norte*, lançado no ano passado nos Estados Unidos, é uma meditação sobre esses temas. Foi inspirado, ele disse, pela leitura das obras de Joaquim Nabuco, o grande cruzado antiescravagista do século XIX que "fala com maior lucidez do Brasil atual do que a maioria dos que estão escrevendo agora sobre o Brasil de hoje".

O outro sumo sacerdote do Tropicalismo foi o companheiro de composições de Caetano, Gilberto Gil, que também faz 60 anos este ano. Os dois conheceram-se como estudantes universitários em seu estado natal, a Bahia, há quarenta anos, e suas carreiras e vidas se entrelaçaram desde então: ambos foram vaiados juntos nos palcos, presos juntos em dezembro de 1968, exilados juntos e, em determinada época, estiveram casados com duas irmãs.

"Acho que podemos dizer que Gil era o coração e Caetano o cérebro do Tropicalismo", diz Calado. "Claramente, ele forneceu o lado racional, intelectual e programático do movimento."

Caetano afirma que Gil sempre foi melhor músico do que ele, observando que só em Londres foi encorajado a tocar violão no estúdio, e se queixa até hoje: "Ainda não tenho o ouvido inato de um *jazzman* para a harmonia."

Mas Gil responde que o talento que distingue o seu companheiro é de outro tipo. "Ao contrário de mim, Caetano poderia ter sido um grande pintor, escritor, autor teatral ou cineasta — o que quisesse", diz Gil. "Seus interesses são dispersos e ele vê a música como um fragmento dentro de um todo, o que faz dele um artista no sentido mais amplo da palavra e dá a suas músicas uma visão conceitual muito mais ampla do que de qualquer outra pessoa."

O conhecimento musical de Caetano é especialmente enciclopédico: no início de sua carreira, ele participou da versão brasileira do *Name That Tune*, que no Brasil se chamou *Qual É a Música?*. Pergunte a ele o que tem ouvido ultimamente e ele descreverá animadamente lançamentos de artistas tão diferentes quanto Aphex Twin e Jill Scott, The Pixies e Timbaland, para não mencionar a mais recente safra de rappers brasileiros.

Quando jovem, Caetano foi crítico de cinema e, até hoje, mantém o dom do crítico para inventar frases concisas e lacerantes — "Macy Gray é a Eartha Kitt da atualidade", diz ele — e fazer conexões inteligentes. Ele é capaz de traçar paralelos entre o Expressionismo alemão e a música heavy metal ou se divertir imaginando o que o filósofo e musicólogo alemão Theodor Adorno diria sobre o disco *Voodoo*, de D'Angelo.

Mas, com toda essa intelectualização, quando se trata de seu próprio trabalho, "Caetano é um artista muito intuitivo", diz Almir Chediak, editor do *Songbook Caetano Veloso*.

"Ele é um alquimista musical, transforma coisas sem muita substância em ouro puro através de seu canto e pela maneira como re-harmoniza os acordes de seu violão", diz Chediak.

O diretor de cinema espanhol Pedro Almodóvar, por exemplo, recorreu a Caetano quando precisou de alguém para cantar uma versão comovente da batida canção *mariachi* mexicana *Cu cu ru cu cu Paloma*, em uma cena tocante de seu último filme, *Fale com Ela*.

Nos dias de hoje, o nicho que Caetano ocupa na cultura brasileira é curioso. Suas opiniões sobre assuntos que variam de política a relações raciais são sempre solicitadas, valorizadas e dissecadas, e as músicas que escreveu ao longo dos anos são ouvidas por toda parte, tocadas por desconhecidos em restaurantes e bares, ou ressoando no rádio em versões de sucesso gravadas por outros artistas, em especial por sua irmã mais nova, a cantora e companheira de Tropicalismo Maria Bethânia.

Os discos do próprio Caetano, no entanto, raramente vendem mais de 250 mil cópias no Brasil e, quando ele finalmente conseguiu vender um milhão de cópias de um álbum de sucesso há quatro anos, foi com uma balada romântica escrita por outro compositor e incluída na última hora na trilha sonora de uma telenovela (a música foi *Sozinho*). Para alguém que lutou ao longo de toda a carreira pelo que é genuinamente popular dentro da cultura popular, sua própria imagem é a de um artista para a elite, com mais prestígio do que popularidade.

"Todo mundo sabe que os grandes sucessos são baseados precisamente na superficialidade e simplicidade musical do produto, e não é isso o que eu faço", ele diz, dando de ombros, quando perguntado sobre essa incongruência. "Eu simplesmente faço os discos e deixo as coisas acontecerem. Ou não. Pouco importa."

Fora do Brasil, a dimensão de Caetano cresceu em anos recentes. Jon Pareles, do *New York Times*, chamou-o de "um dos maiores compositores do século, um mestre da melodia, um letrista que combina imagens surreais com sentido histórico". E, para a surpresa de Caetano, os públicos na América do Norte e na Europa, que não entendem sequer uma sílaba dos seus sutis jogos de palavras, que são o deleite dos fãs brasileiros, mesmo assim lotam suas apresentações.

"Minha popularidade fora do Brasil era um grande mistério para mim e, em certa medida, permanece enigmática", diz. "No começo, achei que era completamente impossível, pois minhas músicas não eram muito bem gravadas, e eu estava convencido de que as pessoas teriam que falar português e estarem familiarizadas com a situação política, histórica e cultural do Brasil para se interessarem. Ainda não sei por que alguém mais se sente atraído pelo que eu faço."

Uma vez encerrada sua excursão norte-americana, Caetano e sua mulher, Paula Lavigne, que também é sua empresária e produtora cinematográfica, pretendem voltar para sua casa na Bahia. Eles têm dois filhos, Zeca, 10, e Tom, 7; Caetano também tem um filho de seu primeiro casamento, Moreno, uma promessa da música brasileira. Mas, logo depois disso, ele espera começar a trabalhar em um projeto que está em sua mente há anos: a gravação de suas músicas populares favoritas em inglês, segundo sua interpretação bela e pouco convencional.

"Vai ter um pouco de tudo, de Cole Porter a Kurt Cobain, ou, pelo menos, até o Prince", ele diz. "Há músicas que quero tocar apenas com o violão, outras, com a banda completa. Gosto de algumas canções que Harry Belafonte cantava, e eu nunca trabalhei com nada de Leonard Cohen. Quem sabe, posso até mesmo fazer algo como *Diana*, do Paul Anka."

Depois disso, é difícil falar: como Caetano diz, "gosto de me entregar ao acaso". Mas não há sinais de que ele pretenda diminuir o ritmo ou parar de absorver novas influências.

"Caetano Veloso é como uma enorme árvore, com muitas raízes, ramos e galhos, e tudo isso continua a crescer e a se desenvolver", diz Calado. "Não dá mais para esperar que cada um de seus discos seja uma revolução, mas seu trabalho está em constante evolução, o que o torna cada vez mais precioso."

Tesouro musical perdido conecta o Brasil a suas raízes

Data: 25 de janeiro de 2007

SÃO PAULO (SP) — A partir de meados da década de 1930, o etnomusicólogo norte-americano Alan Lomax realizou expedições ao *Deep South*, as regiões remotas do sul dos EUA, em busca de cantores de blues e folk genuínos. Graças a esses esforços, Muddy Waters e Woody Guthrie fizeram suas primeiras gravações e um paradigma para a música popular dos EUA foi estabelecido.

No início de 1938, Mário de Andrade, secretário municipal de Cultura de São Paulo, enviou uma missão de pesquisa folclórica de quatro membros para o sertão nordestino, para realizar uma pesquisa semelhante. Sua intenção era gravar o máximo de música o mais rapidamente possível, antes que as influências em avanço implacável do rádio e do cinema começassem a transformar a cultura característica da região.

Viajando de caminhão, cavalo ou jegue, gravaram tudo e todos que acharam interessante: carregadores de piano, vaqueiros, mendigos, pais-de-santo, carregadores de pedra, pescadores, grupos de dança e até mesmo crianças brincando.

Mas o material coletado acabou esquecido em algum armário ou depósito. Só agora, quase setenta anos depois, o registro que Mário de Andrade chamou de um "tesouro prodigioso, condenado ao desaparecimento" está finalmente disponível, na forma de uma caixa de seis CDs documentando as raízes de praticamente todos os estilos importantes da música popular brasileira, do samba ao mangue beat.

"Trata-se de um evento importante, pois as principais tendências, fossem de origens européias, africanas ou indígenas, estão representadas e podem ser detectadas", explica Marcos Branda Lacerda, diretor do projeto do CD, organizado pelo governo paulistano. "Está tudo incluído e, quando ouvimos, podemos identificar as influências que se irradiaram por toda parte", e que tornaram a música brasileira a força global que é hoje.

A caixa de CDs, chamada *Música Tradicional do Norte e Nordeste 1938*, consiste em mais de sete horas de música, selecionadas entre 1.299 faixas, interpretadas por oitenta artistas, totalizando cerca de 34 horas de gravação pela equipe de pesquisadores, em cinco estados no Norte e Nordeste brasileiros, no primeiro semestre de 1938.

Muitos dos estilos documentados nas gravações revelaram-se influências centrais no movimento tropicalista, que surgiu no Brasil na década de 1960 e hoje conta com admiradores internacionais como David Byrne, Beck e Devendra Banhart. Os fundadores desse movimento, especialmente Caetano Veloso, Tom Zé e Gilberto Gil, atual ministro da Cultura brasileiro, vieram do interior da Bahia, estado do Nordeste brasileiro, e reconhecem sua dívida abertamente.

"Essa é a música que eu ouvia quando criança, na loja do meu pai, e é de onde vem toda a riqueza e a força da música popular brasileira", diz Tom Zé. "Como descendentes dos portugueses, Caetano, Gil e todo o resto de nós, tropicalistas, absorvemos essa influência popular e a transmutamos para levá-la ao mundo."

Tom Zé observa que a música do Nordeste brasileiro que veio de Portugal era, ela mesma, o resultado de uma mistura cultural, principalmente pela dominação árabe da região durante a Idade Média. As letras de algumas músicas da compilação remontam à tradição trovadoresca, mas a presença árabe manifesta-se principalmente pelo estilo vocal, com o apreço pelas *bent notes*, um tipo de oscilação intencional de algumas notas.

"Essa influência ainda está presente na música popular brasileira atual", ele diz. "Ouço-a mais claramente, e da maneira mais bela, quando Caetano canta. Ele desenvolveu uma maneira sofisticada e inventiva de usar essas modulações, que eram bastante comuns nos cantores que eu ouvia lá no sertão."

Apesar de o foco principal da expedição ter sido a busca de ritmos, os violonistas também vão se interessar, sobretudo, pelos terceiro e quarto discos, que incluem gravações das duplas conhecidas como repentistas. Como no blues, esse gênero baseado no violão enfatiza a disputa verbal (um sujeito faz um desafio e outro responde), e muitas vezes adota uma mistura de fanfarronada e insultos, que nos EUA são conhecidos como "*the dozens*".

Há trinta anos, depois de uma visita ao Brasil, este repórter mostrou algumas gravações de repentistas para o violonista primitivista John Fahey. Interessado por música popular de todo o mundo, Fahey ficou curioso sobre as afinações e escalas usadas e sinalizou que o tom rascante, rouco e algo anasalado dos vocais lembrava-o de Son House e Bukka White.

"Fico arrepiado só de pensar nas semelhanças entre o blues norte-americano e a música do Nordeste", diz Tom Zé. "É como se a mamãe África tivesse netos no Alabama e em Pernambuco", o estado onde a missão iniciou sua pesquisa.

Das três correntes culturais que se misturaram para fazer do Brasil o que ele é hoje, o elemento ameríndio tem menor representação nos discos do que os traços europeus e africanos, disse Lacerda. Mas a coletânea inclui músicas tocadas por bandas de pífanos (conhecidas nos EUA como *fife and drum*), formadas por flautas e tambores, cuja origem, no Brasil, é indígena — além de gravações dos *praiás*, um ritual predominantemente indígena que praticamente desapareceu no Brasil moderno.

O projeto original foi idéia de Mário de Andrade, um dos mais importantes intelectuais brasileiros do século XX. Poeta, romancista, crítico, historiador da arte, musicólogo e funcionário público, Mário de Andrade estudou para ser pianista, mas, em 1922, tornou-se um dos fundadores do movimento literário modernista, que dominou a cena cultural brasileira por décadas.

"Na década de 1930, Mário de Andrade e outros sentiram a necessidade de registrar as manifestações culturais populares antes que fosse tarde demais", conta Flávia Camargo Toni, a musicóloga que escreveu a apresentação da caixa de CDs. "A maior parte do Nordeste ainda não tinha energia elétrica, a vida era completamente isolada e poucas pessoas viajavam. Então, ele achou que era preciso aproveitar o momento."

Durante a Segunda Guerra, cópias das gravações foram enviadas para a Biblioteca do Congresso, em Washington. Há dez anos, a Rykodisc lançou um disco single de amostra, co-produzido por Mickey Hart, baterista do Grateful Dead, batizado de *The Discoteca Collection*, como parte do projeto de preservação musical da Biblioteca do Congresso, Endangered Music Project, mas só em 2000 os esforços de restauração começaram em São Paulo.

"Quando vi o material pela primeira vez, na década de 1980, o telhado estava caindo, havia goteiras e achei que tudo aquilo seria perdido", conta Lacerda. "Mas fiquei muito surpreso ao descobrir que a maioria dos discos de 78 rotações estava em boas condições, além de encontrarmos cópias daqueles que não estavam, o que nos permitiu gravar direto em CD e eliminar muitos dos chiados."

Em suas viagens, a expedição de Mário de Andrade também coletou instrumentos musicais e outros objetos, filmou e fotografou danças e festivais. O resultado dessa iniciativa foi exposto no Centro Cultural São Paulo, incluindo os cadernos de anotações da equipe, o equipamento Presto Recording Corporation usado e transcrições de entrevistas com os artistas.

Na época em que as gravações foram feitas, o Brasil era governado por uma ditadura, e as práticas religiosas afro-brasileiras estavam proibidas. Como resultado, a equipe de pesquisa folclórica solicitou uma carta de autorização da polícia para poder realizar seu trabalho e "uma boa parte dos objetos coletados, especialmente os tambores, veio do material confiscado que estava em delegacias policiais", conta Vera Lucia Cardim de Cerqueira, curadora do centro.

Mesmo com toda a sofisticação e a exposição a estilos internacionais musicais em anos recentes, essa herança continua a ser relevante. Tom Zé refere-se especificamente a *What's Happening in Pernambuco: New Sounds of the Brazilian Northeast*, que será lançado pelo selo Luaka Bop, de Byrne, em 7 de fevereiro e que, segundo ele, está repleto de ritmos derivados daqueles documentados pela expedição folclórica.

No passado, o Brasil "não tinha uma cultura de preservação", explica Camargo Toni, o que complicava os esforços para colocar a evolução musical do país em seu contexto adequado. Mas, com as gravações da missão finalmente disponíveis, ela diz, os brasileiros agora contam com a "possibilidade de ouvir o passado, pensando no futuro".

"Agora podemos mostrar o que fomos e o que somos hoje, e como isso aconteceu", diz.

COMENTÁRIO

Enquanto escrevo estas palavras, estou ouvindo o disco 4 desta coletânea. Uma reprodução de uma das fotografias do livreto que vem com a caixa de CDs, mostrando dois repentistas, Manuel Galdino Bandeira e Vicente José de Souza, tocando violão e cantando em uma rua de Cajazeiras, Paraíba, no dia 19 de abril de 1938, está pendurada na parede de meu escritório. Mas, apesar de todo o prazer que esses artefatos de cultura popular brasileira me trouxeram, escrever a matéria sobre essa coleção foi ainda mais gratificante — e muito improvável, quando paro para pensar no assunto.

Embora a globalização e a internet tenham ajudado a tornar o jogo mais nivelado, o mundo ainda está longe de ser plano, não importa o que meu colega Tom Friedman possa pensar. Certamente na esfera cultural o conceito de periferia e metrópole ainda persiste, o que é lamentável. Segundo a explicação que Paulo Coelho me deu uma vez sobre esse processo, só sendo publicado em inglês, um sinal de que estava sendo levado a sério como um escritor global, ele conseguiu ser traduzido em farsi, hindi, vietnamita e turco. Os editores desses lugares, disse ele, não lêem livros em português, lêem em inglês, ou talvez francês, e se orientam pelos editores dos Estados Unidos e da Europa.

Em conseqüência, qualquer correspondente do *New York Times* no Brasil seguramente será bombardeado com material de produtores culturais brasileiros que querem que seu trabalho consiga ser notado no exterior. Não se passava praticamente uma semana sem que meu escritório no Rio de Janeiro recebesse, sem solicitação, um novo livro ou uma nova gravação, ou um convite para uma exposição de arte, a abertura de um museu ou a estréia de um filme. Embora a quantidade de poesia ruim que é escrita atualmente seja de fato bastante surpreendente, muito do que era enviado tinha excelente qualidade, e o fluxo aumentava enormemente quando ficava claro para os artistas e seus representantes que eu via a cultura como uma parte importante e necessária de minha cobertura.

Foi assim que esta matéria veio a ser escrita. Em 2006, voltei de uma longa viagem à Amazônia e encontrei um *press release* desta caixa de CDs em minha mesa, enviado pelo Sesc/SP. Examinando o pacote de informações, fiquei imediatamente intrigado. Mário de Andrade tinha enviado uma equipe de gravação ao Nordeste em 1938? Como era possível que eu não soubesse nada dela e não tivesse ouvido falar de seus resultados, eu que estou sempre fuçando feiras e sebos em busca de gemas escondidas? E se esses seis discos eram tão interessantes e tinham tanto valor histórico, por que tinha havido tão pouca cobertura na imprensa brasileira?

Qualquer dúvida que eu pudesse ter se desfez quando a caixa chegou pelo correio e eu pus o primeiro dos seis discos em meu aparelho de CD. Então, instantaneamente impressionado, toquei ansiosamente os outros em rápida sucessão. Mário de Andrade estava certo ao chamar a coleção de "um tesouro prodigioso", eu decidi, mesmo que duas gerações de brasileiros não soubessem disso e a reação da imprensa local fosse no melhor dos casos silenciosa. Quando enviei um e-mail a meus editores de música em Nova York, recomendando uma matéria, eles se dispuseram a me deixar escrever, sem ouvir uma única nota, com base simplesmente na comparação que fiz com as gravações Lomax, que ocupam um lugar de honra na história da música americana.

Como me recordo, uma das principais entrevistas para a matéria, com Marcos Branda Lacerda, foi feita no bar de um hotel em Santiago, Chile, onde ele participava de um congresso cultural quando eu por acaso também estava lá em uma viagem de reportagem. Todas as outras entrevistas foram feitas em São Paulo, no entanto, e a contribuição de Tom Zé foi especialmente útil para estabelecer a qualidade e a importância da música e chamar a atenção de círculos artísticos dos Estados Unidos, dado o prestígio de que ele desfruta lá.

Com a permissão do Sesc/SP, a versão da matéria que foi postada na web também incluiu meia dúzia de canções em formato MP3, que eu mesmo selecionei. Além disso, houve um ensaio fotográfico de cerca de 12 imagens, escolhidas por editores de Nova York, e um link para o site do Sesc, onde os visitantes podiam ler sobre a caixa de CDs em inglês ou português e ouvir mais música.

Essa foi uma das mais ambiciosas apresentações de multimídia em que trabalhei, e mostrou ser ainda mais bem-sucedida do que eu podia ter imaginado. Recebi dezenas de e-mails, tanto de leitores comuns que queriam saber como e onde comprar a caixa quanto de músicos conhecidos. Tom Waits e Pulp foram algumas das estrelas musicais que me contataram, e eu os direcionei para o Sesc.

Melhor ainda, a matéria acabou sendo publicada no *International Herald Tribune*, baseado em Paris, que é de propriedade do *New York Times* e o maior jornal de língua inglesa no continente europeu, e depois, em tradução, em jornais na França, na Espanha, em Portugal, Alemanha e Itália. Isso chamou a atenção de gravadoras nesses países, que me escreveram querendo ser postas em contato com o Sesc para comprar direitos de lançar a caixa de CDs em seus territórios.

Como jornalista, ser capaz de descobrir um tesouro cultural negligenciado como esse e depois escrever sobre ele é muito mais gratificante, pelo menos para mim, do que qualquer matéria para a primeira página sobre algum escândalo político jamais seria. A política é transitória, enquanto uma criação cultural como essa é permanente. Mas não precisa acreditar na minha palavra. Vá você mesmo e dê uma espiada no site do *New York Times*. O pacote todo ainda está lá, disponível a todos os que amamos a música brasileira em todas as suas muitas formas.

O "tesouro nacional" do Brasil de olho no Oscar

Data: 21 de março de 1999

RIO DE JANEIRO (RJ) — A primeira vez que passou pela cabeça de Fernanda Montenegro que ela poderia ganhar um Oscar como melhor atriz foi no Festival de Cinema de Berlim no início do ano passado, antes que ela e o filme *Central do Brasil* ganhassem os prêmios principais do festival. Um dia, durante o café-da-manhã, o produtor do filme, Arthur Cohn, se virou para ela e disse: "Sabe de uma coisa? Você vai conseguir uma indicação para o Oscar com este filme."

Uma vez que o próprio Cohn tem cinco Oscar de filmes estrangeiros e documentários, sua opinião não é para ser desprezada ou tratada com indiferença. Entretanto, na ocasião sua previsão parecia improvável, conforme recorda Montenegro em uma entrevista concedida em seu apartamento em Ipanema, poucos dias antes de embarcar para Hollywood para a cerimônia de premiação de hoje à noite. "Eu recebi a notícia com descrença, como apenas um cumprimento, uma forma mais calorosa e gentil de se dizer 'Tenha um bom dia'", diz ela.

Mesmo agora, parece que as probabilidades pesam contra ela. Aos 69 anos, Montenegro atuou em apenas nove filmes, e destes apenas dois haviam sido mostrados nos Estados Unidos até o lançamento de *Central do Brasil*, no qual ela faz o papel de uma ex-professora amargurada que se torna uma escritora de cartas para pessoas analfabetas a fim de ganhar a vida. A respeito de seus filmes nos Estados Unidos, diz ela que "a única ocasião em que eles provavelmente são vistos é quando alguém organiza um festival de cinema brasileiro ou latino-americano".

Filmado em português, com um orçamento limitado e em estilo semidocumentário, *Central do Brasil* é um filme "pequeno" para os padrões hollywoodianos. Contudo, o desempenho de Montenegro como Dora, cínica e esgotada, é tão poderoso e imponente, tão bem tramado no conto de redenção do filme, que os críticos e o público têm reagido com elogios abundantes e espanto.

"Desde o começo, o papel de Dora foi escrito pensando nela", diz Walter Salles, diretor brasileiro de 41 anos de *Central do Brasil*. "Já vi muito do trabalho dela no teatro e todos os filmes que ela fez, e o que me impressionou foi o fato de ela sempre trazer uma integridade aos personagens que representa, uma interpretação com tantas camadas que é impossível não se deixar fascinar."

Isto foi importante, diz Salles, porque Dora foi concebida para impressionar o público, a princípio como antipática, e depois mais humana à medida que ela redescobre sua capacidade de amar por meio da relação com o menino cuja mãe morreu. "Eu sabia que a Fernanda teria um certo sentimento de solidariedade para com a personagem, e que não a julgaria", diz Salles. "É esta coragem para mergulhar no abismo que faz dela uma das melhores atrizes, não apenas no Brasil, mas no mundo todo."

Porém, muito antes de *Central do Brasil*, os brasileiros já consideravam Montenegro um tesouro nacional. Em uma carreira que se estende por mais de cinqüenta anos, ela atuou não apenas em filmes, mas também no teatro, rádio e televisão. "Já estive de um canto ao outro deste país umas trinta vezes", diz ela, um fato que a faz quase tão conhecida de seus compatriotas como o astro de futebol Pelé e o cantor popular Gilberto Gil.

Montenegro e seu marido há 45 anos, o ator e diretor Fernando Torres, desde 1959 também administram sua própria companhia de teatro. Eles vão de porta em porta tentando levantar fundos junto a corporações, montam produções de peças clássicas e modernas, pegam a estrada e as levam às cidades grandes e pequenas. "Tudo o que temos foi o teatro que nos deu", diz ela. "Nós vivemos no mundo do teatro, fazendo peças durante a nossa vida inteira."

Recentemente, o casal atuou na peça *Da Gaivota*, inspirada em *A Gaivota* de Chekhov, que foi levada para oito cidades brasileiras. Em resposta ao que ela descreve como "uma febre, uma chama, uma necessidade" de explorar a arte de atuar, Montenegro também atuou em trabalhos de Edward Albee, Samuel Beckett, Arthur Miller, Eugene O'Neill, Harold Pinter, Molière, Pirandello, Racine, Shaw e do maior dramaturgo moderno do Brasil, Nelson Rodrigues, e fez algumas incursões esporádicas no terreno de Neil Simon e Noel Coward.

"Fernanda tem uma capacidade e uma disposição infinitas para o trabalho, e nunca considera que um desempenho esteja completo", diz José Wilker, ator brasileiro conhecido pelo público estrangeiro por seus papéis em *Dona Flor e Seus Dois Maridos* e *Bye Bye Brasil*. "Uma peça pode ficar em cartaz por dois anos, e ainda assim é um trabalho em progresso para ela, uma oportunidade para encontrar uma nova maneira de ler a sua personagem."

"Isto é algo raro e admirável", prossegue ele. "Afinal de contas, muitas pessoas têm talento, mas nem todas têm a vocação, aquele chamado interno."

Nas novelas levianas, que são o pilar da programação de entretenimento do horário nobre brasileiro, Montenegro é quase sempre escalada para representar "a mulher rica, a esposa elegante e bem vestida de um magnata que mora em uma grande mansão", diz ela. Muitos atores norte-americanos de estatura comparável à sua evitariam tais papéis, mas ela não pode se dar a este luxo. "Vivemos uma realidade diferente aqui", diz ela. "Ninguém consegue ganhar a vida só fazendo filmes." Além disso, acrescenta, "se eu aceitar um papel, eu sempre o faço com o máximo de esforço e me posiciono com honestidade".

"Eu não menosprezo, eu me atiro neste tipo de trabalho. Por que eu iria me limitar? Se eu vejo um papel interessante, com um bom roteiro e um bom elenco, por que me recusar a participar? Afinal de contas, no século XIX, Balzac e Dostoievski escreveram folhetins, que equivalem à televisão de hoje."

Montenegro diz que gostaria de ter tido mais oportunidades para atuar em filmes, por ser "de uma geração que, desde o momento em que podíamos ficar sentadas no colo de nossas mães, íamos ao cinema três ou quatro vezes por semana para saborear os sonhos que víamos na tela". Porém, obter financiamento é tão difícil aqui, e os cinemas duvidam tanto dos prospectos comerciais dos produtos locais, que só os cineastas mais dedicados persistem.

Por isso, aceitou de pronto quando lhe ofereceram o papel de Dora. Montenegro diz: "Não hesitei nem um minuto. Achei esta personagem tão rica, tão difícil de se achar nos filmes, ou mesmo no teatro, que eu não pude deixar passar a oportunidade. Esta é uma personagem que vive uma crise interna profunda, uma mulher que está no fim da vida, em retrocesso social e desprestígio profissional, que é desprezada e que está se fechando em si mesma."

Se há um fardo para seu prestígio aqui em seu país, é o que ela carrega na cerimônia de premiação da Academia desta noite: as esperanças de 165 milhões de seus conterrâneos numa época em que o Brasil se encontra atolado em uma crise fiscal profunda e desesperado por uma notícia boa. Ela contou que desde o anúncio das indicações ao Oscar no mês passado, garis, carteiros e balconistas fazem para ela o sinal de positivo com o polegar quando a vêem passar pela rua, e gritam: "Nós estamos rezando por você!"

Entretanto, para o público norte-americano, e mesmo para seus colegas de profissão norte-americanos, Montenegro parece ter surgido do nada, "como uma criatura que veio de Júpiter", diz ela, rindo com gosto. Lutando para colocá-la no contexto, os críticos a compararam a Giulietta Masina e a Anna Magnani, atrizes italianas que foram os baluartes do movimento neo-realista do período pós-Segunda Guerra Mundial. Montenegro acha esta comparação lisonjeira e conveniente, não apenas porque "meus avós maternos vieram da Itália pouco menos de trinta anos antes de eu nascer", em Jacarepaguá, no subúrbio do Rio.

"Os italianos mostraram ao Terceiro Mundo que não é necessário um grande orçamento para se fazer um bom filme, que há uma alternativa à maneira hollywoodiana de se fazer as coisas, e esta estética contagiou uma geração inteira de cineastas no Brasil", diz ela. "Foi um dos nossos diretores da época do Cinema Novo, Glauber Rocha, que falou que é necessário apenas uma idéia na cabeça e uma câmera na mão para se fazer um filme."

De fato, Montenegro disse ser adepta do que um outro diretor brasileiro, Arnaldo Jabor, chama de a "estética da fome". Como ela própria descreve, "os problemas sociais do país estão sempre à nossa volta", criando "um mundo triste, mas muito rico" em potencial para se contar histórias.

Embora hoje viva bem confortavelmente, Montenegro, batizada com o nome de Arlette Pinheiro Esteves da Silva, foi criada em uma família operária, filha de um mecânico da Light. Aos 15 anos, porém, ela fez teste para uma estação de rádio estatal local. Foi selecionada para treinamento como locutora de rádio, adotou o sobrenome do médico de sua família como seu nome artístico, e passou a trabalhar desde então praticamente sem parar.

"Ela não é uma Hepburn ou uma Redgrave, uma grande dama", diz a filha de Montenegro, Fernanda Torres, também atriz. "Falam que ela é a primeira-dama do teatro brasileiro, e isto é motivo de riso para ela, porque ela está muito mais para uma Dora do que para uma diva. Ela já viajou nesses trens lotados que a gente vê em *Central do Brasil* e conhece aqueles bairros."

Torres, que em 1986 ganhou o prêmio de melhor atriz no Festival Internacional de Cannes por seu papel em *Eu Sei que Vou te Amar*, descreve sua mãe como "forte e sábia". Entretanto, assim que sobe ao palco, Montenegro "é feroz, uma leoa", diz Torres, que contracenou com sua mãe em *The Flash and Crash Days*, uma peça de 1992, no Lincoln Center. "Ela entra em cena como o Mike Tyson entra no ringue, pronto para arrancar a orelha do Evander Holyfield com uma mordida."

Segundo todos os relatos, ela também é exigente e ferrenha, consigo mesma e com os outros. "Todos podem estar exaustos, mas ela diz: 'Vamos dar mais uma ensaiada'", diz Torres.

Entretanto, "trabalhar com ela é muito divertido", segundo Wilker, que contracenou com Montenegro em várias novelas. "Ao mesmo tempo em que é muito culta, inteligente e versada, ela tem também uma grande intuição, e como ator é muito agradável ser desafiado a manter-se no nível daquela intuição e tentar dar algo em retorno a ela."

Montenegro reconhece que por causa de sua idade e sua fluência em inglês aquém do ideal, não vão chover ofertas de trabalho de Hollywood para ela. Sua fluência é boa o bastante para aparecer no programa *Late Night with David Letterman*, como aconteceu recentemente, mas não o suficiente para ela atuar em inglês. Porém, construir uma carreira no exterior jamais foi uma de suas prioridades, e embora "este reconhecimento dos críticos, do público e da Academia seja algo muito lindo e inesperado", isso também não é uma prioridade agora.

"Temos grandes atores e atrizes bem aqui, e histórias maravilhosas para contar", diz ela com convicção. "Eu não trocaria minha experiência de vida pela de nenhum ator de qualquer outra cultura. Ser um ator no Brasil é como viver uma aventura que nunca tem fim."

As gangues do Rio filmadas *in loco*

Data: 12 de janeiro de 2003

RIO DE JANEIRO (RJ) — "Um elenco composto quase inteiramente por atores desconhecidos, um cenário nem um pouco atraente, muita violência e nenhuma cena de sexo. Se por acaso um estúdio quisesse uma fórmula para um filme ser um fracasso, seria esta", diz o diretor brasileiro Fernando Meirelles.

Enquanto filmava em favelas locais há dois anos, Meirelles se preocupava com a viabilidade comercial do filme que estava fazendo. Contudo, *Cidade de Deus*, que estréia nesta sexta-feira em Nova York e Los Angeles, se tornou um divisor de águas político e cultural no Brasil, e foi o filme mais visto pelos brasileiros em quase trinta anos.

Do retrato sem retoques da criminalidade à cinematografia inovadora, cada aspecto tem sido tão exaustivamente analisado e discutido que até se falou que o novo presidente do Brasil, Luiz Inácio Lula da Silva, teria dito que ver o filme o fez mudar sua política de segurança pública.

O título de *Cidade de Deus* é extraído do romance homônimo campeão de vendas de Paulo Lins, que por sua vez foi batizado com o nome de um conjunto habitacional gigantesco construído aqui na década de 1960, no qual moram hoje 120 mil pessoas. Foi lá que Lins foi criado, conheceu os personagens do livro e do filme na vida real, e testemunhou as gangues de drogas estabelecerem seu domínio sufocante sobre a comunidade.

"O livro foi fruto de trinta anos de observação e dez de pesquisa", diz ele em entrevista concedida em seu apartamento no bairro de classe média onde mora hoje. "Desde a época em que eu era criança, observava o que se passava à minha volta, de maneira que tudo que aparece no livro é real, e esta realidade é exatamente o que os cineastas queriam capturar."

Quando o livro *Cidade de Deus* foi publicado, em 1997, se tornou um sucesso imediato de público e de crítica, em grande parte porque mostrava a vida na favela pela visão de dentro, e o fez sem condenar quem mora lá. Um amigo de Meirelles deu ao diretor uma cópia do livro com a sugestão de que poderia dar um bom filme.

Por coincidência, Meirelles, de 47 anos, estava naquele momento numa encruzilhada em sua carreira. Ele sempre desejara fazer longas-metragens, e já havia dirigido vários programas de televisão e documentários, mas se deixou levar para o lado da propaganda e se tornou talvez o diretor de comerciais de maior sucesso do Brasil.

"Eu já tinha ganho o Prêmio Clio e todas as outras premiações que se pode ganhar, mas estava num ponto em que se começa a perguntar se não há algo mais", relembra ele.

A proposta de Meirelles para filmar *Cidade de Deus* foi uma das oito que Lins recebeu, e algumas das outras eram de diretores muito mais conhecidos e com mais experiência em filmar as favelas do Rio. Porém, quando Meirelles esboçou seu plano cuidadosamente traçado e arriscado de contratar amadores da Cidade de Deus e outras favelas vizinhas, a balança pendeu para seu lado.

"Foi a idéia de usar atores das favelas que realmente me tocou e me convenceu", diz Lins. "O dinheiro era praticamente o mesmo das outras ofertas, mas a visão do projeto de Fernando era a mais interessante de todas."

Uma vez superado este primeiro obstáculo, um novo desafio se apresentou a Meirelles: a dimensão absolutamente dickensiana do romance. Com 550 páginas, *Cidade de Deus* tem cerca de trezentos personagens, e traça três décadas da história da favela. Uma versão preliminar do roteiro, de 160 páginas, ganhou um prêmio em uma oficina do Instituto Sundance, realizada aqui no Brasil. Mesmo assim, foi necessária uma dezena de outras versões antes de se chegar a uma passível de ser filmada.

Por ser um branco criado em um bairro de classe média em São Paulo, Meirelles enfrentou também o problema da credibilidade. Nos Estados Unidos, a situação que ele enfrentou seria como se uma pessoa natural do bairro nova-iorquino sofisticado de Upper West Side decidisse ir ao bairro pobre de South Central em Los Angeles para fazer um filme sobre as gangues de negros, e esperar ser recebido de braços abertos.

Para facilitar seu trabalho, Meirelles decidiu recrutar uma co-diretora, Kátia Lund. Natural de São Paulo, Lund é descendente de noruegueses, tem diploma da Brown University, prestigiosa instituição de ensino norte-americana, mas fez diversos vídeos musicais brasileiros de rap nas favelas.

Ela também filmou *Notícias de uma Guerra Particular*, documentário altamente elogiado sobre as gangues de drogas das favelas do Rio.

"Toda essa experiência foi uma revelação para mim, e eu quis saber o que estava acontecendo e por que ninguém estava fazendo nada a respeito", diz ela. "Eu acredito que as pessoas mudam mais pela compreensão emotiva do que pela intelectual, e como um longa-metragem como este oferece uma maneira de alcançar um número bem maior de pessoas, e de uma maneira bem mais direta do que um documentário, eu abracei a oportunidade de me envolver."

Com a ajuda de Lund, Meirelles montou uma escola de atores em uma favela no Rio, sem permitir que os moradores soubessem que estavam na verdade fazendo testes para um filme. Por quase um ano, duzentos alunos escolhidos de um grupo inicial de 2 mil freqüentaram as aulas de atuação duas vezes por semana. Eles ensaiaram as cenas com uma câmera rodando para "fazer com que eles se acostumassem com a idéia", segundo Meirelles.

Do elenco escolhido, o único ator profissional é Matheus Nachtergaele, que faz o papel do traficante de drogas Sandro Cenoura. Leandro Firmino da Hora, amplamente elogiado pelo papel arrepiante do traficante de drogas psicótico Zé Pequeno, é um morador da favela de 23 anos que jamais havia atuado. O personagem Mané Galinha, cobrador de ônibus que jura se vingar das gangues depois que sua namorada é violentada, foi para o cantor de samba Seu Jorge.

Meirelles também se arriscou no que diz respeito ao aspecto técnico, quando filmou com câmeras de 16 e 35 milímetros ao mesmo tempo. Em seguida, converteu o filme para vídeo digital e modificou os tons das cores antes de transferir o vídeo novamente para o filme de 35 milímetros. As tonalidades gradativamente mais frias e desbotadas, juntamente com o uso de câmeras portáteis, terminam por dar a *Cidade de Deus* uma atmosfera premeditada de desorientação e vertigem.

"Quando se assiste ao filme do começo ao fim, parece que o diretor e a equipe estão desaprendendo tudo que se deve saber sobre filmagens", diz Meirelles. "Eu quis dar a impressão de que estávamos perdendo o controle, porque com o tempo o Estado foi perdendo o controle da área para os traficantes de drogas, e isto só pode levar ao caos."

Embora satisfeito com o resultado, Meirelles ainda tinha suas dúvidas quanto à reação do público antes de *Cidade de Deus* ser lançado no Brasil no final de agosto. O público de cinema brasileiro costuma ver com melhores olhos os filmes norte-americanos de grande orçamento e de grandes efeitos especiais, como *Homem-Aranha* e *Homens de Preto*; e em relação à safra local, prefere geralmente as comédias superficiais com estrelas das novelas brasileiras no elenco.

Porém, nos dois últimos anos, o Rio de Janeiro tem estado sob crescente ataque de chefes de quadrilha com nomes como Elias Maluco e Fernandinho Beira-Mar. Em uma demonstração de força no início de outubro, as quadrilhas tiveram sucesso em sua tentativa de parar a vida rotineira local. Elas ordenaram que os ônibus não rodassem e que os negócios, lojas, colégios e bancos da cidade, inclusive nos bairros chiques de Ipanema e Copacabana, fechassem suas portas.

Em um ambiente como este, *Cidade de Deus* serviu como um "alerta para os brasileiros que não queriam enfrentar este problema", diz Lund.

Os debates que se seguiram foram emotivos e não raro ferozes. Detratores como Alba Zaluar, a antropóloga que orientou a pesquisa de Lins e instou para que ele escrevesse o livro, se queixou da versão cinematográfica de *Cidade de Deus*. Para ela, o filme meramente repetiu os estereótipos "que os estrangeiros esperam ver: um país de crianças famintas e abandonadas, de pobreza africana, de sujeira, desgraça e violência".

A maioria das pessoas reagiu como o diretor de cinema veterano Arnaldo Jabor, que elogiou *Cidade de Deus* por ter aberto "um buraco na consciência nacional" que "nos faz entrar dentro dos lamaçais, dentro das chacinas, dentro de tudo que sempre detestamos ver". Ele acrescentou que o filme mostra ao mundo "que o inferno é aqui, atrás de Ipanema".

Alguns comentaristas sociais acusaram *Cidade de Deus* de glamorizar e banalizar o derramamento de sangue e a brutalidade que são um componente diário da vida nas favelas do Rio. Meirelles diz achar esta idéia ridícula. Uma cena em particular, a do rito cruel de passagem de um menino para a vida adulta na quadrilha, horrorizou as platéias e se tornou um símbolo das doenças sociais que afligem a cidade cartão-postal do Brasil.

"Mas é uma violência que tem como objetivo gerar reflexões, não é a violência que encanta, como a que se vê em um tipo específico de filme de ação americano onde existe o prazer de mostrar a violência", diz ele. "Em *Missão Impossível*, Tom Cruise mata umas trinta pessoas, e mesmo assim não temos a impressão de que estamos na presença de um assassino, porque é tudo feito para parecer muito bonito e emocionante. Neste filme eu coloco a violência na cabeça dos espectadores, e deixo que eles completem a imagem."

Apesar de toda a controvérsia, *Cidade de Deus* foi escolhido como o concorrente brasileiro ao Oscar de melhor filme estrangeiro, e já foi indicado para o Globo de Ouro de melhor filme em língua estrangeira. Quanto a Meirelles, ele agora trabalha no que descreve como "uma comédia dramática sobre a globalização", apesar de seus compatriotas ainda continuarem a debater sobre as causas do crime e da pobreza e suas soluções.

"Percebi várias mudanças de atitude no último ano, uma transformação de dentro para fora", diz ele. "A sociedade estava dormindo, e não queria admitir este problema, mas agora é diferente, e, se meu filme teve um pequeno papel neste despertar, fico satisfeito."

Acordando o gigante do teatro brasileiro

Data: 17 de dezembro de 2000

RIO DE JANEIRO (RJ) — Durante uma carreira turbulenta que se estendeu por quatro décadas, suas peças foram consideradas tão perturbadoras e ofensivas que os censores proibiram por 21 anos uma delas, cujo título inócuo era *Álbum de Família*, e a estréia de outra levou um espectador irado a sacar uma arma. Ainda assim, Nelson Rodrigues, que já foi ridicularizado ao ser chamado de "o tarado de suspensórios", foi claramente o pai do teatro brasileiro moderno; e hoje, quando se aproxima o vigésimo aniversário de sua morte, seu status no país é o de um herói cultural.

"Para começar, Nelson Rodrigues é um tesouro nacional; ele não é apenas o maior dramaturgo brasileiro, é também um dos melhores do mundo", diz o diretor de cinema Bruno Barreto, um dentre a legião de artistas brasileiros contemporâneos que se incluem na lista de admiradores do dramaturgo.

"Tenho certeza", Barreto diz, "que se ele tivesse escrito em inglês, seria tão importante quanto Tennessee Williams, O'Neill ou Pinter, tamanha é a qualidade universal, atemporal e subversiva de seu trabalho".

Rodrigues morreu aos 68 anos em 21 de dezembro de 1980, e como um prelúdio das celebrações do aniversário de sua morte estão sendo realizados seminários para discussão de suas 17 peças e foram organizadas mostras da maioria dos vinte filmes feitos a partir de seus trabalhos. Até mesmo uma escola de samba local planeja homenageá-lo durante os desfiles de carnaval em fevereiro.

Porém, o ponto alto das comemorações é uma nova produção de um de seus dramas, encenado para casas lotadas no Rio desde outubro. Escrita quando Rodrigues tinha 28 anos e lutava para se sustentar como jornalista, a peça *A Mulher sem Pecado* é um estudo psicológico de Olegário, um homem de negócios próspero, arrogante e confinado a uma cadeira de rodas, casado com Lídia, mulher muito mais jovem. Com medo de estar sendo traído, ele a importuna e espia, e elabora testes de fidelidade, um atrás do outro. Apesar de tudo isso, descobre no final, quando suas dúvidas são finalmente dissipadas e é revelada a farsa da sua invalidez, que ela fugira com o motorista negro da família.

Rodrigues alcançaria a notoriedade nacional com sua segunda peça, *Vestido de Noiva*, encenada pela primeira vez em 1943. Porém, todos os temas hoje considerados a marca registrada de sua obra, até mesmo os temas subliminares raciais que as pessoas desta sociedade supostamente daltônica sempre relutaram em reconhecer, estão presentes em *A Mulher sem Pecado*. Repetidamente, em trabalhos com títulos sugestivos como *Perdoa-me por me Traíres* e *Bonitinha, mas Ordinária*, Rodrigues retomaria os temas da repressão sexual, da hipocrisia, da ira e do engano, juntamente com o ciúme obsessivo, a vergonha, o autodesprezo, a culpa e a decadência física.

"*A Mulher sem Pecado* demonstra que Nelson Rodrigues foi um dramaturgo completo desde o começo de sua carreira, e é por isso que decidimos reapresentá-la", diz Luiz Arthur Nunes, diretor da produção, que está programada para estrear em São Paulo em março e viajar pelo Brasil no próximo ano. "A peça não é um esforço embrionário, e também não é histórica; é um trabalho maduro, de uma atualidade e um frescor absolutos, no qual já se nota a sua visão da tragédia da aventura humana."

A mais oportuna das peças de Rodrigues, e certamente uma das mais encenadas, é provavelmente *Beijo no Asfalto*. Um pedestre é atingido por um ônibus e agoniza em uma rua do Rio, e um transeunte pára, o segura nos braços e o beija nos lábios como um gesto de despedida, de solidariedade humana. Porém, um repórter inescrupuloso testemunha a cena, e a usa com tanto sucesso para convencer o público ávido por escândalos de que os dois homens eram amantes, que até mesmo a esposa do bom samaritano chega a duvidar de sua masculinidade.

Beijo no Asfalto foi escrita para uma companhia de teatro hoje extinta, que contava entre seus fundadores com a atriz Fernanda Montenegro, a primeira a representar a esposa desconfiada na montagem de 1961. A peça aborda os temas atuais da homofobia e do sensacionalismo dos tablóides de uma maneira profética. Como a maioria das peças de Rodrigues, esta também contém uma grande dose de melodrama, e personagens cujos comportamentos parecem tão extravagantes e extremos que às vezes é difícil afirmar se a peça encenada é uma tragédia ou uma comédia absurda.

"Nelson sempre trabalhou com personagens em convulsão", explica Montenegro. "Ele é extraordinário na maneira como o faz, e para o estrangeiro ele deve parecer extremamente exótico, porque é um escritor que define os brasileiros, a nossa cultura e a nossa emotividade. Alguém de fora deve se perguntar: 'O que é isso? Em que mundo estou?'"

Montenegro, que recebeu uma indicação para o Oscar de melhor atriz em 1999 por seu papel em *Central do Brasil*, afirma: "Se Nelson tem algum ponto de ligação com o mundo americano, é com a obra de Eugene O'Neill." Ela diz que não é apenas por Rodrigues ter sido "apaixonado por O'Neill e familiarizado intimamente com seu trabalho", mas também porque partilhava da fascinação do dramaturgo americano pelo poder da natureza representado pelo mar, como foi demonstrado em *Senhora dos Afogados*, e pelas características internas tortuosas da família disfuncional, tema de peças como *Os Sete Gatinhos* e *Álbum de Família*.

"Se você procurar por um fio condutor em todo o seu trabalho, é que ele trata dos fantasmas e da hipocrisia da classe média", diz Barreto, que dirigiu uma versão cinematográfica de *O Beijo no Asfalto* em 1980. "Quando eu vi o filme *Beleza Americana*, fiquei pensando o tempo todo em Nelson Rodrigues, achando que era este o seu universo, só que em um cenário diferente e quarenta anos mais tarde."

Rodrigues, que veio de uma família proprietária de um jornal desmazelado, foi criado em um bairro de classe média baixa e não muito chique, na Zona Norte do Rio. Sua vida privada foi tão complicada quanto a de um de seus personagens: ele era atormentado constantemente pela tuberculose e outros problemas de saúde, um filho foi preso durante a ditadura militar, e embora tenha se casado apenas uma vez, teve relações tumultuadas com diversas amantes.

Entretanto, Rodrigues não só se deleitava com as controvérsias que suas peças inevitavelmente despertavam na sociedade brasileira, como também as buscava e argumentou: "Ninguém faz nada em arte se lhe falta a dimensão de Vicente Celestino." No final da década de 1940, ele disse que seu objetivo era criar o "teatro do desagradável"; e no final de sua carreira, afirmou que sua visão continuava sendo a de "um menino que vê o amor pelo buraco da fechadura".

"Minhas peças têm um moralismo agressivo", escreveu ele em *Flor de Obsessão*, uma coleção de aforismos e ensaios. "Nos meus textos, o desejo é triste, a volúpia é trágica e o crime é o próprio inferno. O espectador vai para casa apavorado com todos os seus pecados passados, presentes e futuros. Numa época em que a maioria se comporta sexualmente como vira-latas, eu transformo um simples beijo em abjeção eterna."

Constantemente sob pressão financeira, Rodrigues escreveu também romances e contos, assim como milhares de colunas jornalísticas. De fato, Ruy Castro, autor da biografia de Rodrigues chamada *O Anjo Pornográfico* e editor de 12 volumes de seus trabalhos não-teatrais, argumenta que Rodrigues foi talvez maior como romancista do que como dramaturgo.

"Em romances como *O Casamento* e *Asfalto Selvagem*, ele penetra as mentes de seus personagens de um modo tão desconcertante que simplesmente não pode ser reproduzido no teatro", afirma Castro. "Tanto nos romances quanto nas peças, ele trabalha com o mesmo elenco de juízes, médicos, padres e outros que à primeira vista parecem homens de bem e cidadãos acima de qualquer suspeita, e os trata com a mesma malícia. Mas seu talento maior é mostrar as anomalias e os desvios nos corações e almas das pessoas."

Porém, nos Estados Unidos, Rodrigues continua praticamente desconhecido, embora "deveríamos considerá-lo um mestre contemporâneo que provocou uma verdadeira revolução no teatro moderno", diz Terry O'Reilly, diretor artístico da trupe experimental Mabou Mines, de Nova York.

"Acho que ele foi um visionário acima de seus pares europeus", diz O'Reilly, "por escrever bem antes do teatro do absurdo de Ionesco, por exemplo, e por mesclar sonho, alucinação e realidade em peças como *Vestido de Noiva* de uma maneira lindamente apropriada para o palco".

Contudo, há alguns sinais de que esta situação de desconhecimento esteja para mudar. O'Reilly, casado com uma brasileira, já dirigiu peças em português aqui, e planeja uma montagem de *Dorotéia* para o próximo ano no circuito off-Broadway. Rodrigues descreveu essa peça de 1947 como "uma farsa irresponsável em três atos". A atriz Amy Irving espera fazer a montagem de uma versão também no circuito off-Broadway da peça *Toda Nudez Será Castigada*, escrita por Rodrigues em 1965.

"Nelson Rodrigues era um observador perspicaz da vida, e expressava uma espécie de realismo exacerbado por meio dos personagens maiores que a vida", diz Irving, casada com Barreto, em uma entrevista por telefone, "e esta peça em particular tem uma história provocativa, uma escrita divertida e uma grande personagem para eu agarrar com unhas e dentes. Para mim, ele é o equivalente heterossexual brasileiro de Tennessee Williams, alguém que escreve sobre as mentiras e as histórias escondidas da classe média, e não entendo por que ele não é considerado um dos grandes no exterior".

O reconhecimento do trabalho de Rodrigues tem crescido na Europa, especialmente na França e na Polônia. Contudo, seus admiradores brasileiros argumentam que sua reputação no mundo de fala inglesa é dificultada pelo fato de não haver ainda uma tradução completa ou credenciada de seu trabalho. Eles também reconhecem, porém, que há boas razões para esta dificuldade de se fazer tal tradução.

"Uma das coisas mais importantes sobre Nelson Rodrigues, e que torna difícil sua tradução, é que ele encontrou um ritmo de fala, uma prosódia e um *timing* que parecem ser brasileiros de maneira quintessencial", diz Daniel Filho, que participou como ator e diretor em produções de obras de Rodrigues.

"A cadência e o modo de falar em uma peça de Nelson Rodrigues são curiosas e complicadas, com palavrões e insultos que não estão no texto e não são ditos pelos atores, mas estão nas entrelinhas, nas almas dos personagens", diz Daniel.

Nunes, que completou o doutorado pelo City College de Nova York com uma tese sobre Rodrigues, explica de outra maneira. "Para mim, traduzir Nelson Rodrigues para o inglês seria tão difícil quanto traduzir David Mamet para o português", diz ele. Além disso, há as dificuldades adicionais devidas ao fato de "o português não ser uma das línguas mais faladas e o Brasil ser um país marginalizado no que se refere ao teatro internacional".

É claro que o Brasil evoluiu muito do país católico reprimido que Rodrigues retratou, e hoje em dia tem uma imagem libertina. Arnaldo Jabor, diretor e crítico brasileiro que fez versões cinematográficas de *Toda Nudez Será Castigada* e de *O Casamento*, crê que Rodrigues, um contrariador eterno e inveterado, se divertiria ou talvez ficasse consternado se descobrisse o quanto a sua reputação elevou-se desde a sua morte.

"Nelson sempre costumava dizer que toda unanimidade é burra, e ele desdenhava completamente tudo o que fosse solene ou cerimonioso", diz Jabor. "Ele costumava me dizer: 'Não tenha medo de ser estúpido.' Em uma análise final, a sua grandeza é a sua percepção do óbvio, de que podia compreender o que era aparentemente insignificante, o fragmentário, o cotidiano. Ele via o profundo dentro do superficial."

Mago brasileiro faz livros desaparecerem das livrarias

Data: 9 de dezembro de 1999

RIO DE JANEIRO (RJ) — Paulo Coelho visitava a Espanha em julho quando um repórter ligou para ele do Brasil, com uma notícia que deixou claro para o escritor que o público de seus livros já não conhecia mais fronteiras: o presidente dos Estados Unidos acabara de ser fotografado lendo *O Alquimista*, a mais conhecida de suas leves fábulas sobre o desenvolvimento e a realização espiritual.

Não há como negar que algo no estilo enganadoramente enxuto e direto de Paulo Coelho deve atrair os líderes mundiais, uma vez que o francês Jacques Chirac acaba de nomeá-lo Cavaleiro da Legião de Honra, e Boris Yeltsin e Shimon Peres também se declararam seus admiradores. Mas, nos últimos cinco anos, foi sua habilidade de falar aos leitores comuns que o transformou em um fenômeno editorial em todo o mundo.

Uma recente pesquisa da revista francesa *Lire* colocou Paulo Coelho em segundo lugar como o mais popular autor do mundo no ano passado, vendendo mais livros do que qualquer outro escritor, a não ser John Grisham. Os nove títulos assinados por ele, que incluem romances, parábolas que parecem uma mistura de Khalil Gibran e Carlos Castañeda e narrativas autobiográficas de fé e mistério foram traduzidos para 43 idiomas e, na última contagem, haviam vendido 26,3 milhões de cópias.

É lógico, então, que alguns de seus dedicados leitores acreditem que ele realmente tenha os poderes de um feiticeiro, uma imagem que alimentou em livros como *Diário de um Mago* e *As Valkírias*. A revista francesa até mesmo o apelidou de Grande Chefe Espiritual. Nos Estados Unidos, o maior mercado editorial do mundo, esse esbelto e ágil homem de 52 anos acha que "não é muito conhecido", mesmo depois do empurrãozinho do presidente Clinton e do endosso de celebridades como Julia Roberts e Madonna. "Mas sei que sou amplamente lido lá", diz em uma entrevista em seu apartamento com vista para a praia de Copacabana.

Paulo Coelho atribui o início de sua carreira internacional à publicação em inglês de *O Alquimista*, em 1993. O livro conta a história de Santiago, um jovem pastor espanhol que viaja para as pirâmides do Egito em busca de seu destino, ou "de sua lenda pessoal", para usar a expressão preferida do autor. Converteu-se em best-seller instantâneo ao ser publicado aqui, em 1988, mas não atraiu muita atenção inicialmente fora da América Latina.

"No mundo editorial fora dos Estados Unidos, ninguém lê em espanhol, muito menos em português", ele diz, acrescentando que a atitude das editoras européias e de outros lugares, mesmo tendo vendido 6 milhões de exemplares em seu país natal, era dizer que "se tratava de números brasileiros, uma mentira".

"Era preciso estabelecer uma presença nos Estados Unidos", diz. "Para conseguir que um livro seja publicado em mais de 119 países, é preciso usar uma linguagem que possa ser lida na Tailândia ou na Lituânia", prossegue. "A tradução para o inglês tornou possível que outros editores me lessem."

Uma vez aberta essa porta, Paulo Coelho ajudou a si mesmo insistindo que, sem importar o país, seus livros deveriam ter preços acessíveis e ser publicados por uma editora local, uma medida que estimulou as vendas em lugares como a Índia. E, com o gosto pelas viagens que remonta aos seus dias de hippie, ele não hesita em botar o pé na estrada para promover seus livros.

"Por eu vir de um país excluído, que não costuma receber as visitas de autores de best-sellers, faço questão de ir a lugares aonde ninguém mais vai, como a Bulgária, Macedônia, Eslovênia, Letônia, Eslováquia ou Islândia", diz. "Toda a minha vida, as coisas mais importantes foram aquelas que aprendi com as pessoas comuns."

O mais recente romance de Paulo Coelho, *Verônika Decide Morrer*, a ser publicado nos Estados Unidos em maio, é fruto exatamente de uma dessas excursões. A história se passa em um hospital psiquiátrico em Ljubljana, na Eslovênia, e conta a história de uma jovem bela e brilhante que parece ter um futuro dourado pela frente, mas conclui que a vida não tem sentido e tenta se matar.

"Decidi escrever um livro sobre uma pessoa em crise de identidade, vivendo em um país em crise de identidade", a ex-Iugoslávia, ele conta. A questão central do romance, um best-seller por toda a Europa e a América Latina nestes meses finais do ano, "é dizer para essas pessoas que elas não estão sozinhas nem loucas", ele continua, e que "todo mundo se pergunta: o que estou fazendo aqui?".

Como os demais livros dele, *Verônika* baseia-se profundamente em sua experiência pessoal. Durante a adolescência, seus pais o internaram três vezes em uma instituição psiquiátrica. Ele mostra cópias dos documentos médicos, que atestam que ele fugiu duas vezes do hospital onde estava sob tratamento para "irritação e hostilidade".

Os primeiros anos de sua maioridade foram igualmente tumultuados. Ele consumiu drogas intensamente, diz, flertou com as doutrinas de magia negra de Aleister Crowley e foi três vezes para a prisão, onde foi torturado pelo governo militar, então no poder. Os militares suspeitavam que a "sociedade alternativa" defendida por ele e por seus amigos hippies era a fachada de uma conspiração comunista.

Mas nenhum de seus livros se passa no Brasil, por um único motivo. "Sou profundamente acostumado com o Brasil, assim, meus olhos não têm a inocência para escrever sobre o país, a inocência para poder ver coisas novas", explica.

Ainda assim, mesmo quando escreve um livro que se passa na Espanha, no Oriente Médio ou nos Bálcãs, "escrevo como um brasileiro", diz. "Você sabe que aqui não há muita separação entre magia e realidade." Seus dois escritores favoritos são Jorge Luis Borges e Carlos Castañeda, os quais, segundo ele, compartilham uma tendência comum: borrar a distinção entre o real e o imaginário, algo que Coelho também tenta alcançar.

Os livros de Paulo Coelho, no entanto, muitas vezes foram tratados com extrema severidade pelos críticos, tanto no Brasil quanto no exterior. Um deles, escrevendo para a revista *Veja*, desqualificou toda a sua obra dizendo "não li e não gostei". Mas Juan Arias, autor de *Confissões de um Peregrino*, uma biografia do escritor publicada em português e em espanhol este ano, afirma que esses ataques erram o alvo ao tentarem definir Paulo Coelho e seus livros.

"Acredito que o julgamento final deve ser dos leitores, não dos críticos, e os leitores já deram seu veredicto", diz Arias, ex-editor do suplemento cultural do jornal madrileno *El País*. "Seu jeito de escrever não é típico, mas ele sabe como atingir aquela parte de nós que podemos chamar de infantil ou paradoxal, e, nesse sentido, é um grande comunicador."

Paulo Coelho, no entanto, reclama mais dos livreiros que insistem em colocar seus livros nas seções de Nova Era ou de auto-ajuda, em vez de na prateleira de ficção. Mas não reclama muito dos freqüentes ataques da crítica.

"Acho que os críticos estão certos ao dizer que meu estilo parece simples e superficial", diz. "Sou uma pessoa muito direta. Enxugo a linguagem ao máximo, exatamente para deixar que o leitor brinque com sua imaginação. Mas preservo o simbolismo, que ultrapassa as palavras. Essa é a linguagem do futuro e eu sou sua vanguarda."

"Quando escrevo uma primeira versão, minha tendência é explicar demais, pois sinto-me inseguro por achar que não estou contando a história direito", diz. "Assim, o resto do trabalho é cortar, cortar e cortar. Em vez de descrever uma paisagem desértica, com todas as suas rochas, simplesmente digo: 'Eles estavam em um deserto'."

"Todo mundo quer escrever o *Ulisses*, mas se você pergunta para as pessoas se alguém leu *Ulisses* inteiro, ninguém diz que sim", continua. "Joyce tornou-se o parâmetro de todo um sistema acadêmico do século XX, assim, quando eu apareço com uma linguagem mais direta, é claro que provoco uma reação. Não escrevo conforme o *establishment*, mas tenho certeza de que, em alguns anos, minha linguagem prevalecerá, pois se trata de uma linguagem moderna."

Aqui em seu país, Paulo Coelho chamou a atenção pela primeira vez no início da década de 1970, não como romancista, mas como letrista de canções populares, com mais de setenta composições em parceria com o astro roqueiro Raul Seixas, descrito por ele como o "Jim Morrison do Brasil".

Mas foi uma experiência amarga na indústria fonográfica que colocou Paulo Coelho no caminho da ficção. Ele era um executivo da gravadora CBS, atual Sony, quando foi demitido inesperadamente em um corte de pessoal e, com o dinheiro economizado pelos direitos autorais e sem nada melhor para fazer, decidiu viajar.

O momento da virada em sua vida, "meu rito de passagem", diz, foi quando se submeteu às provações do caminho medieval de Santiago, na

Espanha, uma experiência narrada em *Diário de um Mago*. Seu verdadeiro lar espiritual, ele concluiu posteriormente, era uma corrente mística do catolicismo romano, no qual ele foi criado e que tinge todos os seus livros atualmente.

"Procuro ser um bom católico, mas não sou um escritor católico como Graham Greene, por exemplo, ou como tentaram fazer de Morris West", diz. Seu website multilíngüe (paulocoelho.com) inclui textos e imagens budistas, hindus, judeus e muçulmanos.

"Não que o catolicismo seja a melhor religião, mas é a religião que está nas minhas raízes", diz. "Acredito em Deus, que não estou aqui por acaso e que, uma vez aqui, devo fazer alguma coisa. Não preciso mais perguntar 'O que estou fazendo aqui?'."

Trovadores do sertão brasileiro

Data: 14 de junho de 2005

CARUARU (PE) — Eles são os bardos do sertão, viajando com seus poemas de cidade em cidade, de mercado em mercado. São praticantes de uma forma de arte nascida na Europa medieval e hoje em dia praticamente obsoleta no resto do mundo, mas que ainda floresce por aqui.

O "cordel", nome dado à sua arte, desenvolveu-se neste árido sertão do Nordeste brasileiro, em comunidades isoladas de camponeses que apreciavam a palavra dita ou cantada ainda mais que a escrita. Seguindo a tradição do faça-você-mesmo, nesta forma de arte nativa são os próprios cantores que criam os poemas, inspirados em eventos atuais ou em lendas antigas, e, normalmente, eles mesmos imprimem, ilustram e vendem seus trabalhos pelas ruas.

"Assim como em diversos outros gêneros populares, o cordel transforma um vocabulário antigo para se adequar a novas situações", explica Candace Slater, autora do livro *A Vida no Barbante* e professora da área de ciências humanas da Universidade da Califórnia, em Berkeley. "O que não mudou é que os poetas de cordel ainda escrevem para o seu grupo, e o que escrevem continua a tocar a alma dos nordestinos, sem importar onde possam estar vivendo."

"Cordel", literalmente, significa barbante ou fio, uma referência à maneira como os folhetos baratos de papel, contendo os poemas, com até 32 páginas, ficam pendurados nos mercados ou em bancas de revistas. As estrofes tradicionalmente têm seis versos, e diferentes esquemas de rima são aceitos, ainda que o mais comum provavelmente seja a-b-c-b-d-b.

Originalmente, o cordel foi uma extensão da tradição trovadoresca européia. Os poetas e cantores de cordel percorriam o vasto interior do Nordeste brasileiro, uma região maior do que o Alasca, onde vivem, atualmente, 50 milhões de habitantes. Visitavam os mercados, tal como acontece aqui todos os sábados, ou as feiras, as comemorações de dias santos e outros eventos públicos, recitando suas baladas e levando notícias e diversão para os camponeses, muitos deles analfabetos.

"A literatura popular em forma de verso desenvolveu-se aqui no Brasil como em nenhum outro lugar do mundo", diz Audálio Dantas, um colecionador de livros de cordel e curador da exposição "Um século de cordel", realizada em São Paulo, em 2001. "Durante décadas, o folheto de cordel foi, praticamente, o único veículo de informação com o qual as populações do sertão podiam contar."

Mas, com a ascensão do rádio seguido da televisão e agora da internet, o foco principal do cordel gradualmente deslocou-se para a diversão do leitor ou do ouvinte. Ainda assim, quando um leão devorou uma criancinha em um circo próximo daqui, há não muito tempo, o incidente rapidamente tornou-se tema de um cordel e, poucos dias depois do ataque terrorista de 11 de setembro, folhetos de cordel interpretando o acontecimento circulavam pelo sertão.

"Somos menestréis, pois o que escrevemos está em rima e surge de nossa imaginação", diz José João dos Santos, que, sob o pseudônimo de Azulão, escreveu e publicou mais de trezentos títulos de cordel. "Mas também sou um jornalista, levando as notícias para os pobres e iletrados, de uma maneira que possam compreender e confiar mais do que nos jornais ou na televisão."

A maioria dos poetas tem as mesmas origens de seu público. Por exemplo, José Francisco Borges, que abandonou a escola aos 12 anos e talvez seja hoje o mais celebrado mestre desta arte, trabalhou como pedreiro, vendedor de ervas, agricultor, carpinteiro e ceramista.

O que quer que lhes falte em escolaridade, os poetas de cordel compensam com criatividade e destreza. Quando perguntado sobre o que o fez tornar-se um poeta, Abraão Batista respondeu: "Bem, quando estive na Lua, encontrei são Jorge conversando com os outros santos, e eles me deram sua bênção. Desde então, fiquei pulando por aí, pelo tempo e pelo espaço."

Como mostram alguns folhetos, como *A Moça que Bateu na Mãe e Virou Cachorra* e *A Moça que se Casou 14 Vezes e Continuou Donzela*, o cordel muitas vezes expressa uma moral, com heróis e vilões claramente identificados. Outros títulos, como *A Mulher que Botou o Diabo na Garrafa* ou *O Homem que Casou com a Jumenta*, destinam-se à diversão ou ao riso.

Outro tema favorito são as aventuras de Lampião, um bandido semelhante a Robin Hood, que iludiu a polícia por mais de uma década antes de ser caçado e morto não longe de Caruaru, em 1938.

Os poetas de cordel dizem, no entanto, que o título de maior vendagem de todos foi *O Romance do Pavão Misterioso*. Ambientado no distante Mediterrâneo, conta a história de um jovem que, frustrado por sua amada estar aprisionada pelo pai, consegue um pavão mecânico que permite resgatá-la. Os dois fogem, o sogro morre e o casal herda seus bens.

"Algumas das histórias mais populares podem ser rastreadas até as antigas lendas européias, remetendo a Carlos Magno, no século X, mas a maioria tem origens ibéricas, de final do século XVI e do século XVII", diz Mark Curran, professor da Universidade do Estado do Arizona, que escreveu diversos livros sobre o cordel. "Ainda assim, o grande dom dessas histórias está no fato de que mesmo aquelas que vieram do Oriente foram totalmente adaptadas e recriadas para ajustar-se às circunstâncias do Nordeste brasileiro."

José Ferreira da Silva, um poeta local que assina seus trabalhos como Dila, diz: "Certos temas simplesmente nunca saem de moda e sempre venderão. Escrevi tantos folhetos sobre o Lampião, que perdi a conta, no mínimo uns duzentos."

A elite educada brasileira historicamente menosprezou o cordel e suas capas primitivas, em xilogravura, associando-o a algo vulgar e cafona, um símbolo do atraso do país. Mas, atualmente, intelectuais de São Paulo e do Rio de Janeiro colecionam ou apreciam os folhetos, e a estética do cordel pode ser encontrada em quase todos os recantos da cultura popular brasileira.

"Todos os poetas de cordel dirão que o interesse por seu trabalho aumentou principalmente devido aos estrangeiros", diz o dr. Curran. "Mas acho que o Brasil chegou a uma era de mudanças em que há mais consciência e necessidade de buscar as raízes culturais do país, e o cordel é uma parte importante da cultura brasileira do século XX."

Na música popular, por exemplo, compositores de vanguarda, muito admirados fora do Brasil, recorreram ao cordel em músicas como *A Chegada de Raul Seixas e Lampião no FMI*, de Tom Zé, e *O Encontro de Isaac Asimov com Santos Dumont no Céu*, de Chico Science. Na literatura, um romance de Jorge Amado, *Tereza Batista Cansada de Guerra*, e uma peça teatral de Ariano Suassuna, *História d'O Rei Degolado nas Caatingas do Sertão*, são fortemente influenciados pelo cordel, tanto pelo tema quanto na forma.

Com títulos como *O Cordel das Doenças Sexualmente Transmissíveis* e *A Reforma Agrária Deve ser um Direito de Todo Brasileiro*, os governos federal e estadual também adotaram a forma para promover a saúde, segurança no trânsito, consciência política, prevenção da aids e outras campanhas oficiais. Políticos e comerciantes de cidades pequenas do Nordeste muitas vezes também recorrem ao cordel para promover suas candidaturas e seus produtos.

"Há pouco tempo, um advogado cuja filha ia casar veio me procurar e pediu que eu escrevesse os convites em versos de cordel", conta José Severino Cristóvão, um poeta local.

Quanto às xilogravuras que enfeitam as capas dos folhetos de cordel, elas evoluíram para uma forma artística plenamente desenvolvida. O trabalho de Borges foi exibido no Louvre e no Instituto Smithsonian. Mas, em sua barraquinha do mercado local, ele também vende camisetas e peças de cerâmica com imagens de xilogravura.

"Desde a década de 1920 as pessoas dizem que o cordel vai acabar", diz Slater. "Mas a energia criativa ainda está presente hoje em dia, apenas está sendo canalizada de maneiras diferentes. O cordel sempre foi uma forma híbrida, capaz de incorporar novas influências. Sua capacidade de se transformar em coisas diferentes pode decepcionar quem quer que o cordel volte a ser o que era na década de 1940 ou de 1970. Mas a adaptabilidade do gênero é justamente onde reside sua sobrevivência criativa."

Do sertão brasileiro, um mestre da tradição popular

Data: 27 de março de 2002

BEZERROS (PE) — Para um artista cujo trabalho já foi exibido no Louvre e no Instituto Smithsonian, José Francisco Borges trabalha em um ambiente humilde. Seu ateliê ocupa um canto de um armazém de tijolos cheio de correntes de ar, cujas paredes estão desmoronando. Com cheiro de tinta de impressão, o lugar fica junto a uma auto-estrada que passa por aqui, no interior do Nordeste brasileiro.

Porém nada sobre a história de Borges pode ser considerado convencional. Após abandonar a escola aos 12 anos, foi vendedor de ervas, pedreiro, lavrador, carpinteiro e ceramista, até descobrir a xilogravura, técnica que fez dele um dos mais louvados artistas populares da América Latina e de seu ateliê simples um pólo de atração de colecionadores e curadores.

Trabalhando apenas com uma faca e um bloco de madeira, Borges prova que a "tecnologia rudimentar muitas vezes gera resultados poderosos, tocantes e sofisticados", diz Marion Oettinger, diretora do Centro Nelson A. Rockefeller para Arte Latino-Americana, do Museu de Arte de San Antonio, no Texas. "Graças a Borges e outros como ele, a tradição gráfica popular mantém-se viva e saudável no Brasil, de uma maneira como não se vê em outros países."

De Dürer e outros artistas europeus da Renascença a Hokusai e Hiroshige, no Japão, a xilogravura ocupa um lugar de honra na história da arte. No início do século XX, Picasso, Munch e outros ajudaram a reviver e ampliar essa arte.

A xilogravura no Nordeste brasileiro começou como uma ramificação de uma expressão artística popular conhecida como literatura de cordel. Desde o século XIX, poetas populares iletrados circulavam pelo sertão distante desta região. Eles recitam versos com rimas elaboradas sobre eventos e personagens reais ou imaginários, como o folclórico Pavão

Misterioso, e vendem esses mesmos poemas, transcritos, para um público fiel formado por camponeses.

"Foi assim que comecei, anunciando meus poemas nos mercados e nas feiras", conta Borges em seu ateliê, ocupado por uma ultrapassada prensa manual e com as paredes decoradas com os blocos de madeira esculpidos à mão que ele usa em suas gravuras. "Ninguém nunca me ensinou a fazer isso, mas eu tenho mais de duzentos cordéis em meu nome, e continuo escrevendo-os."

Originalmente, as gravuras que ilustram seus poemas eram pequenas e usadas apenas para as capas dos folhetos do poeta, que os vendedores penduram em barbantes estendidos. Mas, na década de 1960, Borges e outros se deram conta de que um mercado estava se desenvolvendo e que, se aumentassem o tamanho de suas gravuras em preto e branco para um formato maior, poderiam criar uma forma artística independente.

A princípio, brasileiros sofisticados de cidades como Rio de Janeiro e São Paulo olhavam as xilogravuras com desdém. Atualmente, tais trabalhos são cada vez mais valorizados, tanto no Brasil quanto no exterior.

"Seja ao tratar de material sacro, política local, heróis da cultura clássica ou do folclore em geral, a perspectiva desses artistas oferece algo realmente especial e maravilhoso", diz Oettinger. "São artistas vibrantes, que trabalham com confiança e pureza, mantendo-se fiéis à essência de seus temas."

Mais de duas dezenas de xilogravuristas, a maioria deles concentrada nos estados nordestinos de Pernambuco e do Ceará, deixam a sua marca na madeira. Mas Borges, de 65 anos, "parece ser o astro que brilha sobre os demais", diz Barbara Mauldin, curadora da coleção latino-americana do Museu Internacional de Arte Popular, uma divisão do Museu do Novo México, em Santa Fé, Novo México.

"Seu senso de composição é soberbo e sua imagética, audaciosa, com uma mensagem narrativa forte e informativa, com muito humor e vivacidade", ela acrescenta. "Toda a minha casa está repleta de suas gravuras. Ele é fabuloso, realmente um gênio."

O encanto de Borges já é evidente pelos títulos caprichosamente cômicos de suas gravuras destemidas e naifs, vendidas por menos de vinte dólares em seu ateliê, mas que podem chegar a algumas centenas de dólares em galerias dos Estados Unidos, da Europa e do Japão. Seus temas variam de recortes do pitoresco local, como em *A Lua de mel de Matuto* e *O Pastor de Cabras*, a imagens fantasiosas como *A Mulher que Botou o Diabo na Garrafa* e *O Monstro do Sertão.*

"Eu entalho o que vejo, não apenas lendas e coisas imaginárias que vêm à minha mente, mas também cenas da vida diária ou do trabalho nos campos, coisas ligadas à religião ou à sociedade", conta Borges.

Como é comum no caso de artes populares, a xilogravura muitas vezes atrai famílias inteiras. O irmão de Borges, Amaro, e seu primo Joel também são conceituados mestres do estilo, assim como o filho adotado, José Miguel da Silva.

"Sempre quis aprender", diz José Miguel, de 39 anos, referindo-se à arte. "Achava uma beleza e agora, que faço isso para ganhar a vida, gosto ainda mais. Mas ainda me considero um aprendiz do meu pai."

Borges refere-se com especial reconhecimento ao excêntrico e retraído poeta e artista José Ferreira da Silva. (Não é parente do filho de Borges.) Sob o nome artístico de Dila, ele cria repetidas gravuras apocalípticas, brilhantes e perturbadoras. Aparentemente desligado das preocupações mundanas, mal consegue sobreviver com sua pequena gráfica em Caruaru, cidade com um mercado popular a 40 quilômetros a oeste daqui.

"Dila é único em diversos aspectos, considerado pelos colecionadores tradicionais como alguém muito, muito especial", diz Candace Slater, professora da área de ciências humanas da Universidade da Califórnia e autora de *A Vida no Barbante*, publicado aqui pela editora Civilização Brasileira e nos Estados Unidos como *Stories on a String*, pela University of California Press. "Ele é um sonhador cuja vida imaginativa é totalmente capturada em uma visão do Nordeste repleta de heróis e fora-da-lei. É como quando Van Gogh ficava obcecado por girassóis; uma vez inspirado, é impossível tirá-lo do transe."

Ferreira da Silva, aos 64 anos, admite ser obcecado por Lampião, um bandido do tipo Robin Hood, que foi caçado e morto pela polícia em 1938; e pelo padre Cícero Romão, um sacerdote que viveu mais ou menos na mesma época e agora é considerado um santo.

"Meu trabalho é cheio de coisas estranhas e assustadoras, mas sou um homem religioso, e por isso acredito nos sonhos e nos sinais", diz. "É assim que as idéias chegam à minha cabeça. Os temas são sempre os mesmos, pois é o que as pessoas querem comprar."

À medida que sua popularidade cresce, a xilogravura continua a evoluir, algumas vezes para o desconforto dos colecionadores. Borges agora faz gravuras multicoloridas e, recentemente, começou a trabalhar com o mármore. Ele também ilustra livros e grava suas imagens em camisetas.

A atividade também continua a atender a finalidades práticas. Uma recente exposição de xilogravuras do Nordeste, em um museu de São Paulo, inclui capas de discos, anúncios de jornal, logomarcas de empresas, cartazes de campanhas políticas, rótulos de cerveja e refrigerantes e folhetos para restaurantes e bares.

Boa parte da inovação da técnica vem de uma geração mais nova de artistas, incluindo Stênio Diniz, Francisco Correia Lima, Hamurabi Batista e Erivaldo Ferreira da Silva (que não é parente dos demais Silvas mencionados). Para os especialistas, a atividade desses artistas sugere que a tradição da xilogravura provavelmente se manterá renovada e vital.

"Os artistas mais jovens vivem em um mundo híbrido e seu trabalho reflete uma amálgama de estilos", diz Slater. "Fizeram cursos de artes e de forma alguma ignoram quem foi Picasso. Mas, ao mesmo tempo, são atraídos por temas tradicionais como o Pavão Misterioso e Lampião. Seu trabalho mantém-se imediato e profundo porque a força e a energia criativas ainda estão muito presentes neles."

Parte do espetáculo do carnaval é o homem por trás das máscaras

Data: 21 de fevereiro de 2004

OLINDA (PE) — Quando Sílvio Botelho de Almeida tinha 13 anos, se tornou aprendiz de um artista local que confeccionava máscaras carnavalescas. Seu pai, Álvaro, vendedor de eletrodomésticos, queria que seus três filhos se tornassem ou médicos ou advogados, e não ficou muito contente.

"Eu não bebia nem usava drogas, mas mesmo assim ele zombava de mim, me ridicularizava e me castigava", recorda-se Botelho, com pesar. "Ele achava que eu nunca seria capaz de ganhar a vida com o carnaval. Ele costumava me dizer: 'Você planeja comer só uma vez por ano?'"

Hoje em dia, ter o que comer não é nenhum problema. Botelho confecciona bonecos gigantes, alguns chegando a medir 6 metros de altura e pesar mais de 30 quilos. São tão populares que ele recebe pedidos durante o ano todo, e a fama que adquiriu por sua habilidade refinada se espalhou pelo Brasil e para além das fronteiras.

Ele já recebeu convites para expor seu trabalho na Argentina, em Cuba, na França e nos Estados Unidos. No carnaval deste ano, que começa oficialmente à meia-noite do dia 21 de fevereiro, Botelho, hoje com 47 anos, está comemorando o trigésimo aniversário da criação do primeiro de seus bonecos satíricos de aparência espantosamente real. É o "Menino da Tarde", ainda hoje o seu favorito.

Por sua vez, os blocos estão celebrando Botelho, tanto pela sua contribuição para a cultura popular brasileira quanto por ajudar a tornar o carnaval desta cidade lânguida de 375 mil habitantes, situada no litoral nordeste do Brasil, um dos mais conhecidos numa nação que adora essa festa anual mais do que qualquer outra.

"Até onde eu consigo me lembrar, sempre me fascinei pelo carnaval e pelo espírito de diversão que ele representa", disse Botelho em uma entrevista concedida durante a agitada última semana antes do começo da folia. "Mesmo quando menino, a adrenalina subia e a imagem do carnaval tomava forma e força na minha cabeça. Então eu sabia que tinha algo para dar, e tinha que ter uma vida ligada de alguma maneira ao carnaval."

Essa infância, segundo ele lembra, "foi muito humilde, ou para ser mais direto, pobre". Porém, a pobreza fez nascer nele uma engenhosidade para se expressar com materiais simples.

"Quando eu era criança, minha diversão era brincar com coisas que eu achava e reciclava", diz ele, "e por isso eu me sentia ligado de alguma maneira às artes e aos trabalhos manuais, ou desenhando no papel ou fazendo esculturas de pedaços de madeira ou argila".

Mas, para agradar ao pai, Botelho diz, ele acabou prestando o vestibular para medicina, e o fez na verdade cinco vezes. Esperava se tornar um cirurgião plástico, apenas porque notava uma semelhança com a arte que ele tanto amava, mas nunca alcançou a nota mínima de aprovação.

"Eu tentei me tornar um cirurgião plástico, e hoje sou um artista plástico", diz ele, sorrindo. "Em vez de operar os rostos das pessoas, eu os transformo em papel machê, e até hoje ninguém reclamou."

Longe de reclamar, as pessoas fazem fila para os pedidos. Neste ano há um acúmulo de encomendas porque o tempo tem sido particularmente úmido, e isto complica o trabalho e o torna mais lento.

Pode-se gastar até duas semanas para fazer um boneco, pois a confecção exige a aplicação de camada por camada do papel. Ele tem cerca de uma dúzia de ajudantes, mas geralmente reserva para si o trabalho mais delicado e meticuloso, como a pintura dos rostos dos bonecos.

Como este é um ano eleitoral no Brasil, Botelho está afogado em pedidos bem maiores até mesmo que as enormes demandas do carnaval. Os políticos locais estão entre os seus melhores clientes: eles fazem pedidos de bonecos que os retratam para colocar na frente das comitivas de rua, com uma banda tocando ao vivo, a fim de atrair eleitores para os comícios.

"Aceito pedidos de todos os partidos, pequenos ou grandes, de direita ou de esquerda", diz ele. "É apenas uma questão do meu tempo e o dinheiro deles."

Em todo o Brasil, as máscaras de carnaval mais populares que os foliões usaram nos últimos anos foram as de George Bush, Saddam Hussein e Osama Bin Laden. Botelho se recusou a retratá-los, e preferiu reproduzir as imagens de celebridades locais, como um garçom morto em 1997 e lembrado com carinho, um vendedor de coco, um cantor e um locutor de futebol do rádio.

"As forças negativas ganham força e energia quando são liberadas", explica ele. "Eu não quero criticar as pessoas pelas coisas erradas que elas fazem, porque isto é uma coisa que tem que ser esquecida, e não relembrada."

Botelho diz que, segundo seus próprios cálculos, já fez 478 bonecos diferentes, alguns dos quais armazena em sua oficina entre um carnaval e o seguinte. Ele conta que as pessoas se aproximam dele na rua para perguntar quando fará o retrato delas, ou para dizer que seu pai, tio ou cônjuge daria um ótimo boneco.

Ele admite gostar do prestígio, da atenção e do poder que a sua arte traz. Porém, afirma haver uma pessoa que se recusa absolutamente a retratar: ele próprio.

"Eu jamais seria tão vaidoso e narcisista a ponto de fazer um autoretrato", afirma com convicção. "Já conquistei mais respeito e aceitação do que jamais imaginei possível. Então por que eu deveria privar outra pessoa do privilégio de ser homenageado com um boneco?"

Botelho foi homenageado há poucos anos por uma escola de samba do Rio de Janeiro. Porém, tem resistido a todos os apelos para se mudar para lá.

Diz ele que as redes de televisão, as cervejarias e outros interesses comerciais se apossaram das festividades do Rio. E chama isto de "espetáculo" para turistas.

"Ir ao carnaval do Rio é como ir ao teatro como espectador e sair quando a peça acaba", disse ele, "enquanto que aqui você é parte do show que acontece na rua".

Botelho também destaca o caráter de competição acirrada do desfile do Rio, onde uma única escola de samba termina com toda a glória, o que é contrário ao espírito do carnaval. Ele prefere a atmosfera camarada do "Encontro dos Bonecos Gigantes", uma celebração que promove na terça-feira de carnaval em homenagem a todos os fabricantes de bonecos da cidade, e que se tornou um dos pontos altos das festividades locais.

O pai de Botelho morreu há seis anos, sem contudo admitir o sucesso do filho. Porém, sua mãe, Maria Dolores, de 72 anos, é admiradora de seu trabalho. Botelho diz que seu próprio casamento se desfez porque sua esposa se queixava que ele passava "vinte horas por dia pensando no carnaval e apenas quatro horas pensando nela".

Ele reconhece que talvez tivesse tempo para se dedicar a outras atividades, caso encontrasse o herdeiro certo para sua arte. Ele tem um filho de 10 anos, Túlio César, que partilha de seu entusiasmo pelo carnaval, mas Botelho afirma que ainda é muito cedo para dizer se o garoto tem talento. Quanto aos aprendizes que ele contrata, simplesmente não demonstram a mesma dedicação que exige de si mesmo.

"A maioria deles é lenta para aprender as coisas, e mesmo os poucos que chegam e parecem ter talento, se distraem facilmente com outras coisas, como o futebol ou a música", queixa-se Botelho. "Não é suficiente ter habilidade. Também é preciso ter compromisso."

SOCIEDADE

Ao contrário do que pensam muitos brasileiros, ser um estrangeiro no Brasil não é tão fácil assim. É claro que ser brasileiro também não é fácil, especialmente se você for pobre ou negro, o que com freqüência significa a mesma coisa. Mas para nós, estrangeiros, pode ser desnorteante e exaustivo ter de aprender, por meio de tentativa e erro, os códigos secretos que os brasileiros absorvem intuitivamente enquanto crescem em sua própria sociedade. E calcular como evitar armadilhas comuns e proceder na sociedade brasileira — quando agir de acordo com os códigos e valores prevalecentes, quando ignorá-los e quando fingir que não tem sequer consciência de que eles existem — é para o estrangeiro um desafio constante, infindável. Não importa quanto tempo você tenha vivido aqui ou quão profundamente possa acreditar que entendeu a sociedade brasileira. Exatamente quando você pensa que finalmente compreendeu tudo, bum, é provável que você se depare com uma surpresa que lhe mostre o contrário.

A psicóloga Elizabeth Kubler-Ross descreveu o lidar com traumas como um processo com cinco estágios distintos: negação, raiva, negociação, depressão e aceitação. Viver numa sociedade que não é a sua, embora não seja um trauma, implica uma mudança muito grande na vida de qualquer pessoa. Não quero dizer que se acomodar à sociedade brasileira seja especialmente doloroso ou complicado para o estrangeiro típico; às vezes pode ser muito agradável, ou mesmo divertido. Mas penso que envolve pelo menos três passos, dos quais os últimos dois coincidem de certo modo com aqueles do sistema de Elizabeth Kubler-Ross.

O estágio inicial, logo depois da chegada pela primeira vez, é o do deslumbramento. As pessoas são tão amistosas e relaxadas! A paisagem é tão linda! As praias, a música, o sol o ano todo, a comida: tudo contribui para uma sensação inicial de entusiasmo diante da presença de tanta beleza, harmonia e fartura. Todos os estrangeiros que conheci, inclusive eu, tiveram essas sensações, que levam, naturalmente, a um desejo de mais do mesmo.

A maioria dos visitantes leva consigo para casa essas primeiras impressões otimistas. Mesmo que eles nunca mais voltem, conservam um desejo de retornar (a menos, é claro, que tenham sido roubados, caso em que a idéia de um paraíso tropical imediatamente desmorona). Isso explica pelo menos em parte por que o Brasil tem uma imagem tão positiva no mundo inteiro, nenhum inimigo e poucos críticos. Mas alguns visitantes são impressionados de forma tão favorável que decidem ficar e reestruturar sua vida de modo a conseguir participar permanentemente deste lugar maravilhoso.

Mas, uma vez que um estrangeiro tenha tomado a decisão de se instalar aqui, o passo seguinte ocorre inevitavelmente: desilusão e desencantamento (ou raiva e depressão, como diria Kubler-Ross). Como visitante, você só vê a superfície brilhante das coisas, que é o que os seus anfitriões preferem que você veja. Mas quando você começa a viver aqui e cava mais fundo, todas as mazelas da vida e da sociedade brasileira começam a surgir. A terrível e opressiva pobreza do país e a aparente indiferença dos ricos a ela. O racismo e o preconceito de classe. A corrupção, do policial na rua até o topo da pirâmide. A ineficiência exasperante. A violência e outros problemas tão gritantes que parecem obscurecer a luz tropical. A menos que seja um jornalista cujo trabalho é fazer a crônica dessas coisas, como eu, inevitavelmente você começa a se perguntar: "Será que eu cometi um erro? Este lugar não é o que parecia ser."

Nesse momento, algumas pessoas simplesmente desistem e vão embora. Outras não dispõem de recursos para isso, ou se casaram com brasileiros e portanto adquiriram um interesse permanente aqui. Ou talvez sejam simplesmente teimosas ou esperançosas demais para desistir. Para elas, acaba aparecendo uma luz no fim do túnel, e então conseguem passar para o terceiro e último estágio: resignação combinada com aceitação. "O Brasil é o que é." Você aprende a aceitar o ruim com o bom, a procurar o muito positivo e se encantar com ele, e a não deixar todas as mazelas que parecem tão enormes sobrepujarem tudo o mais. O Brasil e os brasileiros têm muitas características boas, e portanto você tenta abraçá-las e evitar as negativas.

Mas esse processo é complicado pelas atitudes contraditórias que os brasileiros têm a respeito de si mesmos e de seu país. Foi George Orwell quem inventou o conceito de "duplipensar", que ele definiu em seu romance *1984* como "o poder de manter duas crenças contraditórias na mente ao mesmo tempo, de contar mentiras deliberadas e ao mesmo tempo acreditar genuinamente nelas, e esquecer qualquer fato que tenha se tornado inconveniente". Mas os brasileiros são realmente craques nessa arte. Eles são ao mesmo tempo ufanistas sobre o Brasil, às vezes chegando a ser cansativos, e os mais implacáveis críticos de sua sociedade.

Ivan Lessa estava sugerindo esse tipo de duplipensar quando cunhou sua frase famosa de que "de 15 em 15 anos, o brasileiro esquece tudo que aconteceu nos últimos 15 anos". Claro, agora vivemos na era da internet, quando tudo acontece mais depressa. Então, especialmente em vista da esmagadora vitória da reeleição de Lula em 2006 e de sua continuada popularidade, apesar de liderar um governo que mostrou uma notável capacidade de inventar formas novas e cada vez mais engenhosas de corrupção, do mensalão à subversão das ONGs, talvez fosse mais preciso hoje dizer que "de 15 em 15 meses, o brasileiro esquece tudo o que aconteceu nos últimos 15 meses".

Antonio Carlos Jobim expressou uma noção semelhante de duplipensar, de uma forma elegantemente humorística, em outra frase famosa. "Viver lá fora é bom, mas é uma merda", ele declarou uma vez. "Viver no Brasil é uma merda, mas é bom." Essa é uma declaração que não faz absolutamente nenhum sentido até que se tenha vivido no Brasil por algum tempo, quando ela por fim começa a parecer perfeitamente lógica. É quase como se a estrutura e os ritmos da vida e da sociedade brasileiras exigissem esse tipo de pensamento contraditório — o "duplipensar" de que fala Orwell.

Foi também Tom Jobim quem disse que "o Brasil não é para principiantes", o que é uma lição valiosa para estrangeiros, que são especialmente propensos a cair em armadilhas e fazer julgamentos equivocados. Como eu disse antes, os estrangeiros ficam inicialmente impressionados com o aparente calor e afetuosidade de todos os brasileiros que encontram. Esse é um dos aspectos mais enfatizados na propaganda que se faz do país e um de seus principais motivos de orgulho, codificado no conceito de Gilberto Freyre do "brasileiro cordial".

Mas no segundo estágio de adaptação à sociedade brasileira, de desilusão e desencantamento, simplesmente aceitar esse sentimento sem questioná-lo dá lugar a uma avaliação mais cautelosa e nuançada de quem o brasileiro realmente é. À medida que o forasteiro conhece melhor a sociedade, ele acaba sabendo da existência da "lei de Gérson", baseada em um comercial de televisão popular da época dos primeiros anos que passei aqui e que declara: "Gosto de levar vantagem em tudo." Se brasileiros estão constantemente tentando pôr em prática essa idéia em suas relações uns com os outros, imagine então a tentação que alguns sentem de fazer isso com estrangeiros que não fazem parte da "grande família brasileira". Como disse uma vez um britânico amigo meu, "ser estrangeiro no Brasil é como andar pela rua usando um cartaz gigante que diz 'otário'".

Os próprios brasileiros têm consciência dos problemas que podem surgir de sempre querer levar vantagem, e com os anos aprendem a lidar com isso na vida cotidiana — como, por exemplo, distinguir um malandro a um quarteirão de distância. Mas o estrangeiro não tem esse tipo de radar, pelo menos não a princípio. Basta uma experiência ruim, um exemplo amargo, ao ser enganado, roubado ou feito de bobo para ele começar a ter suspeitas em relação às pessoas que conhece e aos motivos delas para serem tão amigáveis. A imensa maioria dos brasileiros é genuinamente calorosa, e quer fazer amizade com o estrangeiro que tenta se adaptar a uma sociedade complicada e caótica, que não é a dele e tem códigos que às vezes lhe parecem incompreensíveis. Eles recebem bem o interesse do estrangeiro e seu desejo de tentar entender este belo lugar.

Mas o malandro também se apresenta como amistoso e útil, como uma forma de fazer o estrangeiro baixar suas defesas e portanto ficar mais vulnerável à manipulação. O estrangeiro começa então a se perguntar o que é genuíno e o que não é, o que é real e o que é simplesmente encenação.

Todos nós conhecemos a expressão "é coisa para inglês ver". Não é por acaso que aqueles que se pretende fazer de bobos ou enganar nessa expressão são estrangeiros: presume-se que o estrangeiro seja um privilegiado e um ingênuo, um alvo fácil. Nessas palavras está oculta certa aversão pelo estrangeiro e por sua incapacidade de distinguir o verdadeiro do falso, o real da fantasia, e de entender os códigos secretos que governam a vida brasileira.

Todo estrangeiro que vive no Brasil tem pelo menos uma história, por exemplo, de amigos ou colegas brasileiros que fizeram promessas e não cumpriram. Eles na verdade queriam ou tinham a intenção de cumprir, "mas surgiu um imprevisto". Ou às vezes não há nenhuma explicação ou desculpa. Com o tempo, um estrangeiro aprende que há com certa freqüência um grande hiato entre a expressão de um sentimento ou intenção amistosos e sua execução de fato. Dizer "pode contar comigo" e "não se preocupe, deixa comigo" é uma forma de expressar amizade e solidariedade. Se a promessa for realmente cumprida, tanto melhor. Mas apenas enunciá-la, mesmo quando o falante sabe que não tem nenhuma intenção ou possibilidade de levá-la adiante, pretende ser um sinal de boa vontade, fraternidade e respeito pelos sentimentos e aspirações do outro, como os brasileiros sabem bem demais de seu próprio relacionamento uns com os outros.

Para esse processo de duplipensar no Brasil é fundamental a idéia de "homem cordial". Os brasileiros infelizmente atiram uns nos outros a uma taxa maior até do que a dos Estados Unidos, reconhecidamente um país muito violento. Podem também recorrer a "quebra-quebras" e "tumultos" em situações em que os japoneses ou os holandeses permaneceriam calmos e no pleno controle de suas emoções. Mas os brasileiros persistem em se descrever e se ver como "o povo mais cordial do mundo", mesmo quando há índices evidentes apontando na direção oposta.

É claro que há uma base sólida para essa auto-imagem. Os brasileiros podem ser extraordinariamente calorosos, acolhedores e hospitaleiros. Perdi a conta do número de vezes em que fiz entrevistas com favelados, sertanejos ou ribeirinhos na Amazônia e me ofereceram uma xícara de café ou me convidaram para ficar para almoçar ou jantar, ou até para passar a noite. Também sempre fiquei impressionado com o modo como mesmo velhos grisalhos demonstram amor pelas crianças pequenas, ou com a solidariedade que os brasileiros mostram em face de uma crise ou emergência. É claro que muitas dessas crises poderiam ser evitadas se a sociedade brasileira simplesmente funcionasse de forma mais eficiente e menos problemática, ou de acordo com as leis que estão nos livros. Mas essa é outra história, que exige uma vida inteira para ser entendida.

Há também um traço de egoísmo que permeia a vida cotidiana no Brasil. Todo motorista na rua parece pensar que é o único que está de carro, e dirige de acordo com essa idéia, sem considerar seus vizinhos e concidadãos. No banco, no cinema, no ponto de ônibus ou no supermercado, há normalmente alguém (ou vários alguéns) que acredita que é importante demais ou está com pressa demais para ficar na fila — e fura a fila. Em um show de música na praia, os retardatários não vêem nada de mais em ficar de pé bloqueando a visão dos que chegaram primeiro e estão sentados na areia. Quando assistem a um filme, as pessoas atendem tranqüilamente chamadas em seus telefones celulares, e às vezes até discutem com quem os critica, com razão, por seu comportamento desatencioso. E na mesma calçada onde freqüentemente estão estacionados carros, em vez de manter-se à direita para permitir que outros pedestres caminhem com fluidez, ou de atravessar a rua quando o sinal está aberto para os pedestres, como é norma nas sociedades européia e norte-americana, cada um anda como bem entende.

Na realidade, penso que a idéia de "o povo cordial" contém um grande elemento de mito, algo de que qualquer sociedade precisa para funcionar. Como mencionei antes, os brasileiros são obrigados a se juntar e ajudar uns aos outros em maior medida do que ocorre em muitos outros lugares, em parte porque muitas das instituições em sua sociedade (excluída a Igreja, é claro) são ineficientes ou corruptas, ou as duas coisas. Daí existirem soluções maravilhosamente criativas como o mutirão, o filho de criação ou a divisão de comida ou das obrigações de cuidar das crianças entre famílias pobres. Todas essas são tentativas da sociedade de encontrar soluções paralelas para o problema de um Estado cujas instituições não funcionam adequadamente.

É também impossível não ficar impressionado com o otimismo que é uma parte básica do caráter brasileiro, a convicção de que "tudo vai dar certo". Mesmo nas circunstâncias mais desfavoráveis, os brasileiros tentam animar uns aos outros: "Güenta firme, meu irmão."

Isso, penso, está relacionado à profunda fé em Deus que a média dos brasileiros tem e à religiosidade que está disseminada pela vida brasileira. Em minhas viagens por todo o país, nunca deixei de me impressionar com todos os slogans e frases religiosos que motoristas de caminhão pintam na frente de suas cabines e na traseira de seus compartimentos de carga. E depois há todos os postos de gasolina e lojas batizados com nomes de santos ou da Virgem Maria, e as pinturas ou imagens de gesso de santos nas paredes mesmo dos estabelecimentos mais humildes. Certo, uma parte disso é simplesmente uma forma de pedir boa sorte aos santos ou orixás. Mas não se vê esse tipo de manifestação de fé popular nos Estados Unidos, que têm entre os brasileiros a fama de ser um país muito mais religioso.

Mesmo a fala cotidiana é permeada de sentimento religioso, na forma de expressões ouvidas comumente como "se Deus quiser" ou "Deus é grande". A Bíblia nos convoca a "fazer aos outros o que você gostaria que eles fizessem a você", e quando não se permitem ser guiados pela "lei de Gérson", muitos brasileiros tentam o mais que podem praticar grandes e pequenas gentilezas em seu relacionamento com outros. Mais uma vez, é o princípio do duplipensar em funcionamento.

Mas será que os brasileiros são de forma inata, por natureza e caráter, mais cordiais que qualquer outro povo? Acho que não, não mais do que os anglo-saxões ou japoneses são de forma inata mais frios ou distantes que outros povos. O que os brasileiros tomam como uma falta de "calor humano" nos americanos, para dar um exemplo, é simplesmente o modo como nós, como indivíduos inseridos num contexto coletivo, mostramos respeito uns pelos outros. Em nossa democracia, onde o mito governante (que nós também não conseguimos alcançar) é que "todos os homens são criados iguais" aos olhos de Deus, tentamos pôr em prática esse princípio cotidianamente de incontáveis maneiras. Não furamos fila, e que Deus lhe ajude se você tentar. Obedecemos aos sinais de trânsito, porque o sujeito que está no outro carro tem a mesma pressa e o mesmo direito de não ter seu carro amassado. Desligamos nossos telefones celulares nas salas de cinema, porque a pessoa que está sentada a meu lado tem tanto direito quanto eu de aproveitar o filme sem distrações ou perturbações. Jogamos nosso lixo em latas de lixo na rua porque reconhecemos que nosso vizinho tem o mesmo direito que nós de apreciar a paisagem. Todas essas pequenas cortesias são expressões de um princípio igualitário que ainda não está firmemente enraizado no Brasil.

Certos aspectos da vida brasileira expõem muito mais do que outros as contradições da sociedade (e o hiato entre aspiração e realidade). Não por acaso, classe e raça são talvez os dois exemplos mais importantes e mais visíveis. Muitos, se não a maioria, dos estrangeiros que vivem aqui ficam estarrecidos, por exemplo, com o modo como os brasileiros tratam aqueles que lhes são socialmente inferiores, em especial a classe de empregados que está sempre presente, fazendo o trabalho doméstico que os mais privilegiados querem evitar. Quando nos reunimos e começamos a conversar sobre o Brasil e os brasileiros, todos inevitavelmente têm uma história do filho de algum conhecido que constantemente destrata verbalmente uma empregada ou um motorista. É particularmente irritante ter de testemunhar cenas em que uma pessoa de classe alta chama um empregado que está no outro lado da casa para trazer para ela um copo d'água, por exemplo, quando a própria pessoa está mais perto da geladeira. Acabei concluindo que isso normalmente é um jogo de poder, com o objetivo de reforçar uma relação senhor–criado que data da escravidão e da era colonial.

Uma das razões, me parece, pelas quais a classe alta brasileira não respeita os que lhe são socialmente inferiores, ou mesmo, em alguns casos, não os trata como seres humanos iguais, é que a maioria dos brasileiros ricos — ou até de classe média — nunca fez nenhum trabalho manual. Desde a infância, esses mauricinhos e patricinhas nunca tiveram de limpar a casa, fazer a cama ou lavar roupa. Quando chega à adolescência, a juventude dourada não arranja um emprego de empacotador de compras em um supermercado, de entregador de jornais, de lavador de carros, de garçom em um restaurante ou de entregador de pizza, como fazem há gerações milhões de adolescentes americanos.

O problema não é só que no Brasil essas tarefas sejam normalmente executadas por adultos das classes mais baixas que estão loucos para trabalhar. É também que essas coisas estão simplesmente abaixo da dignidade das classes privilegiadas brasileiras, assim como as pessoas que são obrigadas a executar essas tarefas. O Brasil deve ser louvado por seu alto grau de mobilidade social. Mas um aspecto feio desse fenômeno é que um dos indicadores de ter ascendido para a classe alta ou a classe média é não ter de fazer esse tipo de trabalho manual "degradante" e poder pagar para que outra pessoa o faça por você. Praticamente ninguém na classe média americana tem empregados; quase todo mundo que já conheci na classe média brasileira para cima tem.

Evidentemente os membros dessa subclasse são com freqüência vistos e tratados como algo descartável ou menos que humano, daí a expressão "joão-ninguém". Ainda me lembro vivamente de um incidente do final da década de 1970, quando eu morava no bairro da Tijuca, no Rio de Janeiro, e estava na fila de um açougue com minha mulher, esperando para comprar carne. Para minha surpresa, uma mulher que estava à nossa frente disse ao açougueiro que queria comprar um quilo de "carne de empregada". Enquanto eu assistia ao desenrolar da transação, ficou claro que ela se referia a um corte muito inferior de carne, semelhante ao que se daria para um cachorro comer. Em outras palavras: filé mignon para madame, migalhas para a empregada.

Mas mesmo a fala cotidiana no Brasil está cheia de pequenas expressões ou locuções que reforçam essas distinções de classe ofensivas, que todos parecem conhecer e aceitar, inclusive aqueles que são suas principais vítimas. Mesmo depois de todos esses anos no país, ainda fico constrangido quando alguém se dirige a mim como "doutor" ou "chefe", fazendo esse julgamento simplesmente com base em minha aparência, roupa ou cor da pele. Mas muitos brasileiros com formação semelhante à minha parecem esperar ou até exigir esse tipo de deferência, e ficam ofendidos quando não o recebem. Dois homens podem ser ambos torcedores do Flamengo ou do Corinthians e usar camisas com as mesmas cores. Mas se um for executivo de negócios e outro motorista de ônibus, longe do estádio o primeiro ainda é "doutor" e o segundo apenas um "moço" ou "rapaz" que deve ser tratado familiarmente por seu primeiro nome.

Nenhum tópico, contudo, é mais difícil ou causa mais perplexidade a um estrangeiro que vive no Brasil ou escreve sobre o país do que a raça — especialmente se você for um americano. Os Estados Unidos e o Brasil têm ambos histórias raciais complicadas e vergonhosas. Mas escolheram lidar com as conseqüências da escravidão e da desigualdade de maneiras muito diferentes, e cada um deles, de forma consciente e realista ou não, procurou com freqüência olhar para o outro em busca de pistas sobre como lidar com esse legado.

Depois de 35 anos de observação, no entanto, cheguei à conclusão de que nenhuma das duas nações entende verdadeiramente a situação racial da outra. Os americanos costumam idealizar as relações raciais no Brasil, procurando o éden de harmonia que gostariam de ter para si. Os brasileiros, por sua vez, tendem a exagerar o grau de tensão nos Estados Unidos e minimizar os ganhos sociais e econômicos que as minorias raciais tiveram na última geração, talvez em um esforço de fazer as desigualdades raciais no Brasil parecerem, por comparação, menos graves.

Como declarei antes, toda sociedade tem certos mitos favoritos que expressam ideais, mas muitas vezes estão aquém da realidade. Em meu país, a idéia de mobilidade social ilimitada, de que qualquer pessoa, independentemente de quão humildes sejam suas origens, pode ascender ao topo se tiver o esforço e o talento suficientes é algo em que acreditamos quase como uma espécie de religião cívica. Talvez isso tenha sido verdade em algum momento do passado, mas oito anos de governo plutocrático de Ronald Reagan e mais oito anos do mesmo sob George Bush, ensanduichando os esforços de Bill Clinton para fornecer maiores oportunidades aos pobres e desprivilegiados, infelizmente enfraqueceram essa possibilidade.

O mito que os brasileiros parecem mais acalentar, ainda mais que o do "brasileiro cordial", é que, graças à miscigenação, seu país conseguiu alcançar uma "democracia racial" e evitar o preconceito que existe em outros lugares. *Casa-grande e Senzala*, de Gilberto Freyre, que minimiza os horrores da escravidão ao criar as figuras do bom senhor e do escravo submisso, é provavelmente a expressão mais explícita dessa visão. Mas não é a única: desde o momento em que começam a freqüentar a escola, os brasileiros de todas as cores são doutrinados a pensar que o mundo inveja sua harmonia racial e que o principal problema do país é o da classe, e não o da raça.

Em 1980, tive o prazer de entrevistar Jorge Amado em sua casa de praia na rua do Lagarto Azul, em Itapuã, Salvador. Um dos tópicos de nossa conversa longa naquela tarde quente, obviamente, era raça. Ele me disse uma coisa sobre a qual pensei muitas vezes ao longo dos anos. "Os Estados Unidos têm milhões de pessoas que não são racistas, mas são um país racista", me lembro de ele argumentar. "O Brasil tem milhões de pessoas que são racistas, mas não é um país racista."

Respeito imensamente Jorge Amado e admiro muito sua obra. Mas, nesse caso, não concordo com sua análise. Tanto o Brasil como os Estados Unidos são nações profundamente racistas; de fato, pode-se facilmente argumentar que todo país do mundo é de alguma forma racista, já que é um traço humano fundamental preferir seus iguais e menosprezar "o outro". Essa foi uma lição que aprendi vivamente durante os três anos em que vivi na China. Mas os modos como esse racismo se expressa variam de país para país, e portanto é inútil esperar que os Estados Unidos e o Brasil manifestem o racismo da mesma forma.

Em minhas viagens pelo Brasil, tive muitas oportunidades de conversar sobre raça com brasileiros negros — de celebridades como Carlinhos Brown e Matilde Ribeiro a anônimos estivadores no Recife, favelados no Rio e em São Paulo, estudantes em Salvador e empregadas em hotéis de Brasília a Belém. Talvez por eu ser um estrangeiro, vindo de um país que tem um problema racial bem conhecido, que aprendeu a enfrentar, achei-os bastante abertos e perceptivos em conversas sobre suas experiências de racismo como brasileiros negros — mais francos, me parece com freqüência, do que são normalmente quando brasileiros brancos estão presentes ou participando da conversa.

Penso que a experiência de Carlinhos Brown, que encontrei pela primeira vez em seu projeto de percussão nas favelas de Salvador em 1991, quando eu estava trabalhando em um perfil de Gilberto Gil, indica muita coisa sobre a natureza do problema racial no Brasil. Como todos sabem, Brown é casado com uma branca, uma das filhas de Chico Buarque. Houve uma época, não muito tempo atrás, nos Estados Unidos em que o casamento inter-racial era contra a lei e um homem como Brown teria posto em risco sua carreira e recebido ameaças de morte por se casar com uma branca — estou pensando no artista Sammy Davis Jr., por exemplo, e em Mai Britt, a atriz sueca com quem ele se casou em 1960. Mas isso não é nada de mais no Brasil, e o Brasil merece grande crédito por isso.

Mas em 2006 a imprensa brasileira relatou um incidente em que os filhos mulatos de Brown, ao visitarem seu avô, Chico Buarque, foram parados no saguão do prédio do avô e informados de que deveriam usar o elevador de serviço. Isso no Rio de Janeiro do século XXI! Tenho de dizer que para mim é impossível imaginar uma coisa dessas acontecendo hoje nos Estados Unidos. Essa conduta é contra a lei, e seria punida. Mas ela acontece o tempo todo no Brasil, como os brasileiros negros contam quando os entrevisto.

Reconheço que a situação no Brasil melhorou desde a década de 1970, quando morei no Rio pela primeira vez e os jornais ainda publicavam anúncios na seção de classificados de empregos em que os empregadores especificavam “deve ter boa aparência”. Todo brasileiro sabia — como eu também rapidamente aprendi — que essa expressão era um código que significava “nenhum negro deve se candidatar”.

Mas atitudes racistas continuam a ser manifestadas de outras formas. O advogado Hédio Silva, que foi secretário de Justiça do estado de São Paulo durante o governo de Geraldo Alckmin, o primeiro negro a ocupar esse posto, me contou uma vez uma história sobre ser convidado para comparecer à posse em Brasília de um colega que tinha sido nomeado juiz do Supremo Tribunal Federal. Ele foi ao palanque junto com outros representantes do governo de São Paulo, todos eles brancos, mas foi parado por agentes de segurança que lhe disseram: "Aqui é só para autoridades, não para guarda-costas."

Ele achava — e eu concordei — que esse comportamento era racista. Os policiais encarregados da segurança do evento simplesmente não concebiam que um negro pudesse ser uma figura de autoridade. Na cabeça deles, um negro, especialmente um tão alto, escuro e forte como o dr. Hélio, só podia ser um guarda-costas, apenas mais um dos caras de olhar feroz que usam casacos com a inscrição "apoio" em eventos públicos, e cujo trabalho é ameaçar ou intimidar aqueles que se comportam indevidamente.

Meu argumento é o seguinte: historicamente, o racismo nos Estados Unidos tendeu a ser institucional. Mas instituições podem ser mudadas por lei, mesmo que as atitudes não possam. Quando as pessoas adotam comportamento racista nos Estados Unidos, tal como se recusar a alugar um apartamento porque um cliente em potencial é negro, elas são, de fato, penalizadas pela lei e podem até ir para a prisão se a ofensa for suficientemente grave. Como as pessoas não querem ser punidas, são incentivadas a se comportar de maneira adequada e não discriminar.

Não vejo isso aqui no Brasil. A aplicação da lei em geral é mais fraca — todos estamos familiarizados com a expressão "aquela lei não pegou". Mas é especialmente ineficaz em sancionar o tipo de comportamento racista que ocorre nas relações cotidianas entre negros e brancos no Brasil, grande parte do qual os brasileiros brancos parecem incapazes de perceber.

Um dos slogans que me lembro de ouvir no rádio na década de 1970, durante a ditadura militar, expressava orgulho pela mistura racial do Brasil: "Nós temos todas as cores do arco-íris." Isso é tão verdade agora como era na época, e é uma fonte justificada de orgulho. Mas sejamos honestos: no arco-íris racial do Brasil, algumas cores sempre foram mais valorizadas que outras, e algumas cores são dominantes, enquanto de outras se espera que sejam submissas ou desapareçam no fundo.

Todas as vezes que escrevi uma história sobre raça, fui contatado por estações de rádio e jornais negros dos Estados Unidos, curiosos de saber mais sobre as relações raciais aqui e querendo que eu participasse de debates e de programas com participação dos ouvintes por telefone. O fato de estações de rádio e publicações como essas praticamente não existirem no Brasil por si só diz algo sobre a condição dos negros aqui: simplesmente não há afro-brasileiros ricos em número suficiente para sustentar um mercado como esse ou atrair anunciantes. Sim, existe uma revista especializada e algumas estações de rádio que transmitem programas destinados a conscientizar brasileiros negros, mas são basicamente estações comunitárias de baixa potência, não veículos comerciais, e suas vozes mal são ouvidas.

Como eu disse, os americanos, brancos e negros, têm curiosidade de saber mais sobre as realidades da raça no Brasil. Nos últimos anos os negros americanos têm vindo ao Brasil em grupos para fazer "turismo cultural" em lugares como a Bahia. Encontrei e conversei com vários desses grupos, das regiões de Washington, Baltimore e Filadélfia. Quase uniformemente a experiência deles foi de choque e em última instância decepção, ao descobrirem que a realidade brasileira está aquém da "democracia racial" da qual tanto ouviram falar.

Na época em que a segregação era obrigada por lei em algumas partes dos Estados Unidos, alguns negros americanos vieram para o Brasil e decidiram ficar, porque sentiam que o peso do racismo era aliviado de seus ombros. O músico de jazz Booker Pittman, pai da cantora Eliana Pittman, é talvez o exemplo mais conhecido. Mas isso foi há sessenta anos, e a situação nos Estados Unidos melhorou enormemente desde então.

Hoje em dia, de fato, amigos negros que visitaram o Brasil se queixam a mim de ter de suportar condutas que teriam conseqüências legais em qualquer grande cidade americana. Um colega que veio ao Rio de Janeiro em 2006 passar a lua-de-mel, por exemplo, me contou de como se sentiu insultado quando sua mulher foi parada repetidas vezes pelos seguranças do hotel quando eles vinham da rua e seguiam para o quarto. Ele tem pele clara e ela é mais escura, e ele sentiu que a administração do hotel estava claramente supondo que uma negra em um hotel elegante só podia ser uma prostituta, e, portanto, tinha de ser questionada.

Desde que Lula tomou posse em 2003, tive a oportunidade de falar sobre raça várias vezes com Matilde Ribeiro. Sei que mesmo antes do escândalo dos cartões corporativos a forçarem a renunciar ao cargo de ministra da Igualdade Racial, ela se tornara uma figura polêmica, execrada pelos principais órgãos de imprensa porque tinha argumentado que quando um negro insulta um branco, isso não é racismo. Embora não concorde com ela nesse aspecto, achei instrutivo e esclarecedor ouvi-la analisar e comparar a questão racial no Brasil e nos Estados Unidos, e falar sobre como cada um de nós pode aprender com o outro.

Uma história que ela me contou e me ficou na lembrança foi sobre uma viagem que fez a Washington para se encontrar com Condoleeza Rice e outros líderes negros americanos. Numa tarde de domingo, Matilde se viu no Kennedy Center, observando a chegada do público que ia assistir a um show na mais prestigiosa sala de concertos da capital americana. Os espectadores eram na maioria negros, ela notou, vestidos com elegância, dirigindo carros do último modelo e, pela conversa deles, obviamente educados e cultos.

"É disso que precisamos no Brasil", ela me disse em seu escritório em Brasília um dia em 2004. "Esse tipo de classe média negra." Eu concordo. Veja bem, ela não está argumentando que o Brasil devia copiar tudo que os Estados Unidos fizeram para aliviar o racismo institucionalizado. Mas alguns dos mecanismos e experiências que os Estados Unidos desenvolveram podem ser relevantes para o Brasil se o Brasil realmente quiser combater seu problema racial. E talvez a ação afirmativa seja uma das ferramentas, embora os principais órgãos de imprensa tenham constantemente ridicularizado e atacado a idéia.

Em qualquer sociedade, o primeiro passo para lidar com o problema do racismo é reconhecer que o problema existe. Os Estados Unidos passaram por esse doloroso processo. O Brasil não, e continua a abraçar mitos que estão em conflito com as duras realidades da vida cotidiana, na qual brasileiros com pele negra têm mais probabilidade de ser mortos pela polícia que os brancos, ganham menos dinheiro que os brancos, têm uma expectativa de vida menor que a dos brancos e menos oportunidades educacionais que os brancos.

Mas a velha ilusão de Gilberto Freyre persiste, embora às vezes vestindo roupas novas e mais fantasiosas. A última defesa vem do livro de Ali Kamel *Não Somos Racistas*, no qual o autor repete muitos dos estereótipos velhos e ultrapassados sobre os Estados Unidos. Ele também acrescenta alguns novos mais negativos, que atribui a políticas de ação afirmativa, e chega ao ponto de argumentar que o Brasil não é um país em que a maioria da população possa ser considerada não-branca, porque as categorias raciais, tal como são oficialmente definidas, não existem como um fenômeno objetivo.

Discuti o livro de Kamel com intelectuais negros, que o consideraram tendencioso. Ao avaliar o impacto da ação afirmativa nos Estados Unidos, por exemplo, Kamel se baseia fortemente nas visões do neoconservador negro americano Thomas Sowell, um economista e comentarista social cujas opiniões estão mais próximas de um radical como o juiz da Suprema Corte Clarence Thomas do que do *mainstream* negro, e que foi amplamente desacreditado por essa razão. Sowell, por exemplo, quer abolir o salário mínimo, e além de se opor à ação afirmativa também é contrário ao aborto, ao casamento gay e a programas de assistência médica administrados pelo governo. Em outras palavras, não é exatamente um progressista, e talvez seja por isso que Kamel evite qualquer menção às opiniões de Sowell sobre esses outros temas.

A esta altura, quero abrir o jogo um pouco mais. Sou judeu, e isso obviamente influencia minhas percepções de raça, etnicidade, discriminação e viés. Como judeu, estive do lado receptor do fanatismo e do preconceito, inclusive de vez em quando aqui no Brasil, e tive de aprender desde cedo a desenvolver um tipo de radar para a intolerância. Ter experimentado pessoalmente essas discriminações, acho, me tornou mais alerta a todas as manifestações de racismo e preconceito, não importa a forma que elas assumam e a quem sejam dirigidas, nem o dano que causem. Isso também talvez me tornou mais solidário e compreensivo com as vítimas desse tipo de intolerância.

Ainda me lembro, quando garoto, talvez com uns 12 anos, de ir conversar com meus pais sobre anti-semitismo e como lidar com ele. Minha mãe me deu um livro para ler, *A Questão Judaica*, de Jean-Paul Sartre, no qual ele declara, entre outras coisas, que "um judeu é alguém que um anti-semita define como um judeu".

Por extensão, eu argumentaria que aqui no Brasil uma variação da mesma expressão pode ser aplicada à situação dos negros. Em termos científicos, o debate sobre quem é e quem não é negro é basicamente sem sentido e estéril, dado o grau de miscigenação que ocorreu. Mas todos nós sabemos que o preconceito existe e todos sabemos que os brasileiros negros são suas principais vítimas. Dada essa realidade, Kamel está tentando tapar o sol com a peneira. Uma pessoa negra é qualquer um que um racista defina como uma pessoa negra.

Raça e classe, classe e raça. As duas estão inextricavelmente interligadas, e continuarão a ser os dois maiores desafios que confrontarão a sociedade brasileira nas próximas décadas. Isso não significa que são problemas intratáveis ou insolúveis. Mas se o Brasil quiser algum dia se transformar na sociedade verdadeiramente justa e eqüitativa que aspira a ser, seus líderes

— ou, aliás, todos os seus cidadãos — vão ter que superar o mito da cordialidade e enfrentar as duras contradições que estão logo abaixo dessa superfície tranqüilizadora. Eles podem fazer isso? É inegável que houve progresso nos últimos anos, que a situação não é tão ruim como era quando cheguei aqui uma geração atrás. Mas vai ser preciso muita coragem para chegar lá.

Cotas raciais no Brasil desencadeiam um debate feroz

Data: 5 de abril de 2003

RIO DE JANEIRO (RJ) — O governo brasileiro, reagindo às demandas para melhorar as perspectivas da população negra, está começando a impor cotas raciais para empregos públicos, licitações e admissões em universidades. Mas isto desencadeou um debate amargo num país que historicamente se orgulha de ser uma "democracia racial" harmoniosa.

O campo de batalha inicial envolve duas universidades públicas daqui, as quais acabaram de aceitar uma turma de calouros com 40% de negros. Como nos Estados Unidos, porém, alunos brancos que não foram admitidos, apesar de terem alcançado notas mais altas nos exames, contestaram esta ação na Justiça. Eles alegam que a "igualdade de acesso ao ensino" garantida pela Constituição brasileira de 1988, lhes está sendo negada.

Os defensores dos direitos civis deste país de 175 milhões de habitantes, que tem a maior população negra fora da África, prevêem que o debate deve se intensificar ainda mais, como conseqüência de um amplo Estatuto da Igualdade Racial em tramitação no Congresso. Este projeto de lei, apoiado pelo governo de esquerda que assumiu o poder em 1º de janeiro, tornaria as cotas raciais obrigatórias em todos os escalões do governo, e as exigiria até mesmo na contratação do elenco de comerciais e programas televisivos.

"Esta política é absolutamente correta em termos filosóficos e éticos", disse Márcio Thomaz Bastos, ministro da Justiça, em uma coletiva de imprensa com repórteres estrangeiros aqui, esta semana. "Não tenho nenhuma dúvida a respeito. Afinal de contas, este país tem uma dívida enorme por causa da iniqüidade que foi a escravidão no Brasil."

Como desdobramento do debate, os brasileiros estão também sendo forçados a definir quem é negro, um processo que eles acham estranho e confuso. Mais de trezentos termos são usados para classificar a cor da pele, de "crioulo" para os de pele escura, a "brancarão", para os mestiços de pele clara, e relacionamentos inter-raciais são a regra, não a exceção. Como resultado, as categorias raciais jamais foram definidas aqui, a exemplo do que aconteceu em países de maior segregação.

No Brasil, o ingresso na faculdade é altamente competitivo, com bem mais candidatos que vagas, especialmente nas universidades públicas de prestígio, sendo que as notas nos exames de admissão contam para tudo. Dos 1,4 milhão de alunos admitidos nas universidades brasileiras a cada ano, apenas 3% se identificam como negros, e apenas 18% vêm de escolas públicas, onde estuda a maioria dos negros brasileiros.

Por causa da polêmica sobre admissão nas universidades, o Supremo Tribunal foi requisitado a julgar a constitucionalidade das cotas raciais, e deu indicações de que o fará em breve. Como o próprio presidente do tribunal impôs uma cota de contratação para funcionários da Justiça no ano passado, os ativistas dos direitos civis esperam por uma decisão favorável, a qual crêem que poderá ter aqui um impacto comparável ao do caso Brown *versus* Board of Education nos Estados Unidos. (Ele data de 1954, quando a Suprema Corte americana proibiu a segregação racial nas escolas públicas, dando apoio oficial, desta maneira, à campanha de integração que se seguiria.)

"Este é um momento histórico, e o tribunal tem uma oportunidade histórica de desfazer a terrível injustiça que foi cometida em 1888", quando a escravidão foi legalmente abolida, mas o governo não forneceu nenhum apoio aos negros recém-libertos, diz Zulu Araújo, um dos diretores da Fundação Palmares, órgão do governo que se dedica aos interesses dos negros brasileiros. "Não tenho dúvida que os juízes votarão a favor das cotas, e estabelecerão um novo paradigma de igualdade racial que este país precisa."

Mas os críticos das medidas afirmam que o governo está meramente tornando pior um problema difícil, ao se voltar para o que consideram uma solução importada dos Estados Unidos, país no qual as relações e definições raciais são muito diferentes.

Um artigo recente do jornal *O Estado de S.Paulo* perguntava: "Querem guerra racial no Brasil?" O jornal também se queixava em um editorial que o governo estava "oficializando a discriminação racial".

Alguns adversários das cotas raciais argumentam também que o racismo não é um traço da sociedade brasileira, e que as condições para os negros melhorarão à medida que a pobreza for eliminada gradualmente. Contudo, defensores de direitos civis apontam estatísticas que mostram que os brancos brasileiros ganham e vivem mais, têm maior acesso à educação e menos probabilidades de serem presos do que os cidadãos negros.

"Este não é um problema meramente social", diz José Vicente, advogado e sociólogo em São Paulo e presidente da Afrobras, grupo ativista negro. "Temos que reconhecer que esta é uma sociedade racista e que as pessoas de pele escura têm sido sistematicamente excluídas de um espaço nesta sociedade por mais de quatrocentos anos."

Sob o novo sistema de admissão nas faculdades adotado aqui, todos os candidatos que se declararem "afro-descendentes" nos formulários de inscrição são considerados negros e recebem tratamento preferencial. Contudo, isto provocou queixas de abusos, segundo as quais alunos que não têm pele escura ou traços considerados africanos — incluindo alguns de descendência asiática ou judia — se classificaram como negros para aumentar suas chances de admissão.

Entretanto, não se consegue chegar a um consenso quanto a um sistema melhor. Em um debate de campanha televisionado no ano passado, Luiz Inácio Lula da Silva, agora presidente do país, foi amplamente criticado ao sustentar que "critérios científicos" poderiam ser usados para se determinar quem é negro.

Nesta semana, Bastos afirmou: "Um negro é alguém que se sente negro e vive como negro. Não acredito que haja critérios científicos e objetivos."

Desde que tomou posse há três meses, Lula iniciou uma série de medidas, tanto práticas quanto simbólicas, para ressaltar seu compromisso com a igualdade racial. Seu ministério inclui quatro negros, entre eles a ministra da recém-criada Secretaria Especial de Políticas de Promoção da Igualdade Racial; e ele deixou clara a sua intenção de nomear o primeiro juiz negro para o Supremo Tribunal.

Entre os defensores das cotas, a simpatia do governo para com a sua posição está estimulando um debate paralelo a respeito de qual porcentagem deveria ser reservada para os negros. De acordo com os números do Censo, cerca de 45% dos 175 milhões de habitantes do Brasil se consideram negros ou "pardos", classificação ampla e deliberadamente vaga, que pode ser aplicada tanto aos mestiços quanto aos descendentes de índios.

Porém, muitos dentre os mais engajados na defesa das cotas argumentam que se deve estabelecer um teto de 20%, ao menos por enquanto. "Qualquer coisa acima disso estará condenada ao fracasso, e levará a uma convulsão social", diz Vicente, líder do grupo ativista negro.

Outros argumentam que as cotas deveriam variar de estado para estado, e ser baseadas na porcentagem negra ou mestiça da população. Mais de 80% dos habitantes do estado nordestino da Bahia enquadram-se nesta categoria, enquanto que menos de 10% da população nos estados do extremo Sul, fronteiriços à Argentina, se descrevem como afro-brasileiros.

"Todo este debate sobre as cotas e sobre quem é negro é apenas uma digressão que mascara questões mais sérias que ainda não discutimos", diz Araújo, meio impaciente. "Qualquer porteiro sabe quem é negro e deve ser mandado para a entrada de serviço, assim como qualquer policial sabe quem é negro e deve ser parado na rua e obrigado a se identificar."

Briga no futebol aponta o holofote para a divisão racial do Brasil

Data: 19 de setembro de 2006

SÃO PAULO (SP) — Em todos os seus anos como jogador e árbitro de futebol, José de Andrade diz que jamais sentiu que ser negro o sujeitasse à discriminação. Contudo, isto foi antes do fatídico jogo da liga da polícia que ele apitou, em dezembro de 2005, no qual, segundo afirmam ele e testemunhas, um coronel reformado da Polícia Militar, irado ao ver um companheiro de time punido, chamou Andrade de "macaco" e disse que sua pele era da cor de excremento.

O que se seguiu foi para Andrade, de 36 anos, uma lição sobre as complexidades das políticas raciais do Brasil. Ele apresentou uma queixa criminal contra o oficial de polícia, o coronel Antônio Chiari, acusando-o de calúnia e difamação e incitação ao racismo. Porém, Andrade diz que o clube dos oficiais da polícia que o empregava o pressionou a retirar a queixa ou aceitar um acordo extrajudicial em dinheiro. Quando disse que não aceitaria, foi hostilizado pela polícia.

"Nunca pensei que tivesse que passar por algo assim", disse ele em uma entrevista recente em sua casa, em um bairro operário desta cidade de 10 milhões de habitantes, a maior e mais cosmopolita do Brasil. "É claro que como árbitro a gente se acostuma a ouvir fãs falando palavrões e jogadores alterados com nossas marcações. Mas isso foi diferente, me degradou ao ponto de chorar."

O caso de Andrade repercutiu pelo Brasil, que possui a maior população negra fora da África, em parte por causa do crescente debate nacional sobre raça. O presidente Luiz Inácio Lula da Silva propôs o Estatuto de Igualdade Racial, que instituirá cotas raciais em universidades e empresas; contudo, opositores sustentam que tal legislação induzirá tensões e ressentimentos raciais.

Embora haja uma forte relação entre pele branca e status socioeconômico, ensina-se aos brasileiros que seu país é uma democracia racial. A visão tradicional, exposta em *Não Somos Racistas*, novo livro campeão de vendas que critica as cotas, é a de que as instituições brasileiras são "completamente abertas a pessoas de todas as cores, nosso arcabouço jurídico-institucional é todo ele 'a-racial'", ao contrário de "uma sociedade segregada como a americana".

O Brasil tem um estatuto antidiscriminação abrangente, aprovado há mais de uma década. Mas os grupos que defendem direitos iguais para negros, em número crescente, alegam que ninguém jamais cumpriu pena de prisão por violar as prescrições legais sobre racismo.

"Somos um país de maioria não-branca que merece ter seus direitos reconhecidos", diz a advogada de Andrade, Telma Beatriz Villas-Boas, que é branca. "José se sentiu compelido a tomar uma atitude e exigir justiça porque ele tem filhos e espera estabelecer um precedente que permitirá que eles não sofram este tipo de humilhação. Ele não quer dinheiro, quer apenas respeito."

A queixa de Andrade, agora na justiça, atraiu a atenção também por envolver o futebol, a paixão nacional. Os esportes e o entretenimento são duas das poucas áreas nas quais os brasileiros negros e mestiços, que correspondem a mais da metade da população de 185 milhões de habitantes, têm se destacado, talvez por serem ambos campos em que o único fator relevante é o talento.

O coronel Chiari não respondeu aos pedidos de entrevista. Seu advogado, Nilson Amâncio Júnior, companheiro de clube que participou do jogo e que disse não ter ouvido o diálogo, refuta a queixa de Andrade como uma "fantasia" sem "nenhuma credibilidade" que seria eventualmente rejeitada pelo tribunal.

"A única coisa que aconteceu foi uma discussão comum entre um jogador e um árbitro", diz ele. "Não houve nada que pudesse ser categorizado como racista, e nada foi dito para denegrir o árbitro." Ele acrescenta: "Sou amigo dos dois, mas escolhi o lado do coronel porque ele está sendo injustiçado em um caso que simplesmente não aconteceu da maneira que está sendo apresentado."

Entretanto, o coronel Chiari não é um policial reformado comum. Ele já foi comandante da Rota, a notória força de ataque especial ao estilo SWAT que grupos de direitos humanos responsabilizaram pela maioria das mortes durante o infame "Massacre do Carandiru" de 1992, no qual 111 prisioneiros foram chacinados durante uma rebelião. Após uma investigação oficial, o coronel Chiari foi acusado de ter "causado lesão corporal" e afastado temporariamente de suas funções. Posteriormente foi isentado de responsabilidade e promovido.

"As coisas estão melhores agora, mas no passado esta unidade era identificada fortemente com um comportamento arbitrário, truculento e abusivo", diz Hédio Silva, advogado candidato a deputado federal e primeiro negro a atuar na Secretaria da Justiça e Defesa da Cidadania do estado de São Paulo. "Sem dúvida, havia um elemento racial nesta prática de arbitrariedades."

Andrade conta que, logo após o incidente original, ele concordou em se encontrar com o coronel Chiari, instado por seus chefes do clube atlético da Polícia, que o emprega como técnico e instrutor. Esperava ouvir um pedido de desculpas, mas, em vez disso, o coronel fez questão de mencionar sua ligação com a Rota.

Perguntado sobre como interpretou esta referência, Andrade responde: "Vi como uma tentativa para me intimidar. Todo mundo sabe o que significa ser parte da Rota."

De fato, pouco depois de Andrade ter aberto o processo, uma patrulha da Rota o parou uma noite perto de sua casa, sem explicação. Ele conta que foi "chutado umas duas vezes", obrigado a tirar sua camisa e a "sair da rua e ir para um cantinho escuro", onde foi mantido sob a mira de uma arma por uns 15 minutos, e depois bruscamente ordenado a ir para casa. Ele diz que durante todo o tempo temeu pelo pior.

"Eles estavam com meus documentos de identidade na mão, então certamente sabiam quem eu era", diz ele. "O jornal de domingo tinha publicado uma grande reportagem sobre o caso, e isso aconteceu numa quinta, por isso eu fiquei com medo de que fosse uma armadilha."

Andrade começou também a passar por dificuldades no trabalho. Em março, foi suspenso de dar aulas de futebol no clube, onde o filho do coronel Chiari havia sido um de seus alunos, com base na alegação de não estar devidamente licenciado.

Os dirigentes do clube não responderam aos pedidos para comentar o caso. Mas, em agosto, após reportagens adicionais sobre as suas dificuldades, Andrade pôde reaver sua função no clube, onde freqüentemente cruza com o coronel Chiari.

"A única coisa que eu queria era um pedido de desculpas", diz Andrade. "Eu sempre me dirigi a ele usando seu título, sempre o tratei com respeito, e ele deveria fazer o mesmo comigo. Agora eu espero que todos da raça negra tenham a coragem de denunciar o preconceito, para que nossos filhos não tenham que agüentar estas ofensas."

Aqui se fala inglês... Talvez até demais, para alguns

Data: 15 de maio de 2001

RIO DE JANEIRO (RJ) — Se Aldo Rebelo atingir seu objetivo, em breve será ilegal para os brasileiros irem ao *drive-in* para comer um *hot dog* e tomar um *milk-shake*, entregar seus carros ao *valet parking* ou investir seu dinheiro com um *personal banker*.

As atividades em si não serão proibidas, imagine, apenas o uso dos termos em inglês pelos quais são freqüentemente conhecidas aqui.

Rebelo, que é membro do Congresso, decidiu partir para a ação ao se sentir ofendido pela proliferação aqui de lojas com nomes em inglês, como The Pet From Ipanema; Love, Sex and Money, uma butique; World Top Lock; Fashion Mall; Bad Kid; Video Market; e Sweet Way.

"Por que os brasileiros precisam ser constrangidos, em seu próprio país, por não saberem pronunciar esses nomes?", pergunta Rebelo, membro do Partido Comunista do Brasil.

Em um acesso do que seus opositores chamam, depreciativamente, de "nacionalismo verbal", Rebelo está propondo uma legislação para banir a introdução e o uso de palavras estrangeiras nesta nação de 170 milhões de habitantes. Inicialmente, isso não foi considerado mais do que uma lei excêntrica.

A meta da lei, ele diz, é "estimular a auto-estima das pessoas em relação ao português e mostrar a elas que não se trata de uma língua feia, subdesenvolvida, atrasada ou inútil, como algumas pessoas podem imaginar".

Rebelo diz que se sentiu especialmente alarmado pelo uso de termos em inglês nas áreas de negócios e tecnologia, "onde existem substitutos em português perfeitamente adequados".

O Brasil tem a maior indústria de computadores e de internet da América Latina e verbos oriundos do inglês, como estartar, printar, atachar ou deletar, assim como os substantivos home page, e-mail, site e mouse são de uso padrão.

"Acho que toda essa idéia é uma maluquice", rebate Ricardo Gouveia Botelho, um *web designer* de 28 anos que fazia compras em uma loja de informática no momento da entrevista. "Usamos essas palavras porque são compreendidas no mundo inteiro. E o que ele planeja fazer, enviar a polícia lingüística em nossos escritórios e levar a gente em cana?"

Mas a proposta foi aprovada pela Câmara dos Deputados em 29 de março e grupos empresariais e publicitários estão fazendo um grande esforço para derrubá-la no Senado.

A Câmara dos Deputados aprovou a lei em um clima de tentativa para distrair as atenções de um novo e crescente escândalo de corrupção, e não se sabe quando o Senado conseguirá ter tempo para lidar com ela. Se o Senado aprovar a lei, o presidente Fernando Henrique Cardoso terá que decidir se vai assiná-la.

Ainda que o francês e o árabe, historicamente, tenham sido as maiores fontes de estrangeirismos usados no português, a iniciativa é claramente voltada para o inglês, sobre o qual Rebelo diz considerar um instrumento da "hegemonia econômica e comercial dos Estados Unidos".

As empresas já começaram a reagir como se achassem que a lei será aprovada. Bancos importantes encerraram programas com nomes como *Hot Money*, *Federal Card* e *Home Banking*, enquanto as lojas começaram a tirar as placas que anunciam *Sale* ou *20 percent off* e substituí-las por anúncios de "Liquidação".

Em uma demonstração de apoio a Rebelo, cartazes listando substitutos em português para palavras em inglês foram espalhados por essa cidade cosmopolita, que define o estilo do resto do país. Foram colocados pelo Movimento pela Valorização da Cultura, do Idioma e das Riquezas do Brasil, um grupo nacionalista.

Mas a maioria dos profissionais da língua afirma que a legislação é exagerada e subestima a capacidade de absorção do português brasileiro.

Os brasileiros mostraram-se tão criativos ao adaptar o inglês às suas próprias necessidades, que, na verdade, falantes nativos do inglês freqüentemente surpreendem-se com os usos que encontram aqui. Para os brasileiros, um compartimento com chuveiro, ou *shower stall*, é "box", um cartaz de rua, ou *billboard*, é chamado de "outdoor", praticar corrida, ou *jogging*, é fazer "cooper" (em homenagem ao médico que trouxe a prática para cá), uma lâmina de barbear, ou *razor blade*, é uma "gilete" e os garotos freqüentadores de academias de ginástica, consumidores de esteróides e que vão atrás de brigas nas boates, são chamados de "pit boys".

Se levada ao pé da letra, a medida parece que também banirá uma boa parte do vocabulário do futebol, o esporte nacional, a começar pelo nome do próprio passatempo, e incluindo termos como gol e pênalti. Mas Rebelo disse que deseja conceder algumas exceções às palavras que já foram assimiladas pelo português.

"Não almejamos controlar a evolução da língua", diz. "O que queremos é evitar os abusos." E a melhor maneira de fazer isso, ele argumenta, é punir os infratores com multas, ou então "enviá-los de volta para a escola, para terem aulas de português".

A legislação estabelece que é a Academia Brasileira de Letras que determina quais as palavras estrangeiras que podem ser usadas legalmente, ou, como coloca Rebelo, "que podem receber o visto de residência", e as que não podem. Mas a Academia, que já estabelece as normas ortográficas da língua, parece olhar com reserva para essa ampliação de seu papel.

"A preocupação do congressista com a saúde da língua é louvável", diz Tarcísio Padilha, presidente da Academia. "Mas esse é um problema cultural de grande complexidade e parece-me mais tratar-se de uma questão de debate público do que algo a ser regulamentado por leis e decretos."

Sérgio Nogueira Duarte, professor de português que escreve uma coluna semanal sobre a língua no *Jornal do Brasil*, diz: "As palavras estrangeiras estão presentes em todas as línguas, e muitas vezes por bons motivos. Usar a palavra *dumping*, por exemplo, é melhor do que gastar uma linha inteira para explicar em português que você está falando sobre a venda de um produto abaixo do custo como forma de prejudicar a concorrência."

Um dos motivos pelo qual a proposta de Rebelo pode estar prosperando é o status brasileiro de único país falante do português nas Américas, o que alimenta um senso de isolamento e medo de que a língua seja suplantada por outras.

O esforço para proteger o português não é o único movimento deste tipo. A França aprovou diversas leis na última década para tentar proteger o francês; na verdade, Rebelo diz que sua medida seguiu o modelo francês. Quebec também aprovou leis para garantir a supremacia do francês.

O português pode ser a sétima língua mais falada do mundo, mas, fora do Brasil, é a língua materna de não mais do que 50 milhões de pessoas, cuja população principal vive em cinco países paupérrimos da África — Moçambique, Angola, Guiné-Bissau, Cabo Verde e São Tomé e Príncipe.

Como resultado, houve uma onda de preocupação no ano passado quando Steven R. Fischer, um lingüista norte-americano, previu que "em trezentos anos o Brasil estará falando outro idioma".

Essa previsão veio na esteira de uma decisão governamental para tornar o estudo do espanhol obrigatório nas escolas brasileiras e ajudar a forjar laços mais estreitos com o resto da América Latina, que muitas vezes desqualifica o português como um 'espanhol mal falado'.

"O Brasil está cercado de países que falam o espanhol", diz Fischer em uma entrevista para a revista *Veja*. "À medida que aumentam o comércio e os contatos", ele diz, "haverá uma grande pressão para que o português seja abandonado".

"Devido à enorme influência do espanhol, é muito provável que um tipo de portunhol venha a surgir", ele acrescenta, em uma combinação com o nome das duas línguas.

Em um esforço para fortalecer a língua internacionalmente, o Brasil ampliou seu suporte financeiro para a Comunidade dos Países de Língua Portuguesa, criada em 1996.

O governo brasileiro também pressionou para que o português seja usado como língua oficial nas Nações Unidas e passou a empenhar-se para tentar que a língua seja reavivada no Timor Leste, onde seu uso foi duramente restrito durante os 25 anos de domínio indonésio.

Mas os brasileiros não devem "sentir-se ameaçados ou começar a atacar os moinhos em uma batalha quixotesca que não faz sentido", aconselha Padilha. "Todos os idiomas são organismos vivos em evolução e a nossa língua, graças a Deus, sempre demonstrou a capacidade de aceitar as palavras estrangeiras que deseja e rejeitar aquelas que não aprova."

Praias para os esbeltos, onde as calorias se revelam

Data: 13 de janeiro de 2005

RIO DE JANEIRO (RJ) — Brasileiros gordos? Em uma sociedade preocupada com o corpo, cujos presentes para a cultura global incluem a garota de Ipanema, o biquíni tipo tanga, Gisele Bündchen e outras supermodelos, a idéia parece ser uma heresia. No entanto, uma polêmica pesquisa oficial, divulgada no final do mês passado, confirma: o Brasil vive uma epidemia de obesidade.

Segundo o relatório, realizado pelo Instituto Brasileiro de Geografia e Estatísticas, publicado justamente na chegada do verão, quando multidões começam a ir para as praias em trajes sumários, cerca de 40% da população adulta brasileira está acima do peso. No total, um em cada dez adultos, ou mais de 10 milhões de pessoas, sofrem de obesidade, segundo os padrões internacionais, em comparação a menos de 4 milhões considerados subnutridos.

O presidente Luiz Inácio Lula da Silva imediatamente questionou os resultados. Desde que assumiu o cargo, há dois anos, o governo de viés de esquerda do Partido dos Trabalhadores, liderado por ele, sempre afirmou que a fome, e não a obesidade, é o maior problema social do país e, como resultado, criou o programa Fome Zero, como o elemento central de sua agenda de saúde e bem-estar públicos.

"A fome não é algo a ser medido por pesquisas", afirmou o presidente. "Nem todos desejam reconhecer que passam fome. As pessoas têm vergonha."

Mas as estatísticas mostram o que os nutricionistas e médicos consideram uma prova inegável do crescimento alarmante da obesidade desde meados da década de 1970, quando a pesquisa foi realizada pela primeira vez no formato atual. Como em todos os lugares do mundo, os principais culpados são, segundo eles, dietas desequilibradas e um estilo de vida sedentário, com algumas variáveis tipicamente brasileiras.

Os brasileiros têm, por exemplo, uma preferência notável por doces, o que talvez seja natural no país que é o maior exportador de açúcar do mundo. As pessoas rotineiramente colocam açúcar em frutas naturalmente doces, como abacaxi ou mamão, e, às vezes, parece que metade do volume de um cafezinho, o *espresso* consumido por todo o país, é de açúcar, não de líquido.

"O Brasil e os Estados Unidos são países com os mais altos níveis de consumo de açúcar do mundo, respondendo por 19% das calorias", diz Carlos Augusto Monteiro, nutricionista da Universidade de São Paulo, que foi consultor da pesquisa governamental. "O consumo de refrigerantes, por exemplo, cresceu 400% nos últimos trinta anos e achamos que isso pode ter desempenhado um importante papel para um Brasil mais gordo."

Além de incorporar quantidades crescentes de gordura e alimentos processados nos últimos anos, a dieta do brasileiro também é especialmente pesada em amidos e outros carboidratos. Um típico prato da hora do almoço, especialmente na área rural ou em bairros mais pobres, contém não só um pequeno pedaço de carne e feijão, como fontes de proteína, mas também arroz, batata, massa, pão e mandioca.

Assim como a população de países mais desenvolvidos economicamente, os brasileiros também têm levado uma vida mais sedentária ultimamente. Entre 1940 e 2000, a população brasileira, agora em 180 milhões, saiu de 80% vivendo em áreas rurais e 20% em áreas urbanas para 80% nas cidades e 20% no campo, o que resultou em uma forte queda da atividade física.

As noções brasileiras do que é considerado bonito ou sexy também podem ser um fator que estimula a gordura. Tradicionalmente, a forma feminina idealizada por aqui é a do violão, uma mulher com busto e cintura delgados e um traseiro avantajado.

"Os homens americanos podem se voltar para os seios, mas o homem brasileiro sempre gostou de alguma coisa que pudesse agarrar", diz Constanza Pascolatto, uma das principais comentaristas de assuntos relacionados a estética, moda e beleza. "As mulheres sempre ouviram, 'Você precisa comer para não ficar igual a um palito', e eram estimuladas a serem carnudas."

Ainda que essa preferência continue a ser forte, especialmente em áreas rurais e entre os mais pobres, as classes média e alta urbanas parecem ter sucumbido à preferência global pela magreza. Monteiro observa que, em São Paulo, já existem clínicas para o tratamento da anorexia e bulimia, problemas que praticamente não existiam há trinta anos, mas que estão aparecendo agora devido às "mensagens confusas que estão sendo enviadas" pela mídia sobre os tipos físicos desejáveis.

Os pobres, grupo em que o estudo verificou maior incidência de gordura, recebem as mesmas mensagens, mas não têm dinheiro para buscar outras opções. José Roberto Lucena, por exemplo, é um vendedor de rua de 1,71m e 105kg, que se preocupa com sua saúde, mas diz que faz o melhor que pode com ganhos equivalentes a menos de duzentos dólares por mês.

"Eu certamente não tenho condição de freqüentar uma academia, e, mesmo sabendo que as verduras são boas para mim, elas são muito caras", reclama. "Minha filha de 5 anos também está acima do peso e, mesmo depois de o médico mandar ela fazer dieta no mês passado, tem sido difícil conseguir que ela coma coisas como salada."

Alguns comentaristas daqui sugeriram que a resistência de Lula em aceitar a pesquisa decorra em parte de sua própria história. Como não se cansa de lembrar aos brasileiros e líderes estrangeiros que encontra, ele mesmo passou fome como uma criança pobre do Nordeste e lembra-se vividamente da sensação de ir para a cama de barriga vazia.

Atualmente, no entanto, Lula é um desses brasileiros que lutam para manter o peso sob controle. Com uma mistura de simpatia e divertimento, a imprensa local narra a crônica de seus esforços para limitar o consumo de churrasco, cerveja e buchada, um prato gorduroso, à base de tripas, típico de sua região natal e execrado pelos nutricionistas.

"A verdade é que a fome de Lula não passou até hoje", especulou recentemente o colunista Arnaldo Bloch, no jornal diário *O Globo*. "Por mais que o presidente coma, beba, repita, beba e repita mais uma vez. E beba. E repita. A fome fica. A sede fica. É uma fome, uma sede ancestral, fome, sede, que todo dia volta a bater." E que ele, como outros que um dia foram pobres, "nunca superou nem há de superar".

COMENTÁRIO

Esta matéria começou como um esforço sério e sincero de examinar um problema social grave e crescente no Brasil. Infelizmente, ela acabou sendo arrastada para uma polêmica desnecessária devido a publicações brasileiras que representaram de modo equivocado o seu objetivo.

Meu ponto de partida foi um estudo importante do IBGE sobre nutrição e hábitos alimentares dos brasileiros que provocou muito alvoroço ao ser publicado no final de 2004 e, como tal, foi bastante discutido na imprensa brasileira. Segundo o IBGE, 40% dos brasileiros adultos apresentavam sobrepeso e o número de obesos entre eles era o triplo do número de subnutridos.

Num momento em que o governo tinha lançado o programa Fome Zero, voltado para os pobres, esses dados pareciam contrariar o bom senso. Em conseqüência, Lula se apressou a criticar o estudo, o que gerou ainda mais debate. Só isso já prometia que o assunto daria uma boa matéria. Mas ele se tornava irresistível quando eram considerados outros fatores relevantes, tais como o impacto de mudanças sociais e de estilo de vida sobre a dieta e a obsessão dos brasileiros, especialmente no Rio de Janeiro, em manter o corpo bonito.

Fazer a matéria foi fácil. Sendo um residente no Brasil de longa data, eu estava muito familiarizado com as ciladas calóricas dos quitutes que a cozinha brasileira oferece. Os dados do IBGE eram sólidos, e eu não consegui descobrir nenhum nutricionista que discordasse das conclusões do estudo. Não foi difícil encontrar na rua pessoas comuns que pudessem atestar a extensão do problema. Então enviei minha matéria e fui para o Chile trabalhar em um projeto sobre o sistema de previdência social chileno, que George Bush estava considerando o modelo para uma possível reforma do sistema americano.

Imagine meu choque, então, quando liguei para meu escritório no Rio um dia e soube que algumas publicações brasileiras estavam afirmando que eu tinha escrito que "a garota de Ipanema está gorda". Como conseqüência, eu fui mais uma vez retratado na imprensa como um repórter desonesto que tinha ódio do Brasil.

Só posso especular sobre os motivos da mídia, liderada pelo jornal *O Globo*, ter agido dessa forma. Para começar, a matéria, apesar de se basear solidamente em cifras oficiais, feriu a auto-imagem do brasileiro. Percebi isso através dos e-mails furiosos que recebi, do tipo "Como você ousa dizer que somos gordos quando somos o povo mais bonito do mundo" ou "Você deve ter inveja das brasileiras, já que as americanas são gordas e feias".

Outro fator que contribuiu, penso, foi o fato de minha matéria ter sido publicada no começo de janeiro, no auge da temporada de verão do Rio. Essa é sempre uma época do ano em que nada muito importante acontece na política e as pessoas estão na praia exibindo o corpo. Jornais e revistas têm páginas e páginas para preencher a cada dia, e alguns deles têm de recorrer ao nonsense. Nesse caso, eles simplesmente fabricaram uma polêmica boba esperando preencher todo o espaço em branco e manter os cariocas espumando de raiva durante aquele período tradicionalmente estagnado.

Quando a controvérsia original morreu, eles prontamente fabricaram outra. Para ilustrar minha matéria, um fotógrafo que mora no Arpoador tinha ido à praia tirar fotos de pessoas com sobrepeso. Ele cometeu um erro honesto mas lamentável, que não tinha absolutamente nada a ver com a precisão do texto em si: ele acidentalmente fotografou três mulheres que pensava serem brasileiras, mas que depois ficou claro que eram turistas estrangeiras.

Qualquer jornalista sabe que um repórter não tira as fotos que acompanham sua matéria nem redige o título da matéria. Mesmo assim, acabei sendo considerado pela imprensa brasileira como o único culpado pelo erro. Vale a pena notar que uma vez que os editores do *New York Times* foram notificados do erro, imediatamente publicaram uma correção. Isso é mais do que eu posso dizer em favor das publicações brasileiras que afirmaram que eu escrevi "a garota de Ipanema está gorda". Até hoje eles se recusam a corrigir o registro.

Também vi comentários na imprensa brasileira que argumentam que, ao mencionar Lula e sua luta em relação ao peso e à dieta, um assunto amplamente discutido em alguns dos mesmos órgãos de imprensa que me criticaram por levantar a questão, eu estava mais uma vez tentando pegar no pé dele. Bobagem. Às vezes as dificuldades de um líder ou de outras figuras públicas simbolizam ou resumem convenientemente conflitos que ocorrem em uma sociedade em geral, como a imprensa americana descobriu há muito tempo ao escrever sobre nossos presidentes.

Bill Clinton, por exemplo, tornou-se um símbolo de maus hábitos alimentares nos Estados Unidos quando, ocupando a Presidência, às vezes parava em um McDonald's para comer um Big Mac no meio de uma corrida de exercício. Seu predecessor, George Bush, provocou um debate nacional quando disse que gostava de pele de porco gordurosa, rica em colesterol, mas odiava brócolis e não o comeria em nenhuma circunstância. Então por que eu concederia a Lula qualquer tipo de imunidade nesse tópico, se a experiência dele me ajudava a expor um argumento mais amplo?

Um teste brutal de fibra para quem quer entrar na faculdade

Data: 29 de dezembro de 2000

RIO DE JANEIRO (RJ) — É um temido rito de passagem, conhecido por gerações de estudantes brasileiros como o "funil". Todo mês de dezembro, exatamente quando o resto do país começa a entrar no ritmo relaxado das férias de verão, os formandos do ensino médio que desejam entrar na faculdade são forçados a passar por uma série de exames de admissão de grande importância, ferozmente competitivos, exaustivos e decisivos.

O sistema é oficialmente conhecido como "vestibular", palavra de origem latina que significa acesso a uma passagem. Porém, as vagas nas universidades, especialmente nas instituições públicas, em que os custos para os alunos são menores e, portanto, sendo assim consideradas as mais atraentes, se tornaram um prêmio cada vez mais valioso neste país de 170 milhões de habitantes. Assim, a experiência de passar pelo exame se torna uma introdução desalentadora ao mundo adulto para milhões de jovens brasileiros, que começam a jornada dando de cara com portas fechando em vez de encontrarem uma passagem para um futuro melhor.

"Com exceção da morte ou divórcio dos pais, o vestibular é o acontecimento mais estressante que um adolescente brasileiro está sujeito a enfrentar", diz Eleusa de Almeida, diretora-sócia de uma rede de escolas preparatórias para o vestibular. "É cruel, e o nível de tensão é tanto que todo ano eu alerto os pais para ficarem de olho nos filhos que vão prestar vestibular, os quais podem sofrer com queda de cabelo, erupções de pele e desenvolver úlceras."

De fato, um dos temas mais comuns dos noticiários da televisão brasileira nessa época do ano são as entrevistas com alunos em prantos, que acabaram de perder um ano inteiro de esforços e sacrifícios porque o trânsito estava ruim e chegaram cinco minutos atrasados para o vestibular. Após o fim do exame, os principais jornais não só publicam as respostas corretas dos vestibulares das maiores universidades, como também aconselham os pais sobre como consolar um filho que não passou.

É claro que estudantes em outros países, em especial no Japão, também são obrigados a enfrentar um sistema de exames de qualificação altamente competitivo do tipo "ou tudo ou nada". Mas o sistema brasileiro tem algumas peculiaridades que parecem especialmente repetitivas e desperdiçadoras em um país em desenvolvimento, a começar com o fato de que quase todas as universidades preferem sujeitar os candidatos à sua própria bateria esgotante de testes em vez de se valer de um exame nacional padronizado.

Diogo Franco, por exemplo, é um jovem de 18 anos que se inscreveu em cinco universidades daqui, e pagou até 150 dólares, valor mais alto que o salário mínimo do país, para se inscrever para o vestibular de cada uma delas. De hoje até meados de janeiro, calcula ele, terá que fazer 13 provas diferentes, cada uma com a duração de quatro horas, e elaboradas para testar seu conhecimento em matérias como História e Português, passando também por Matemática e Química.

"Neste último ano, não fiz nada a não ser viver para o vestibular, pagando mais de 600 reais por mês por um curso preparatório e estudando 14 horas por dia", disse ele recentemente após sair da segunda etapa de testes da Pontifícia Universidade Católica. "Meus pais têm me pressionado o tempo todo, perguntando todo dia se eu tinha estudado, me lembrando que eu tinha que passar; e que se eu não passasse, ia ser mais um ano com a mesma rotina."

Outra característica largamente criticada deste sistema é que, devido à escassez de vagas em muitos departamentos, se exige que os alunos se comprometam com uma carreira específica no momento da inscrição para o vestibular. Um resultado disso é que o Brasil está cheio de arquitetos de 50 anos de idade que gostariam de ter estudado Medicina, de médicos dizendo que estariam mais felizes se fossem engenheiros, e engenheiros que lamentam não ter estudado Direito.

"É simplesmente injusto exigir que jovens de 16 anos de idade decidam o que querem fazer pelo resto de suas vidas", diz Almeida, cuja rede de escolas preparatórias tem o nome de Grupo Perspectiva Integral. "Nessa idade, eles não têm certeza nem da cor de roupa que querem usar, e menos ainda desta decisão tão importante sobre se vão ser mais felizes como físicos ou professores de Educação Física."

Por exemplo, Raquel Bianchi, de 17 anos, conseguiu no ano passado entrar no curso de Arquitetura de uma prestigiada universidade pública daqui. "Mas depois de seis meses, descobri que não gostava", diz ela, "e como eu não podia transferir meus créditos para outro departamento, aqui estou eu de novo, prestando o vestibular outra vez" na esperança de entrar no curso de Publicidade.

Não é surpresa então que apelos para abolir o sistema de vestibular, que sempre foram comuns, estejam ganhando força. De fato, desde 1996 as universidades brasileiras estão autorizadas a usar qualquer um de vários "processos seletivos" para admitir alunos; e o próprio governo tem promovido um exame nacional padronizado para alunos de segundo grau como uma alternativa.

Mas Cláudio de Moura Castro, economista do Banco Interamericano de Desenvolvimento, que escreve uma coluna sobre educação para a revista *Veja*, argumenta que "para começar a entender o vestibular, precisamos liquidar o mito de que é possível acabar com ele". Em um país em que favorecimentos e apadrinhamentos são comuns, observa ele, "no ensino superior não se pode permitir entrar por jeitinho, amizades ou suborno".

O ministro da Educação, Paulo Renato Souza, também defende o sistema, dizendo: "O vestibular tem a vantagem de ser um sistema transparente, baseado no mérito. Por outro lado, pode ser muito injusto expor os jovens a uma intensa carga e estresse, e forçá-los a arriscar suas vidas inteiras em um único exame."

Na realidade, o nível de competição hoje em dia é maior que há uma década, quando 700 mil estudantes competiam por 500 mil vagas. De acordo com Souza, atualmente um milhão e 600 mil alunos disputam cerca de 800 mil vagas a cada ano. Nas carreiras acadêmicas mais prestigiosas o número de candidatos por vaga pode chegar até 80.

Em parte, a escassez é causada simplesmente pelo crescimento populacional. Porém, o motivo mais importante é o sucesso do governo brasileiro em reduzir a inflação, desde a posse de Fernando Henrique Cardoso há cerca de seis anos. A conseqüência foi a estabilização da renda dos pobres.

Com isso, milhões de pais brasileiros têm conseguido investir no futuro de seus filhos, permitindo a eles permanecer na escola sem serem forçados a trabalhar. Entre 1994 e 1998, indica Castro, as matrículas nas escolas de segundo grau aumentaram em 37%, e isso conseqüentemente extendeu o sonho de educação superior além das classes alta e média pela primeira vez.

E quando o vestibular deste ano finalmente acabar, começa a espera tanto para os filhos dos ricos quanto para os dos pobres. As universidades começarão a publicar suas listas de aprovados no próximo mês, mas o processo só será concluído em fevereiro.

"A gente enfrenta tensão antes, durante e depois da prova", reclama Sofia Rocha, de 18 anos, vestibulanda do curso de Desenho Industrial.

"Faz tanto tempo que eu não vou à praia ou a uma festa que nem me lembro direito como é que é", diz ela. "Mas, agora, eu só posso esperar que quando eles publicarem os resultados, eu tenha finalmente um motivo para festejar."

COMENTÁRIO

Minha teoria sobre ser um correspondente estrangeiro sempre foi que você deve escrever sobre toda a sociedade em que está vivendo, não apenas sobre a política do lugar ou sua economia. Estivesse trabalhando no Brasil, na China, no México, em Cuba, no Japão ou nas Filipinas, sempre busquei me guiar por esse princípio. Portanto, escrever sobre o vestibular era uma escolha natural para uma matéria.

Meu desejo de escrever essa reportagem data da década de 1970, quando vi na televisão pela primeira vez imagens que se repetem a cada ano. Todo mês de dezembro, há pelo menos uma matéria sobre um estudante que, porque seu despertador não disparou na hora certa ou porque ficou preso no tráfego, chega um minuto depois que os portões foram fechados e o exame vestibular começou. Ver esses jovens explodirem em lágrimas ao perceberem que sacrificaram um ano de sua vida em vão é sempre comovente, e me parecia que leitores estrangeiros também ficariam não apenas perplexos mas comovidos quando as complicações do sistema do vestibular lhes fossem explicadas.

Para mim, esse não é um tema abstrato. Na década de 1970, assisti à luta com o vestibular dos primos de minha mulher, que dedicavam um ano inteiro de sua vida a se preparar para os exames, e experimentei todo o drama de esperar que os resultados fossem publicados nos jornais ou afixados em paredes. Nos últimos anos, vi os filhos deles passarem pelo mesmo suplício. Quando uma de minhas sobrinhas, que quer desesperadamente ser médica, passou na terceira tentativa, depois de ter chegado muito perto nas duas anteriores, fiquei emocionado e comemorei com o resto da família.

Mas vou ser franco: acho que o vestibular é um sistema louco, perdulário e discriminatório, e sou grato por meus filhos não terem precisado se sujeitar a ele. Seria muito mais lógico e eficiente os estudantes fazerem uma única bateria de exames padronizados que seriam válidos para todas as universidades do país, como acontece nos Estados Unidos, onde há um exame assim, o Scholastic Aptitude Test. Em geral evito recomendar que o Brasil copie instituições americanas, mas nesse caso não vejo por que algo semelhante ao sistema americano não funcionaria no Brasil.

Em sua forma atual, o sistema do vestibular favorece claramente os ricos e põe os pobres em desvantagem. Não apenas porque os pobres vão para escolas inferiores que não desenvolvem seus talentos e sua inteligência ao máximo, mas também porque eles sofrem com a estrutura financeira onerosa associada ao vestibular. Muitos deles não têm condições de pagar os cursinhos que preparam os estudantes para as provas. Ter de fazer múltiplos exames, pelo menos um para cada universidade à qual se candidatam, também muitas vezes está além de seus recursos.

Vou ser direto aqui, como não pude ser na matéria original. O Brasil precisa urgentemente abandonar — ou no mínimo reformar — o sistema do vestibular. Mas interesses poderosos não querem que isso ocorra, principalmente os cursinhos, que ganham milhões de dólares, e as universidades, que cobram dos estudantes taxas para fazer o vestibular. Eles parecem ter bloqueado qualquer esforço sério do Congresso para democratizar o ensino superior, com o objetivo de defender seus próprios interesses estreitos e sua lucratividade.

Mas enquanto essa reforma não ocorrer, os estudantes brasileiros, especialmente os pobres, continuarão a sofrer angústia mental desnecessária e a ser obrigados a gastar dinheiro desnecessariamente. À medida que mais e mais estudantes concluírem o ensino médio em vez de desistirem dos estudos e começarem a trabalhar ainda muito jovens, o problema só vai piorar. Por que o Brasil quereria desperdiçar esse recurso, na verdade o mais precioso?

Com as mulheres nos campos de futebol, o Brasil desvia o olhar

Data: 4 de julho de 1999

RIO DE JANEIRO (RJ) — Em todos os Estados Unidos, a Copa do Mundo feminina de futebol é o evento esportivo do alto verão, atraindo multidões e um frenesi de atenção pouco comum lá para qualquer tipo de futebol, ou para qualquer tipo de esporte feminino, muito menos para futebol feminino. Hoje o Brasil enfrenta os Estados Unidos em uma das semifinais, mas mal se fala disso nas reportagens daqui do Rio.

Enquanto Sissi e Kátia (jogadores brasileiros geralmente usam apenas um nome) se encaminham para o confronto com Mia Hamm e Julie Foudy, as páginas esportivas brasileiras se concentram quase totalmente nas probabilidades de vitória do time masculino na Copa América e nos motivos pelos quais seu técnico, Wanderley Luxemburgo, deixou artilheiros como Romário e Edmundo fora do time.

O futebol pode ser o rei dos esportes daqui, mas parece que apenas a versão masculina do jogo usa a coroa. Nem um só jogo da seleção feminina brasileira foi televisionado ao vivo aqui. Patrocinadores declinam qualquer associação com o time, e os fãs ardorosos que sabem recitar a escalação inteira da seleção masculina da Copa de 1950 têm dificuldade em lembrar um só nome da seleção feminina atual.

"Infelizmente, o futebol feminino ainda não tem chance no Brasil", diz Armando Nogueira, um dos mais importantes comentaristas esportivos do país, quando perguntado sobre a falta de interesse aqui. "A melhor jogadora do Brasil nunca será tão popular quanto o pior jogador, e o motivo principal é que as mulheres vêm sendo idolatradas como objetos delicados de desejo, incapazes de praticar um esporte de contato físico, de corpo-a-corpo."

Renata Cordeiro, de 29 anos, é uma das poucas apresentadoras de programas de esportes do Brasil. Trabalha no canal a cabo SporTV como especialista em futebol. Ela se recorda de que quando era adolescente, sua melhor amiga pediu que o futebol fosse incluído no programa de educação física da escola. "De jeito nenhum", foi a resposta que recebeu. "O futebol não é uma atividade própria para meninas."

Posturas como esta são encontradas em toda a América Latina, onde a paixão pelo futebol é ultrapassada apenas pelo machismo profundamente arraigado que governa os papéis sociais da vida cotidiana. E tudo é acentuado no Brasil, que já conquistou quatro Copas do Mundo, mais do que qualquer outro país. Desde os dias de Pelé, o país se orgulha de produzir os melhores jogadores do mundo e jogar a versão mais criativa e vistosa do jogo.

"No Brasil, o futebol tem uma demarcação de gênero que o torna um domínio masculino por excelência", diz Roberto DaMatta, sociólogo e antropólogo de destaque. "É um esporte que contém todos os diversos elementos que são tradicionalmente usados para definir a masculinidade: conflito, confronto físico, domínio, controle e resistência."

De fato, alguns dos verbos usados na linguagem popular para descrever a posse de bola no futebol são também palavras usadas nas ruas para descrever o ato sexual.

Além disso, todos os substantivos portugueses variam em gênero, e a palavra "bola" tem conotações tão femininas quanto a forma redonda e voluptuosa do próprio objeto, a qual para muitos brasileiros evoca os seios e as nádegas do corpo da mulher.

"Vemos jogadores no campo beijando e acariciando a bola o tempo todo", comenta Renata. "Há realmente um componente erótico nisso, e está tudo ligado à idéia do homem subjugando a bola como faria a uma mulher."

Os tabus de gênero se estendem não apenas à prática do esporte nacional, mas também a vê-lo sendo jogado. O estádio, com toda sua violência pública e a fanfarrice ritualizadas, tanto nas arquibancadas quanto no campo, tradicionalmente é visto como área vetada às mulheres. Em 27 de junho, como parte de uma campanha para mudar esta imagem, 8 mil ingressos gratuitos foram distribuídos para mulheres que estavam em meio à multidão de mais de 100 mil que foram ao estádio do Maracanã para o jogo do campeonato nacional entre Botafogo e Juventude. Porém, a idéia de ir de fato ao jogo ainda é algo impensável para muitas mulheres.

"Nunca fui ao Maracanã, e não pretendo ir lá nunca, de jeito nenhum", diz Letícia Carvalho de Almeida, técnica em odontologia de 34 anos de idade e mãe de duas filhas, torcendo o nariz de desgosto para a idéia. "Só de pensar em todos aqueles sujeitos suados e fedorentos, xingando alto, brigando e jogando cerveja e mijo uns nos outros me deixa nervosa."

Em um cenário como este, em nível popular há a crença de que qualquer atleta do sexo feminino é em certo grau masculinizada e tem sua feminilidade comprometida. A estrela do basquete Hortência driblou este problema ao posar nua para a revista *Playboy*. Outras jogadoras de basquete e vôlei, incomodadas com os boatos sobre seu suposto lesbianismo, preferem aparecer com namorados ou maridos e filhos, de rostos maquiados e cabelos feitos, em ensaios de fotos produzidos para revistas de fofocas como *Caras* ou *VIP*.

"Uma das coisas que têm atrapalhado o futebol feminino é que ainda não há uma musa que pratique o esporte", afirma Nogueira. "As autoridades do voleibol investiram na sensualidade, e isto tem dado retorno para eles. O futebol feminino precisa usar estes métodos de marketing. Elas deveriam tentar aumentar o grau de sedução, em vez de imitar os homens no campo."

Até onde se nota um interesse dos brasileiros nesta Copa do Mundo feminina, eles parecem mais fascinados pelo poderoso time norte-americano — que demonstrou o domínio e a maestria que eles admiram — mais do que pelo seu próprio time. No início do torneio, a revista semanal *IstoÉ* publicou um perfil não do time brasileiro, e sim das "garotas ianques" e de Mia Hamm. Usando o jogador brasileiro mais habilidoso como referência, a reportagem descreveu Hamm como "uma espécie de Ronaldinho, só que com melhores quadris, mais jogo de cintura e o mais importante: faz mui tos gols em Copa do Mundo".

Para as fãs como Renata, o bom desempenho das americanas trouxe um problema inesperado. Na condição de brasileira que conhece e já entrevistou muitas das maiores jogadoras do país, ela naturalmente espera que a seleção brasileira vença o campeonato, ou que ao menos faça uma boa apresentação. "Isso ajudaria muito o desenvolvimento do esporte para as mulheres daqui", diz ela. "Os brasileiros esperam sempre que seu time ganhe tudo. Se nós conseguirmos isso, o apoio e o interesse vão aumentar, e os homens serão forçados a encarar o esporte feminino com mais seriedade."

Porém, como mulher, está também "fascinada com o estilo de jogar das americanas, a habilidade e a destreza com que elas driblam e passam a bola, e marcam gols", admite ela. "Que bom que elas provaram mais uma vez que as mulheres são capazes de fazer grandes coisas se tiverem alguma chance."

Entretanto, DaMatta alerta que independentemente de quem vença a copa, os norte-americanos não têm razão para se sentirem superiores. "O ponto fundamental a ser lembrado é que em todas as sociedades, e não apenas no Brasil, há esses pontos cegos, e que essas diferenças culturais persistem apesar de tudo o que se fala sobre globalização", afirma ele. "Por exemplo, no seu país vocês têm muitas mulheres jogando futebol, tênis, vôlei e até mesmo beisebol. Mas onde estão as suas jogadoras de futebol americano?"

Uma discussão sobre quem pode fazer uma fritura favorita de todos ferve

Data: 30 de novembro de 2001

SALVADOR (BA) — Pegue uma porção de feijão-fradinho sem casca, amasse até formar uma pasta, acrescente cebolas, frite em bastante azeite de dendê, deixe esfriar e abra com uma faca. Recheie com camarão temperado com coco, castanhas, pimenta malagueta e coentro. Assim se faz o acarajé, bolinho frito de inspiração africana que é parte integral da vida daqui, assim como o futebol e o samba.

Porém, hoje em dia essa combinação também é a receita de uma controvérsia sem fim.

O acarajé está intrinsecamente ligado ao candomblé, uma mistura de catolicismo romano com o politeísmo africano, e que é a fé dominante nesta cidade portuária tropical exuberante de 2 milhões e 200 mil habitantes, a terceira maior do país. Por tradição, as vendedoras de acarajé são consideradas "filhas de Iansã", a deusa do vento do candomblé. Elas todas se vestem com blusas de renda e saias brancas rodadas, como as sacerdotisas do candomblé, e montam suas bancas em lugares escolhidos apenas após consulta divina, segundo se diz.

Porém, o prato se tornou tão popular no Brasil, e até mesmo no exterior, que disputas envolvendo religião, gênero e raça opuseram as vendedoras tradicionais às novatas numa disputa sobre quem tem o direito de fazer o acarajé, como deve ser preparado e onde pode ser vendido.

Em anos recentes, algumas vendedoras se converteram a religiões evangélicas, e agora se recusam a usar o traje tradicional completo associado às mães-de-santo, especialmente os turbantes e os adereços que simbolizam os orixás.

"Uma vendedora de acarajé com o cabelo solto não é só anti-higiênico, é também falta de respeito para com os orixás e faz meu sangue ferver", diz Regina dos Santos, de 49 anos, uma das vendedoras mais famosas da cidade. "Eu aprendi a fazer acarajé com a minha avó, que era mãe-de-santo, e ela ao mesmo tempo me ensinava sobre o candomblé, e é assim que tem que ser."

A posição oficial da associação das vendedoras de acarajé, que conta com 3.200 membros, é de que qualquer pessoa, de qualquer religião, sexo ou raça, pode vender o petisco, desde que seu produto cumpra as normas de higiene. Contudo, isto não satisfaz alguns devotos do candomblé, que se enchem de indignação por causa dos quiosques que anunciam o "acarajé de Jesus". Eles querem que o governo municipal faça cumprir uma lei de 1998 que obriga as vendedoras de acarajé a usar os "trajes de acordo com as tradições culturais afro-brasileiras".

Djalma Campos Teixeira, que se diz estivador e pai-de-santo, é um destes tradicionalistas. "Deixem que os evangélicos vendam cachorro-quente e espiga de milho se quiserem, mas não acarajé", diz ele. "Se eles acham que é comida do diabo, como dizem, por que estão tão ansiosos para vender o acarajé?"

Porém, esta não é a única frente na qual as vendedoras tradicionais se sentem sitiadas. Como as oportunidades de lucro com o acarajé cresceram com o aumento do turismo, os homens também entraram no negócio, dominado pelas mulheres desde que a escravidão foi abolida no Brasil em 1888.

Ainda hoje, são as mulheres as fornecedoras mais populares, e algumas delas se tornaram celebridades locais, sendo conhecidas, assim como os jogadores de futebol, por seus primeiros nomes: Dinha, Alcira, Regina, Dadá e Lourinha, entre outras.

Mas talvez o maior desafio venha de uma empresa de produtos alimentícios de destaque que, após passar dois anos tentando chegar à fórmula certa, começou no mês passado a vender acarajé em pó, embalado em caixas.

"Só estamos interessados em expandir o mercado e tornar as coisas mais fáceis para as pessoas, não queremos tomar nada das vendedoras", diz Rosane Medina, gerente geral da fábrica local do produto. "Queremos que a dona de casa saiba que ela não precisa se vestir com as roupas tradicionais para fazer acarajé, que basta seguir as instruções na caixa."

Rosane disse que uma equipe de vendedoras auxiliou a desenvolver o acarajé em pó, e que algumas delas chegaram até mesmo a perguntar discretamente sobre comprar o produto da empresa, como alternativa às horas de trabalho penoso para fazer a massa.

Porém, ganhar a confiança dos consumidores que se consideram conhecedores é uma outra questão.

"Não existe essa coisa de produção em massa de acarajé, e nenhum baiano de verdade vai ser cliente de uma barraca que venda esta coisa abominável", zomba Redinilson Soares da Silva, músico de 56 anos de idade. "O acarajé tem de ser feito à mão, com amor e dedicação, simplesmente não pode ser industrializado."

Para aumentar suas inquietações, as vendedoras estabelecidas dizem que subitamente se viram excluídas de alguns de seus pontos-de-venda mais lucrativos. Muitos shopping centers expulsaram as vendedoras numa tentativa de atrair os clientes para seus estabelecimentos, onde funcionários em trajes comuns servem os bolinhos fritos em mesas ou balcões, não em um tabuleiro à altura do joelho, como manda a tradição.

Para proteger a si e as tradições, as vendedoras persuadiram um vereador, Wanete Carvalho, a elaborar um projeto de lei proibindo a fabricação e venda de acarajé por qualquer "estabelecimento comercial", incluindo shopping centers, restaurantes e bares. Grupos empresariais irados prometem uma longa e dura batalha.

Entretanto, já há sinais de que permitir aos consumidores que preparem o acarajé está encorajando exatamente o tipo de mexida na receita que mesmo Medina, cuja fábrica produz a massa para o prato, considera heresia. Ela conta que clientes vieram a ela e perguntaram se podem fritar a massa em óleo de soja, que supostamente contém menos colesterol que o azeite de dendê, ou besuntar maionese ao invés de pasta de camarão.

Sua resposta padrão é: "Não dá se você quiser chamá-lo de acarajé."

COMENTÁRIO

A inspiração para uma reportagem pode vir de qualquer lugar, a qualquer hora. Como todo mundo que visita Salvador, eu sempre gostei de comer acarajé, desde a minha primeira viagem à Bahia, na década de 1970. Mas foi só depois que a revista do Instituto de Estudos Latino-Americanos da Universidade de Harvard publicou uma edição especial em 2001 sobre comida e nutrição que comecei a refletir sobre a sociologia da comida e imaginar o que eu poderia escrever sobre o tema.

Num primeiro momento, eu pensei na tradição do churrasco ou no culto ao mate. Quando viajo para a Amazônia, sempre fico fascinado quando cruzo com colonos gaúchos que estão sentados sob um sol de 40 graus bebericando seus chimarrões, enquanto o suor escorre de suas testas. Por coincidência, no entanto, eu tive de viajar para Salvador pouco depois de ler a publicação de Harvard. Assim que cheguei lá e comprei meu primeiro acarajé na rua, comecei a ouvir as vendedoras comentando sobre uma disputa que se instalou entre as que eram seguidoras do candomblé e as que eram evangélicas.

Pronto. Eu tinha o tema de uma matéria sobre um prato de dar água na boca que a maioria dos americanos jamais ouviu falar, mas com certeza gostaria de provar se conhecesse os ingredientes. Então comecei a entrevistar vendedoras de acarajé — fazendo sempre o "sacrifício" de provar dos seus quitutes enquanto conversávamos. Às vezes a vida é dura, né? E, à medida que as conversas evoluíam, eu descobri que a reportagem tinha ainda outra dimensão. Apesar de todas as farpas trocadas pelas vendedoras evangélicas e as do candomblé, ambas reservavam as suas críticas mais pesadas para uma espécie de acarajé em pó que estava acabando de ser introduzido no mercado. Os dois grupos encaram o "acarajé em caixinha" não só como uma ameaça à sua subsistência, mas também como um sacrilégio.

Foi uma matéria gostosa de apurar e escrever, mas ela também pretende chamar atenção para um assunto sério. As diferenças sociais podem estar relacionadas à menor das coisas, e, ao passo que podem parecer absurdas para quem está de fora, elas sempre são muito reais para os envolvidos. Nesse caso, a disputa localizada sobre quem deveria preparar e vender acarajé não só exemplificava tensões bem maiores entre evangélicos e adeptos do candomblé, que vinham crescendo no Brasil recentemente, como refletia mudanças sociais na maneira como as pessoas compram, cozinham e comem. Esse é um tema importante e sério, e enquanto eu quis que a matéria fosse lida como entretenimento, também não queria menosprezar as questões maiores.

Aliás, no que diz respeito ao acarajé em pó, eu ganhei uma caixa num supermercado onde seus fabricantes montaram uma barraquinha, na expectativa de convencer donas de casa a comprarem o produto. Não estava ruim, mas faltou um certo brilho. Então, sim, eu tenho que concordar com a maioria dos baianos: o acarajé é mais saboroso quando preparado com amor e dedicação na sua frente, não quando sai de uma caixa.

POLÍTICA

Política Nacional

Escrever sobre política brasileira é como olhar para o proverbial copo que está meio cheio ou meio vazio, dependendo de como se prefere vê-lo. Sabidamente, os acontecimentos dos últimos anos fomentaram a desilusão, com um escândalo atrás do outro enfraquecendo a credibilidade do Congresso e do Executivo. Mas em vez de sucumbir ao desânimo, como parecem ter feito muitos de meus amigos brasileiros, eu me consolo lembrando-me de como o Brasil evoluiu desde a primeira vez que cheguei aqui, em 1972.

Naquela época, o Brasil vivia sob uma ditadura militar cujo impacto na vida política era evidente em toda parte. Senadores e deputados federais foram obrigados a ingressar em um de dois agrupamentos completamente artificiais, que não foram sequer autorizados a denominar-se partidos, e se eles ficassem fora de controle o AI-5 podia ser aplicado para cassar seus direitos políticos por uma década. Esse mesmo decreto e uma bateria de outros eram usados para amordaçar a imprensa. O presidente e os governadores eram nomeados pelos militares, e não eleitos pelo povo. A polícia política e os serviços de informação militares rotineiramente davam sumiço em pessoas consideradas opositoras do sistema e as torturavam, e os tribunais eram praticamente impotentes para intervir. O Brasil vivia sob uma nuvem de abatimento, com o fervor e a volubilidade naturais de sua cultura política suprimidos por meio da força e da intimidação.

Hoje, tudo é diferente, e com isso quero dizer muito melhor. O que os governantes militares daquela era mais temiam acabou se concretizando: um líder operário de esquerda virou presidente. Mas o país não retornou à instabilidade da era João Goulart, não houve revanchismo, e os militares permanecem tranqüilos e nos quartéis, que é o lugar deles. O Congresso é turbulento e independente — até demais, pelo que diz o Executivo. A imprensa é igualmente vociferante, e fica irritada diante de qualquer legislação que limite sua capacidade de publicar ou transmitir o que quiser. O Judiciário não hesita em criticar o Executivo, e vice-versa.

A democracia é sempre bagunçada, e a democracia brasileira talvez seja mais bagunçada que muitas ou mesmo a maioria das outras. Afinal, este não é um país com normas sociais rígidas que é habitado por um povo sisudo, como o Japão ou a Alemanha. Mas, com a possível exceção de alguns poucos excêntricos de direita como Jair Bolsonaro, ninguém anseia por uma volta do sistema autoritário que reinava antes de 1985. Agora o desafio — e ele é difícil — é, de alguma forma, encher o resto do copo, para que o Brasil consiga completar o processo de tornar-se uma democracia plena.

O principal impedimento a essa tarefa, a meu ver, é a corrupção. Esse é um problema menos grave aqui do que em alguns outros países em que trabalhei como correspondente, tais como México e Indonésia. Os mexicanos têm até um ditado que data da Revolução Mexicana de 1910: "*No hay general que resiste a un cañonazo de 50 mil pesos.*" Mas as várias e múltiplas formas que a corrupção assumiu no Brasil, de subornos diretos ao nepotismo e ao caixa dois, tornaram-se um câncer que enfraquece o corpo político e a fé do cidadão brasileiro nas instituições que devem servi-lo.

Quando a ditadura militar terminou, em 1985, pensei que isso poderia significar também o fim do tradicional domínio dos coronéis, que na maior parte do Nordeste tinham feito com os militares pactos de partilha do poder que lhes permitiam continuar usando o tesouro público como se fosse sua conta bancária pessoal. Os militares haviam também deliberadamente reestruturado o Congresso, de modo que os estados daquela região, onde votos podiam ser comprados e vendidos, junto com novos estados criados por meio de decretos arbitrários, eram super-representados, à custa de estados maiores do Sul e do Sudeste, especialmente São Paulo. Certamente, uma das primeiras prioridades seria incapacitar aqueles caciques de uma vez por todas e restaurar um equilíbrio de poder adequado.

Mas eu estava errado. Dos quatro presidentes que ocuparam o cargo desde 1985, dois eram representantes daquela oligarquia nordestina conservadora: José Sarney e Fernando Collor de Mello.

FHC e Lula, é claro, não eram, e Lula era até um refugiado do sistema de atraso representado pelos coronéis. Mas, apesar de sua retórica de mudança, ambos os presidentes mais recentes acharam mais fácil — ou pelo menos mais conveniente — governar por meio dos caciques, ou com eles, do que enfrentá-los. FHC fez uma aliança com Antonio Carlos Magalhães para garantir a aprovação de seu programa legislativo, e Lula e o PT fizeram acertos com José Sarney e Jader Barbalho.

Essa acomodação, me parece, torna-se necessária devido a um par de falhas evidentes no sistema político brasileiro, ambas estimuladoras da corrupção. Uma delas é que há simplesmente partidos políticos demais, a maioria deles não organizada em torno de uma ideologia ou um conjunto de princípios, mas simplesmente refletindo os interesses e ambições pessoais de seus líderes. A outra é que, mesmo nos grandes partidos, não há nem disciplina nem coerência suficientes. Em conseqüência, não apenas os partidos, mas também seus membros individualmente, são como átomos que flutuam livremente. Eles se agrupam para formar compostos instáveis, só para se separarem novamente diante de uma pressão externa ou apenas reagindo a um ímã mais poderoso em algum outro lugar — com isso quero dizer apadrinhamento, clientelismo, nepotismo, o mensalão, o valerioduto e todas as outras formas verdadeiramente engenhosas que a corrupção assume no Brasil.

O resultado é um ciclo vicioso. Como há tantos partidos, revelou-se impossível para um presidente conquistar uma maioria no Congresso só com seu partido. Por isso, os presidentes têm de negociar para formar coalizões efêmeras baseadas não apenas em afinidades políticas ou ideológicas, mas também em empreguismo e benefício ou enriquecimento pessoal. Daí o mensalão e outros abusos. Mas, dado que a disciplina partidária interna é tão fraca, os legisladores se sentem individualmente livres para se rifarem a qualquer partido que lhes ofereça a melhor oportunidade de autopromoção. É um mundo de completa promiscuidade.

Não acho que os brasileiros percebem inteiramente quanto algumas características de seu sistema político parecem bizarras a estrangeiros. Isso vale especialmente para a freqüência com que deputados, senadores, prefeitos e vereadores pulam de um partido para outro, como gafanhotos ou sapos em uma vitória-régia buscando o melhor abrigo. Quem detém o recorde, se não me engano, é um deputado que trocou de partido oito vezes! Isso raramente ocorre em outras democracias, no mínimo porque normalmente significa suicídio político. Sim, Winston Churchill fez isso, mas ele é a rara exceção, e seu caso é lembrado ainda hoje precisamente por ser tão incomum.

No Brasil, ao contrário, o fenômeno é tão comum que praticamente não é julgado digno de menção na imprensa. No entanto, ele leva a distorções fundamentais no processo político, e não só porque os legisladores parecem muitas vezes oferecer seus votos a quem oferta mais ou em troca de algum tipo de favor: uma porcentagem em um contrato lucrativo, um emprego para um parente etc. As mesmas práticas também acabam transbordando para a burocracia governamental, em parte porque muitos dos ocupantes de cargos de governo os obtiveram como favores políticos, com os partidos negociando uma cota de empregos em ministérios em troca de concordar em apoiar o governo.

Esse problema é aumentado pela falta de freqüência com que são punidos os culpados desses abusos, sejam eles pecuniários ou éticos. E mesmo quando isso ocorre, é normalmente com uma mera advertência simbólica que oferece à pessoa culpada um modo de voltar à vida pública. Fernando Collor de Mello foi obrigado a renunciar por causa de corrupção, mas agora está de volta ao Senado. Jader Barbalho também foi culpado de corrupção, mas igualmente encenou uma volta. Antonio Carlos Magalhães teve de renunciar ao mandato depois que se descobriu que ele havia violado o segredo dos painéis de votação no Senado, mas voltou na eleição seguinte.

Compare essa leniência com o caso de Mike Espy, um jovem congressista promissor do Tennessee que foi secretário de Agricultura durante os primeiros dois anos do governo de Bill

Clinton. No final de 1994, contudo, ele foi obrigado a renunciar. Seu crime? A maior produtora de aves do país, a Tyson Foods, dera a ele um ingresso grátis para o Super Bowl, o campeonato de futebol americano, além de uma carona em um dos jatos da empresa e hospedagem gratuita em um hotel de luxo. Não só Espy caiu em desgraça, como a Tyson Foods acabou se confessando culpada de dar a ele US$ 12 mil em presentes ilegais, e concordou em pagar uma multa de US$ 6 milhões e ressarcir o governo dos custos da investigação.

Ao citar o caso Espy não pretendo sugerir que os ocupantes de cargos públicos americanos são de algum modo moralmente superiores a seus correspondentes brasileiros. O desejo de extrair lucro de posições de poder, de prestar favores em troca de benefícios pessoais, é uma tendência humana universal à qual nenhum país está imune. Fui criado em Chicago, uma cidade tão notória por vereadores e comissários distritais que tinham dificuldade de resistir à tentação de receber propinas ou meter a mão na caixa registradora pública, que nosso mais famoso colunista do jornal local, Mike Royko, sugeriu uma vez que o lema da cidade fosse "Ubi Est Mea?", ou, em bom português, "Cadê o Meu?".

Mas eu argumentaria que a polícia e as instituições judiciais americanas funcionam melhor que as brasileiras. O resultado é que o efeito dissuasivo é mais poderoso: um ocupante de cargo público americano tentado a aceitar suborno ou presentes ilegais sabe que há uma alta probabilidade de ser apanhado, processado e desacreditado, e portanto tem mais probabilidade de se abster da conduta que lhe criará problemas.

Além disso, a justiça é rápida. Mais ou menos na mesma época em que o escândalo do mensalão veio à tona no Brasil, Randy Cunningham e Bob Ney, dois deputados federais dos Estados Unidos, membros do partido do atual governo, o Republicano, foram acusados de aceitar suborno e favores em troca de apoiar contratos nas áreas de defesa e de cassinos. Eles foram indiciados, julgados, condenados e mandados para a prisão antes que qualquer medida oficial fosse tomada no Brasil contra os mensaleiros.

Nos Estados Unidos aprendemos que nosso país é "uma nação de leis". Admito que algumas dessas leis, como as que estabeleciam a segregação racial, não são justas ou imparciais, e às vezes as pessoas tentam fugir a seu cumprimento. Mas há um respeito maior pelas leis, porque há maior probabilidade de elas serem aplicadas, e normalmente a todos. Quando um senador republicano foi flagrado no ano passado solicitando sexo gay no banheiro de um aeroporto, ele usou um recurso muito conhecido no Brasil: "Você sabe com quem está falando?" Mas isso não funcionou, assim como a riqueza e a posição social de Paris Hilton não impediram que ela fosse mandada para a cadeia por dirigir bêbada. E quando ela recorreu a uma falsa queixa médica para ser solta logo, o clamor público contra o tratamento especial dado a ela obrigou as autoridades a mandá-la de volta à prisão.

Por causa das deficiências em seu sistema político — tanto no ramo legislativo como no judiciário –, o Brasil ainda não alcançou esse estágio. Uma das coisas que eu achava mais difícil de entender quando visitei o Brasil pela primeira vez era a frase: "Ah, aquela lei não pegou." Por causa do modo como fui criado, minha reação era sempre: "Como não pegou? É uma lei, portanto, tem que pegar." Só mais tarde compreendi que a maioria dos corpos legislativos aqui age como se a declaração de intenções em um regulamento fosse a mesma coisa que sua aplicação. A Constituição de 1988, por exemplo, é cheia de declarações de princípio elevadas, muitas das quais dão garantias que vão além daquelas contidas na Constituição americana ou em outras. Mas dizer é uma coisa, fazer é outra. Muitas dessas promessas não foram cumpridas porque os legisladores não aprovaram nem as medidas que as implementasse nem os fundos necessários. Para eles, ter feito a declaração de boas intenções parece ser suficiente, como se ela equivalesse a realmente ter feito algo.

Esse é um problema que não ocorre só no Brasil, sendo comum em toda a América Latina. Quando eu era correspondente no México, que passou por uma longa guerra civil quase um século atrás, me lembro de ouvir com freqüência a frase "*para hacer una verdadera revolución en Mexico, basta cumplir con la ley*". Mas tudo no Brasil tem uma escala maior que em qualquer outro lugar da região, sejam as mazelas, sejam as conquistas. E o hiato, que com freqüência aumenta, entre a intenção declarada da lei e sua aplicação definitivamente continua a ser um obstáculo.

O que me leva de volta à questão de como o Brasil lida com ocupantes de cargos públicos cujo passado ou cujos atos são questionáveis. O romancista F. Scott Fitzgerald escreveu certa vez que "não há segundos atos nas vidas americanas". Embora tenha havido algumas raras exceções, como regra geral, uma vez que um político seja maculado por corrupção ou qualquer outro tipo de transgressão, ele está acabado.

Mas Fitzgerald nunca teria ousado dizer uma coisa assim sobre o Brasil. Aqui, figuras públicas são recicladas repetidas vezes, aparecendo e reaparecendo em novas roupagens, sempre adotando a mesma filosofia estreita, que pode ser reduzida a uma única frase: "Cadê o meu?" A política brasileira é um processo constante de reinvenção, refiliação e reacomodação. Não são só os deputados federais que mudam de partido sem hesitar, há também outros que parecem camaleões na capacidade de mudar de lado e se livrar da pele de seu passado.

Logo depois de ter retornado ao Brasil, em janeiro de 1999, por exemplo, tive de ir a Brasília para cobrir o debate e a votação da CPMF no Congresso, que naquele momento Wall Street via como uma das chaves para resolver a crise financeira do Brasil. Isso exigiu que eu fizesse entrevistas no Senado pela primeira vez em mais de 15 anos. O primeiro rosto que vi quando entrei no plenário foi o de Romeu Tuma, de quem eu me lembrava, dos dias em que trabalhara no Brasil durante a ditadura, como sendo o chefe do DOPS em São Paulo e uma das figuras mais importantes na repressão política ali.

Fiquei, portanto, muito surpreso. "O que Romeu Tuma está fazendo aqui?", perguntei a um repórter brasileiro, e fiquei sabendo que ele era senador do PFL, representando São Paulo. "Mas ele era o diretor do DOPS", protestei. Meu colega brasileiro simplesmente riu da minha ingenuidade e replicou: "Isso foi há muito tempo. Isto é agora."

Em 1978, entrevistei Arnon de Mello, pai do futuro presidente Fernando Collor de Mello, na época um dos senadores "biônicos" da Arena. A certa altura de nossa longa conversa, ele me contou uma história que parecia dizer tanto sobre a política brasileira e a natureza flexível e mutante das lealdades e alianças que ainda hoje me lembro dela. Algumas pessoas a quem contei essa história dizem que deve ser apócrifa, mas mesmo que seja, ela ajuda a explicar alguns fenômenos singularmente brasileiros, do PMDB a ACM. Ela esclarece até como a atitude da Rede Globo em relação a Lula evoluiu ao longo dos anos, de uma franca hostilidade em 1989, como é documentado no livro *Notícias do Planalto*, de Mario Sérgio Conti, a uma cobertura muito mais cautelosa e neutra em 2002, quando ele era o favorito para ganhar, e o tom celebratório adotado depois de sua vitória e nos primeiros meses de seu governo.

Jovem repórter em Maceió numa época de grande tumulto político em algum momento por volta de 1930, contou-me Arnon de Mello, recebeu a tarefa de localizar um poderoso coronel no interior de Alagoas e descobrir qual lado ele estava apoiando. Com alguma dificuldade, encontrou o cacique a cavalo, e fez a pergunta crucial: "De que lado o senhor está?"

"Meu filho, o governo mudou, mas eu não", respondeu o coronel. "Eu continuo com o governo."

Dada essa realidade, que obviamente existe ainda hoje, outra frase que ouvi muitas vezes aqui no Brasil também se torna relevante: "para meus amigos, tudo, para meus inimigos, nada". Ou melhor, para meus inimigos, todo o rigor da lei. Lula, que, quando era um dos líderes da oposição, exigia que os envolvidos no esforço de privatização de FHC fossem investigados e processados, está perdoando aqueles que cometeram "erros" no escândalo do mensalão. Vale a pena lembrar, por exemplo, que ele inicialmente defendeu Roberto Jefferson contra acusações de corrupção, só mudando de tom depois que Jefferson trocou de lado, passando de aliado a adversário.

Muitos de meus amigos e parentes brasileiros acreditam que a corrupção política piorou nos últimos anos. Apesar do desfile de escândalos que veio à luz desde quando Lula assumiu a presidência, em 2003, tenho minhas dúvidas. Estou certo de que a corrupção floresceu nos anos da ditadura militar, uma época de projetos faraônicos — pontes, estradas, represas — com contratos da mesma qualidade. Mas naquele clima político de repressão, nem a imprensa nem os órgãos civis de fiscalização do governo conseguiam fazer adequadamente seu trabalho. Isso não acontece mais, e a descoberta de escândalos pode na verdade ser vista como um sinal de que a democracia está funcionando.

Sim, mas as ambições de poder e os objetivos dos escândalos financeiros que ocorreram sob Lula são muito maiores que aqueles do passado, até mesmo o passado relativamente recente. O mensalão e o valerioduto, por exemplo, parecem ter funcionado em uma escala muito mais ampla até do que PC Farias, que só buscava riqueza pessoal, poderia ter imaginado. "A corrupção que se viu neste ano é de um tipo que não tem paralelo na história do país", disse o cientista político Bolívar Lamounier no final de 2005. "Tínhamos uma rede, uma cadeia de práticas e organizações ocultas cuja finalidade era interligar publicidade, bancos, empresas e provavelmente instituições no exterior também." Além disso, a economia brasileira é muito maior do que na época dos militares, e suspeito que o percentual de dinheiro desviado não mudou muito. Dez por cento ainda são 10%; o problema é que o bolo é muito, muito maior.

O impacto da corrupção oficial em qualquer escala é filtrado inevitavelmente para o fundo do sistema, criando as atitudes de indiferença e cinismo que tanto irritam os brasileiros em sua vida cotidiana. Um dia, quando dirigia nosso carro no Rio de Janeiro, minha mulher foi parada sem nenhuma razão por um guarda de trânsito. Sabendo que não tinha violado nenhuma norma de trânsito, e portanto relutando em dar a "gorjeta" que ele queria em troca de não pôr pontos em sua carteira, ela protestou quando ele se aproximou: "Mas seu guarda, não fiz nada de errado, não."

"Eu sei, minha senhora, eu sei", ele respondeu tranqüilamente. "Mas o ministro tem o seu uísque, e eu quero minha cervejinha."

Em meu modo de ver, a única maneira de o Brasil começar a extirpar a corrupção endêmica e institucionalizada e completar o processo que começou com a mudança do governo militar para o civil em 1985, é a aprovação de uma reforma política abrangente. Medidas que atem os representantes eleitos aos partidos sob cuja bandeira eles se elegeram são uma parte essencial dessa reforma, mas de forma alguma são seu único elemento. Igualmente importante, me parece, é acabar com o sistema de suplentes e implementar disposições que estabeleçam votação por distrito para a eleição de deputados.

Sei das razões pelas quais muitos partidos se opõem a essa prática, e compartilho algumas delas. É verdade que um dos poucos mecanismos que os partidos têm para controlar candidatos e garantir a disciplina partidária é determinar a posição que eles ocupam na lista de candidatos do partido. Mas também é verdade que um deputado em um lugar como São Paulo ou Rio de Janeiro que afirma representar o estado inteiro, na realidade não representa ninguém, exceto aqueles que doam dinheiro para sua campanha e os grupos de interesses especiais que mobilizam votos em seu favor.

Isso tem levado a uma série de abusos e anomalias. Quem Eurico Miranda representa, além dos torcedores do Vasco? Quem Enéas representava, e quem Clodovil Hernandes representa, além daqueles que querem expressar seu desprezo pelo sistema votando no candidato mais excêntrico que conseguem encontrar na cédula? Mas me parece improvável que candidatos marginais como esses pudessem florescer em um sistema de voto baseado em distritos definidos geograficamente.

Suspeito que a corrupção também poderia diminuir se a votação fosse por distrito. Hoje, os candidatos têm de levantar grandes somas de dinheiro para serem viáveis em nível estadual ou ficam atrelados àqueles que fornecem esse dinheiro, ou recorrem a métodos ilegais para obtê-lo. Ao limitarem suas campanhas a uma área geográfica menor, eles poderiam teoricamente reduzir a necessidade desse dinheiro, fortalecer sua independência e talvez, apenas talvez, ter mais tempo para encontrar eleitores reais e ouvir suas preocupações.

Qualquer pacote de reformas deve incluir também uma lei de financiamento de campanhas. Mesmo depois de vários escândalos de caixa dois, os quais se esperaria que levassem os políticos a agir de forma mais responsável, as práticas de financiamento de campanha continuam a ser opacas, sem nenhuma obrigação de prestar contas. Durante as campanhas presidenciais de 2002 e 2006, eu de fato liguei para o PSDB e o PT pedindo uma lista de doadores e uma planilha completa do dinheiro gasto pelos candidatos. O funcionário do PT simplesmente riu de meu pedido, enquanto o PSDB prometeu entrar em contato comigo, mas isso nunca aconteceu. Se esse é o tratamento dado a jornalistas, imagine como deve ser difícil um cidadão comum obter informações às quais por lei ele deve ter direito.

É essencial que essas reformas sejam completadas antes do início da campanha para as eleições de 2010. Neste momento, ainda tão cedo, eu não arriscaria dar um palpite sobre quais serão os candidatos. Mas não importa se o PSDB vai indicar outra vez Geraldo Alckmin ou José Serra, ou vai optar por um nome novo, como Aécio Neves. E não vai importar se a situação escolher alguém do PT, talvez a Dilma, ou recorrer a um aliado, como Ciro Gomes. A menos que o sistema político seja reformado, a eleição de 2010 sofrerá dos mesmos vícios de todas as outras em anos recentes, e o presidente que tomar posse em 1º de janeiro de 2011 enfrentará os mesmos problemas de governabilidade.

No começo desta década eu pensava que a política brasileira parecia estar evoluindo para o que poderia se tornar no fim um sistema bipartidário. Não um sistema bipartidário rígido como o dos Estados Unidos, com dois e apenas dois partidos, um à direita e outro no centro, mas um sistema mais semelhante aos da Alemanha, da Inglaterra, da Espanha ou até da França. Nesse modelo europeu, há dois grandes blocos, um à esquerda e outro à direita ou no centro, cada um deles dominado por um único partido, mas resta um espaço limitado para pequenos grupos. A Inglaterra, por exemplo, tem os trabalhistas e os conservadores, mas também propicia um papel reduzido aos democratas liberais e até a alguns partidos regionais; a Alemanha é dominada pelos socialdemocratas e pelos democratas cristãos, mas os democratas livres e os verdes também têm lugar à mesa.

Na variante brasileira desse modelo, as duas principais forças seriam claramente o PSDB e o PT. O fulcro ideológico da política brasileira obviamente está mais à esquerda do que ocorre nos Estados Unidos, na Inglaterra ou na França, de forma que, apesar de os tucanos professarem uma filosofia de centro-esquerda socialdemocrata de estilo europeu, eles seriam o mais "liberal" dos dois blocos, com o PT situado um pouco mais à esquerda — embora muito mais perto do centro do que a posição que ocupava quando foi fundado, em 1980. Isso talvez deixasse espaço para o PMDB desempenhar um papel análogo ao dos democratas liberais na Inglaterra ou ao dos democratas livres na Alemanha. Mas na época não parecia haver muito futuro a longo prazo para os "partidos nanicos" que pontilham a paisagem política.

Hoje, não sei o que pensar. Fora do poder, o PSDB foi menos coerente e mais sujeito a mudanças de partido do que eu previa, com deputados e prefeitos entrando e saindo do partido exatamente como fazem em outros partidos que não declaram ser modernos ou ter uma ideologia claramente definida. Os números do PT incharam artificialmente não só por causa do mensalão, mas também pela tendência humana universal a querer estar associado com um vencedor. Portanto, o verdadeiro teste para o futuro do PT e sua capacidade de perdurar como um partido ideológico moderno só ocorrerá depois que Lula, seu único líder desde que foi fundado, em 1980, finalmente sair do cenário e o partido tiver de afundar ou nadar com base em suas idéias.

Evidentemente, uma das razões pelas quais o sistema político brasileiro não evoluiu na direção de um sistema bipartidário é o fato de o Congresso não ter aprovado as reformas que prenderiam deputados, senadores, prefeitos e governadores a seus partidos e puniriam aqueles que se extraviassem. Lembro-me de uma entrevista que eu e um de meus editores fizemos com Fernando Henrique Cardoso no Palácio da Alvorada em abril de 1999, na qual o presidente previu que um pacote de reforma política radical seria aprovado em seu segundo mandato, e seria a chave para uma série de outros avanços que ele enumerou. É óbvio que isso nunca aconteceu, e agora aqui estamos no meio do segundo mandato de Lula ainda discutindo a mesma questão, enfrentando os mesmos problemas e ouvindo algumas das mesmas promessas.

O Brasil é um país jovem. Mais da metade da população hoje não tem lembrança de ter vivido sob a ditadura militar, felizmente para eles. Eles dão a democracia como certa, e seu ponto de referência não é mais o passado recente de seu próprio país e as realizações que destaquei, mas o mundo além das fronteiras do Brasil, ao qual eles têm acesso pela TV a cabo e pela internet. Portanto, quando sabem de mais um escândalo de corrupção, eles ficam indignados com toda a razão. Não dizem "Tudo bem, as coisas podiam ser piores". Em vez disso, dizem "As coisas têm de melhorar", pensando, talvez, no alto nível de responsabilização por conduta indevida em cargos públicos que vêem prevalecer na Comunidade Européia, no Japão ou na América do Norte. E por que não? Eles não merecem nada menos que isso.

A eleição presidencial do Brasil reflete o poder de São Paulo

Data: 20 de outubro de 2002

SÃO PAULO (SP) — Pode ser que o resto do país não esteja gostando muito, mas pela primeira vez na história brasileira a eleição presidencial se reduz ao seguinte: dois candidatos de São Paulo, representando partidos criados em São Paulo e que contam com mais apoio em São Paulo, estão batalhando para suceder um presidente que é de São Paulo.

Com uma população de 38 milhões de habitantes, um pouco maior que a da Califórnia, São Paulo é de longe o estado brasileiro mais próspero e o mais populoso. Mas durante a maior parte do século passado, um tema recorrente da política brasileira tem sido impedir São Paulo de dominar o governo completamente como o faz na economia.

Embora fora do Brasil o Rio de Janeiro seja mais conhecido, "São Paulo é o verdadeiro centro gravitacional" do maior país da América Latina, diz Fernando Limongi, diretor do Centro Brasileiro de Análise e Planejamento aqui. "Ainda hoje há medo e ressentimento contra São Paulo e seu peso tremendo, que lobistas poderosos dos estados menores e mais pobres estão sempre tentando limitar."

Tão logo Fernando Henrique Cardoso foi eleito presidente em 1994, tornando-se então o primeiro político paulista em uma geração a ocupar tal cargo, houve murmúrios instantâneos de que o Brasil estava se tornando a "República Paulista". Independentemente de quem seja o vencedor do segundo turno de 27 de outubro, Luiz Inácio Lula da Silva, do Partido dos Trabalhadores, de esquerda, ou seu rival, José Serra, do centrista Partido da Social Democracia Brasileira, estas queixas provavelmente vão continuar.

Como disse José Genoíno, candidato do Partido dos Trabalhadores a governador, ao lançar sua campanha para o segundo turno na semana passada, "São Paulo é um estado-nação" que nenhum brasileiro pode ignorar. Se São Paulo fosse independente do Brasil, sua população e seu Produto Interno Bruto ultrapassariam os da Argentina e da Colômbia, países que, depois do Brasil, são os mais populosos e com as maiores economias da América do Sul.

São Paulo é responsável por mais de 1/3 do Produto Interno Bruto do Brasil, situação que no passado levou algumas lideranças empresariais a se queixar que seu estado era "uma locomotiva puxando 26 vagões vazios". Seu próspero interior cultiva café, laranja e soja, e a Embraer, quarta maior fabricante de aeronaves do mundo, tem sede no estado, assim como o maior instituto de mapeamento genético fora dos Estados Unidos.

Porém, o verdadeiro motor da economia é a metrópole de São Paulo, que nos últimos 130 anos teve "a mais alta taxa, a longo prazo, de crescimento urbano já registrada na experiência humana", conforme diz Norman Gall, diretor executivo do Instituto Fernand Braudel de Economia Mundial. Dos 31 mil habitantes em 1870, a população da cidade e seus subúrbios multiplicou-se nos 18 milhões atuais, fazendo da Grande São Paulo a terceira maior área urbana do mundo, atrás apenas de Tóquio e da Cidade do México, de acordo com os dados das Nações Unidas.

Embora gere mais de 1/4 da base tributária do Brasil, de acordo com um estudo do instituto, a cidade tem como retorno menos de dez centavos para cada dólar que paga, diminuindo a construção das escolas, das estradas e dos hospitais de que necessita.

Assim como Nova York, São Paulo moderna, assim como o estado, foi construída em grande parte por imigrantes e a eles deve o seu caráter cosmopolita. Tanto Serra quanto Lula são produtos deste processo, embora representem dois fluxos bem diferentes.

Serra, um economista de 60 anos, foi senador e deputado representante de São Paulo no Congresso antes de compor o ministério de Fernando Henrique. Seu pai foi um imigrante italiano que se tornou dono de uma barraca de frutas em Santos, o porto movimentado que exportava a maior parte do café, que era a fonte da riqueza de São Paulo.

O fluxo migratório teve início com a abolição da escravatura em 1888, o que demandou novas fontes de mão-de-obra. Os paulistas se ufanam de ter mais descendentes de japoneses que qualquer outra cidade fora do Japão, mais descendentes sírio-libaneses que qualquer outra cidade fora do Oriente Médio; e mais descendentes de italianos que qualquer cidade fora da Itália.

Lula, ao contrário, faz parte da migração interna, ampla e mais recente, e que é o equivalente brasileiro da mudança dos negros pobres das áreas rurais do Mississipi para Chicago à procura de empregos em fábricas. Nasceu em uma família de meeiros em Pernambuco, estado assolado pela pobreza, mas chegou aqui aos 7 anos depois que seu pai conseguiu um emprego nas docas de Santos.

Assim como milhões de outros que aqui vieram do Nordeste do Brasil, Lula suportou o estigma de ser um pau-de-arara, nome dado aos muitos imigrantes que fizeram a viagem de mais de 3 mil quilômetros na carroceria de caminhões. Contudo, apesar de ter concluído apenas a 5ª série, conseguiu emprego no cinturão industrial em torno de São Paulo, e posteriormente se tornou torneiro mecânico, líder do sindicato dos metalúrgicos e fundador do Partido dos Trabalhadores.

"Só em São Paulo poderia surgir alguém como Lula", diz Ruy Mesquita, editor do jornal *O Estado de S.Paulo*, o mais tradicional do estado. "Esta é uma das sociedades de maior mobilidade que se pode imaginar."

Entretanto, as raízes nordestinas de Lula ajudam a torná-lo mais palatável que Serra para eleitores e chefes políticos de lá e de outras regiões. "Um dos problemas de Serra é que ele é visto como sendo muito paulista em suas posições políticas, tentando controlar a redistribuição de renda de São Paulo para o Nordeste", diz Limongi, o analista político.

Atualmente, mais de um em cada cinco eleitores brasileiros é paulista. Porém, o estado tem apenas 2/3 dos assentos no Congresso aos quais teria direito se o princípio "de uma pessoa, um voto" fosse aplicado estritamente.

"Este tem sido um traço e uma fonte de tensão permanente na vida brasileira desde o Império do século XIX", afirma Luiz Werneck Viana, sociólogo que já escreveu extensamente sobre as diferenças regionais deste país de 175 milhões de pessoas. "Os paulistas podem até reclamar a respeito disso, mas o Brasil existe como uma nação unificada apenas porque encontraram-se maneiras de compensar as carências dos estados menores, e isto foi feito à custa de São Paulo."

No passado, a insatisfação local chegou a provocar rebeliões contra o governo central. Por exemplo, em 1932 o ditador Getúlio Vargas nomeou um oficial para substituir um governador eleito, enfraquecendo desta maneira a primazia política tradicional de São Paulo. O ressentimento com esta decisão incitou um levante que foi sufocado somente após um cerco de três meses, e foi seguido de anos de políticas discriminatórias.

"O objetivo de Getúlio Vargas era anular o poder político de São Paulo", diz Mesquita, o editor, cujo pai foi um dos líderes da resistência. E acrescenta que "a duras penas, São Paulo voltou, apenas para ver a mesma coisa acontecer de novo durante a ditadura militar" que governou o Brasil de 1964 a 1985.

Assim como Vargas, os generais que governaram o Brasil durante aqueles anos eram em sua maioria do estado mais meridional do Brasil, o Rio Grande do Sul. Para diluir o poder de São Paulo, onde a oposição ao seu governo era a mais forte, eles criaram novos estados. Estabeleceram um teto para o número de representantes que cada estado poderia ter no Congresso e concederam a cada estado, independentemente de seu tamanho, um mínimo de quatro representantes, número que mais tarde seria elevado para oito. Porém, Werneck Viana sugere que o estado é uma força implacável destinada a exercer um papel cada vez maior na vida política e intelectual do Brasil.

"Apenas a coerção pode inibir este processo, e nós já vimos que a coerção não funciona", diz ele. "Em uma sociedade aberta, São Paulo, na condição de ponto principal da modernidade no Brasil, cada vez mais vai sair vitorioso."

COMENTÁRIO

Penso que seria justo dizer que esta é uma matéria que só um estrangeiro teria se preocupado em escrever. Para os brasileiros, algumas coisas de seu país são tão óbvias que nem precisam ser ditas, e uma delas é o peso predominante de São Paulo na vida nacional — politicamente, economicamente e culturalmente.

Para estrangeiros, porém, a história é inteiramente diferente. O comentário que ouço com mais freqüência de pessoas que visitam o Brasil pela primeira vez é "São Paulo me surpreendeu" ou "Eu não estava preparado para São Paulo". Fora do Brasil, São Paulo continua a ser muito menos conhecida do que o Rio de Janeiro, uma situação injusta que apresenta um desafio para o jornalista que escreve sobre o Brasil.

Confesso que compartilho a exasperação dos paulistas quando vejo o nome de sua cidade e de seu estado grafados incorretamente na imprensa estrangeira — às vezes como San Paulo, mas com maior freqüência como Sao Paolo, como se ficasse na Itália, e não no Brasil. E, sim, devo admitir que mesmo o *New York Times* às vezes comete esse erro, apesar de minhas reclamações e lembretes: mais de noventa vezes segundo minha contagem, baseada em um exame de nossa base de dados. Isso é não só constrangedor, mas também irritante, já que eu sempre fui considerado responsável por cada palavra sobre o Brasil publicada no *New York Times*, mesmo reportagens e títulos que não escrevi e com os quais não tinha nada a ver.

Então, como garantir que São Paulo receba o que lhe é devido? Esta matéria foi uma tentativa de fazer isso, de mostrar ao leitor estrangeiro algo que talvez ele não soubesse mas devia saber. Eu tinha feito outras matérias como esta sempre que podia, inclusive reportagens para a seção de viagens promovendo as atrações culturais e gastronômicas de São Paulo. Mas as três semanas entre os dois turnos da eleição de 2003 pareciam oferecer a melhor oportunidade graças à presença de Lula e de José Serra na cédula.

Lula e Eu

“Fiquei puto porque como pode um cidadão que nunca conversou comigo, que nunca tomou um copo de cerveja comigo, que nunca tomou um copo d’água comigo, fazer uma matéria de que eu bebia? Isso me deixou muito puto.” Assim falou Luiz Inácio Lula da Silva numa entrevista ao jornal *Folha de S.Paulo* em 2007, referindo-se à reportagem mais polêmica que eu escrevi em todos os meus anos como correspondente no Brasil.

O desabafo do presidente parece ser sincero, e contém várias frases de efeito. Só que, como muito do que Lula disse sobre tantas coisas ao longo dos anos, ele simplesmente não é correto.

O meu relacionamento com Lula, embora esporádico, data dos anos 70, quando ele estava surgindo como líder sindical e eu, um correspondente recém-chegado ao Brasil, o acompanhei e o observei. Já conversei bastante com ele, ouvindo declarações astutas e também bobagens, todas devidamente anotadas no meu bloquinho. Já tomei água, refrigerante e até uma cachacinha com ele. Então, fico perplexo quando ouço o presidente alegar que nunca teve nenhum contato comigo. A verdade é comprovadamente outra, como as matérias neste capítulo vão mostrar.

A primeira vez que encontrei Lula foi em maio de 1978, durante a primeira greve no ABC paulista, que fez dele um líder nacional. Na época, eu era correspondente do *Washington Post* e da revista *Newsweek*, e minhas primeiras impressões, baseadas nas entrevistas que ele dava a nós da imprensa, foram positivas, e nosso relacionamento inicial foi cordial. Na época, como agora, Lula chamou minha atenção como um líder astuto e sagaz, com bons instintos políticos. Sim, a linguagem dele às vezes derivava para a fanfarronice e o exagero, e ele tinha um jeito meio rude. Mas isso parecia ser exatamente o que a situação exigia naquele momento: um líder trabalhador franco e duro que pudesse enfrentar o general Ernesto Geisel e o general Golbery do Couto e Silva, que governavam o país na época, e mobilizar suas tropas contra as deles.

Naquele momento, o Brasil estava começando sua transição de volta à democracia, e a classe trabalhadora precisava de um escoadouro tanto para suas demandas salariais como para as frustrações que haviam crescido durante anos de exploração. Lula logo passou a personificar essas aspirações. É claro que ninguém na época poderia tê-lo imaginado como presidente de uma nação de 180 milhões de pessoas, ou que algumas das mesmas qualidades que faziam dele um líder trabalhador tão eficaz pudessem acabar sendo não tão desejáveis em um chefe de Estado. Depois de anos de pelegos dominando o movimento dos trabalhadores no Brasil, parecia um milagre que estivesse surgindo um autêntico "herói da classe operária", para tomar emprestada uma frase de John Lennon que foi usada como título de minha primeira reportagem sobre Lula.

Eu era pessoalmente simpático a muitas das aspirações que Lula expressava em nome da classe trabalhadora industrial. Tendo sido criado em Chicago, fui trabalhar em fábricas assim que fiz 16 anos, a idade mínima com que as pessoas são autorizadas a trabalhar nos Estados Unidos. Trabalhei primeiro na linha de produção de uma fábrica de lâmpadas, ganhando salário mínimo, e depois, como estudante universitário, consegui emprego em uma fábrica de espelhos, fazendo um trabalho que envolvia o manuseio de produtos químicos perigosos. Também trabalhei como carteiro, carregador e músico, e pertenci a dois sindicatos. Então, já conhecia algo do mundo do trabalho braçal, e das frustrações e do desejo de dignidade associados a ele. Depois que cheguei ao Brasil, também fui colher café e cortar cana-de-açúcar, apenas para ser capaz de entender melhor a natureza desses trabalhos — o que me levou a concluir que cortar cana deve ser o pior trabalho do mundo.

Quando uma greve geral foi convocada em abril de 1979, fui para o ABC pela revista *Newsweek* para escrever o que acabou sendo o primeiro perfil de Lula a ser publicado por um dos órgãos importantes da imprensa americana. Durante quase uma semana, acompanhei Lula em discursos, reuniões e discussões estratégicas; também fiz um par de entrevistas pessoalmente com ele, que se refletiram na reportagem da *Newsweek* reproduzida neste livro. Fiquei sabendo depois que Lula ficou contente com o resultado, e era mesmo para ficar. A exemplo de Lech Walesa, com quem era às vezes comparado naquela época, se quisesse fazer seu trabalho com eficácia, Lula precisava de proteção contra uma prisão arbitrária. Ter seu nome mais conhecido no exterior era uma forma importante de ele obter essa blindagem.

De perto, Lula parecia então ser uma mistura interessante de personalidade ainda em formação com uma capacidade tirada das ruas de sobreviver em ambientes hostis, uma pedra ainda por lapidar, cercado de bandos concorrentes de ideólogos e pragmáticos que manobravam para obter o apoio dele para suas metas conflitantes. Às vezes, a facção marxista-leninista parecia ter enchido a cabeça dele com noções simplistas antiquadas de luta de classes e política mundial. Eu atribuía sua disposição para repetir esses clichês, e sua imagem caricatural da vida nos Estados Unidos, à falta de conhecimento que ele tinha do mundo fora do Brasil, mas presumia que Lula superaria isso à medida que sua experiência e suas viagens se ampliassem.

Na maior parte do tempo, no entanto, Lula era um pragmático consumado, centrado principalmente nas questões básicas mais importantes e disposto a usar (e também descartar) o apoio de qualquer parte se ela servisse a seus propósitos. Na época, como agora, ele também tinha um inegável calor pessoal, que o tornava uma personalidade atraente, em especial para os trabalhadores que se esforçava em organizar e representar. Era um deles e falava sua linguagem, o que era algo novo e saudável para o Brasil.

Também fiquei impressionado na época com as generosas quantidades de álcool que ele consumia. Como tenho por hábito quando estou trabalhando, eu me limitava a tomar Fanta Laranja, e me lembro de Lula me provocar com bom humor por causa disso. “Que que é isso, meu caro? Um jornalista que não gosta de beber?” Enquanto ia de uma reunião a outra, ele bebia o que lhe oferecessem: cachaça, uísque, conhaque para se aquecer em manhãs frias, e mesmo a cerveja da qual ele afirma não gostar. Às vezes seus olhos ficavam injetados e sua fala, enrolada. Era difícil dizer se isso se devia ao álcool, porque ele estava visivelmente fatigado de tensão e falta de sono, e tendia, mesmo quando não tinha bebido, a falar alto e a divagar em público, pulando de um tópico a outro. Mas um líder sindical que bebia muito não me parecia nada estranho: em Chicago, a maioria dos chefes de sindicato em torno dos quais cresci eram irlandeses, e famosos por sua afinidade com bebidas alcoólicas, de qualquer tipo e em qualquer quantidade. Lula parecia pertencer à mesma linhagem.

Embora eu pensasse que Lula era muito capaz como sindicalista, as coisas ficaram mais complicadas quando o PT foi fundado, no começo de 1980. Como político, Lula era solicitado a manifestar posições políticas sobre muitos assuntos dos quais não sabia absolutamente nada, e muitas declarações questionáveis — que, suspeito, ele depois lamentou — terminaram saindo de sua boca, especialmente sobre questões de política internacional.

Deixei o Brasil em 1982, mas durante os anos que passei na China, na América Central, no México e no Caribe continuei a observar Lula a distância, mais por curiosidade pessoal do que por necessidade profissional. Eu estava no Brasil em férias durante a campanha de 1989, e prestei especial atenção a ele na época. A última vez que me lembro de ter falado com ele antes de voltar ao Brasil, em novembro de 1998, foi em El Salvador, em 1996, em uma reunião do Foro de São Paulo, que cobri. Ele e eu estávamos hospedados no mesmo hotel, então eu me reapresentei, ganhando um abraço caloroso e um cumprimento, "Como vai, meu querido?". Em outras palavras, todos os meus contatos com Lula foram positivos e cordiais até o momento em que comecei a escrever sobre ele como chefe de sucursal do *New York Times*.

Quando voltei ao Brasil há uma década, inicialmente Lula não parecia ser uma figura central em minha tela de radar. Em 1999, ele já havia concorrido à Presidência três vezes e perdido, e quando eu refiz contato com alguns velhos amigos do PT, eles indicaram que

Lula estava em dúvida sobre a sensatez de concorrer pela quarta vez em 2002. Além disso, FHC estava no poder, e o Brasil passava por uma crise financeira que deixou Wall Street e Washington em pânico, portanto, meu foco principal estava nessas histórias.

Quando olhamos para trás, Lula hoje parece quase predestinado a ter ganho a Presidência em 2002. Mas certamente não parecia assim naquela época, e a verdade é que ele se beneficiou de alguns lances de sorte. O primeiro foi a morte prematura, de câncer, de Mário Covas, do PSDB, que tinha uma poderosa base eleitoral como governador de São Paulo e teria sido um oponente formidável. Depois, bem no momento em que Roseana Sarney estava prestes a ultrapassar Lula nas pesquisas de opinião pública no começo de 2002, sua candidatura foi destruída por uma batida da Polícia Federal no escritório do marido dela em São Luís, que encontrou em um cofre pilhas de dinheiro de origem duvidosa. As pesquisas indicavam que o país tinha fome de mudança, e até então Roseana Sarney, apesar de pertencer ao PFL e ser filha de um ex-presidente, parecia estar conseguindo se apresentar como uma "cara nova" e uma alternativa à velha briga de sempre entre tucanos e petistas.

O maior golpe de sorte de Lula, no entanto, foi que o PT conseguiu desviar a atenção do assassinato, em 20 de janeiro de 2002, de Celso Daniel, prefeito de Santo André, o qual era um dos principais assessores de campanha de Lula e também se previa que fosse ministro, talvez da Fazenda, em qualquer governo do PT. Se aquela investigação tivesse sido levada a cabo com o mesmo vigor e energia que foram dirigidos contra Roseana Sarney, poderia facilmente ter torpedeado a candidatura do próprio Lula, pelas mesmas razões pelas quais a campanha de Roseana desmoronou. Mas terei muito mais a dizer sobre o caso Celso Daniel em breve.

Mesmo antes de Lula ganhar a eleição, havia muitas indicações de que as relações com o PT iam ser difíceis, não apenas para mim, mas para todos da imprensa. Durante os anos em que FHC e o PSDB estavam no governo, eu havia escrito várias reportagens sobre Lula e o partido das quais eles não gostaram. Normalmente, os políticos dão de ombros para essas coisas e seguem em frente. Fernando Henrique em particular, com seus instintos profundamente democráticos, era especialmente bom em absorver seu desacordo com coisas que alguém pudesse ter escrito. Ele não reagia com queixas ou ameaças nem cortando o acesso. Reconhecia que tinha um papel a cumprir e a imprensa, outro, e se contentava em apresentar seus argumentos e tentar levar a pessoa para seu lado com base em uma argumentação factual.

Qualquer reportagem sobre o PT, por outro lado, seguramente produziria uma chiadeira e cartas exaltadas ao editor. Quando o *New York Times* publicou uma matéria escrita por mim sobre Marta Suplicy e como o rompimento de seu casamento com o senador Eduardo Suplicy estava afetando a política em São Paulo, por exemplo, o PT protestou com veemência, argumentando em uma carta que o tema era impróprio e que eu estava sendo desrespeitoso. Isso simplesmente contrariava a lógica. Marta Suplicy afirma ser feminista, e uma das bandeiras desse movimento sempre foi que "o pessoal é político e o político é pessoal". Esse é o padrão pelo qual ela deve ser julgada, e foi ele que eu apliquei. Nada que reflita sobre as crenças, políticas, popularidade e eficiência no cargo de qualquer representante eleito deve jamais ser considerado inaceitável ou irrelevante.

Escrever sobre o próprio Lula provocava reações ainda mais extremadas. Durante a campanha de 2002, meus editores me pediram que escrevesse um perfil do então candidato. O PT cooperou muito pouco: depois de muitas idas e vindas, fui autorizado a conversar com José Dirceu, o então presidente do partido, mas meus pedidos de entrevistas com Lula e Duda Mendonça foram recusados. Os pedidos de uma entrevista com Lula eram sempre respondidos com algo vago, como "o assunto está sendo estudado" ou "há conflitos de agenda". Ninguém jamais teve a franqueza de simplesmente dizer "Não, não estamos interessados em você nem em ninguém da imprensa estrangeira neste momento". Eles não tinham obrigação de falar comigo ou com qualquer outro jornalista, é claro, mas as evasões eram cansativas e nada profissionais.

Mas quando o perfil de Lula foi publicado, o PT partiu para a ação com a energia que faltara antes. Bernardo Kucinski, um ex-jornalista e professor da USP que naquele momento era assessor de imprensa internacional do PT, escreveu uma longa carta ao *New York Times* na qual, entre outras coisas, me chamava de gringo arrogante. Ele contestava até uma referência que eu fizera aos chamados xiitas do PT, dizendo que não havia facções no partido, e portanto nenhum grupo conhecido como xiita. Qualquer brasileiro teria gargalhado de uma tentativa tão ridícula como essa de vender gato por lebre. Mas, como meus editores não tinham um conhecimento íntimo do Brasil, acabei tendo de escrever um memorando para eles refutando todas as afirmações dúbias na carta de Kucinski, incluindo referências na imprensa brasileira aos "xiitas" do PT. Em conseqüência, a carta dele não foi publicada, o que irritou ainda mais o PT.

A vitória decisiva de Lula no segundo turno, com uma votação que o pôs no mesmo nível de Ronald Reagan, me deixou com sentimentos ambíguos a respeito do que viria. Estava óbvio que em termos jornalísticos os quatro anos seguintes iam ser muito excitantes, e que meus editores e leitores estariam famintos de saber mais sobre Lula e a experiência em que ele prometia embarcar. E havia algo de inspirador, até mesmo poético, em sua vitória, que terminava um ciclo iniciado com Tancredo Neves em 1985. Ela confirmava que o Brasil tinha se tornado verdadeiramente um país democrático normal, no qual os partidos se alternavam no poder sem revoluções, golpes ou mesmo, nesse caso, uma crise.

Mas, ao mesmo tempo, era fácil prever conflitos e dificuldades à frente. Coerentes com o otimismo e a confiança de que "tudo vai dar certo", que são algumas de suas características definidoras mais salientes como povo, os brasileiros pareciam ter decidido não dar crédito às advertências sobre as potenciais conseqüências negativas de sua escolha. Isso ficou claro quando a atriz Regina Duarte tentou levantar a questão em linguagem simples e direta e foi fortemente criticada por isso. Não obstante, ela tinha tocado em algo que estava muito presente na mente de cientistas políticos, acadêmicos e diplomatas.

Por um lado, Lula não tinha nenhuma experiência em administrar nada maior do que um sindicato, e de tudo o que sabíamos sobre isso, era óbvio que ele não gostava de ter de lidar com os detalhes desagradáveis da administração. Esse não era um bom sinal em um homem que estava prestes a ser incumbido de governar um país do tamanho de um continente, com 180 milhões de pessoas espalhadas do Oiapoque ao Chuí e de João Pessoa a Tabatinga. O Brasil — imenso, esparramado, com freqüência indisciplinado e anárquico — tinha sempre desafiado os esforços de presidentes anteriores para discipliná-lo, apesar de toda a experiência que eles tinham como governadores, ministros, senadores ou generais. Que base havia para pensar que Lula e o PT, com sua falta de experiência, teriam êxito onde outros haviam falhado? Essa era uma tarefa que claramente exigiria mais que popularidade e um mandato.

Não apenas Lula, tão presunçoso quanto imaturo, não parecia avaliar a magnitude do desafio administrativo que estava assumindo, como também ele só havia exercido um único mandato no Congresso e não parecia gostar da difícil atividade de barganha envolvida no processo legislativo. Isso era estranho em um homem que parecia gostar de negociar contratos de trabalho, e não era um bom presságio para as negociações e compromissos que seriam inevitavelmente necessários se ele quisesse aprovar seu ambicioso programa legislativo. Isso é verdade em qualquer democracia, mas especialmente no Brasil, onde os partidos são fracos e os caciques são fortes.

E Lula também não podia esperar que seu partido compensasse suas deficiências e falta de entusiasmo para os detalhes tediosos da administração do dia-a-dia. Até aquele momento, o PT só havia ganhado três governos estaduais: Acre, Mato Grosso do Sul e Rio Grande do Sul. Sim, o Rio Grande do Sul era poderoso, mas nenhum dos outros era, e os quatro anos de Olívio Dutra no poder decepcionaram tanto os gaúchos que eles o haviam tirado do governo ao mesmo tempo em que votavam em Lula. Além disso, naquela altura o PT ainda não tinha muita experiência em administrar cidades grandes. Então, onde exatamente Lula ia encontrar os quadros experientes e qualificados de que precisaria para governar com eficiência este país-continente?

Lula também criara um problema para si ao elevar tanto as expectativas. Durante a campanha, ele prometera repetidamente que seu governo seria mais honesto, justo e capaz que qualquer outro na história da República brasileira. O "torneiro mecânico", ele prometia regularmente aos eleitores, ia fazer coisas que os doutores do passado nunca tinham conseguido realizar, a começar por um governo ético. Ao estabelecer padrões tão elevados, Lula estava praticamente pedindo que a imprensa, nacional e estrangeira, o acompanhasse atentamente e preparando para si um desastre quando, como está fadado a acontecer em qualquer governo mas parecia um risco especial nesse caso, suas realizações ficassem aquém das expectativas que ele tinha gerado.

Tudo isso parecia uma receita para o conflito e a controvérsia, em especial porque o PT se mostrara muito pouco capaz de aceitar como legítimo qualquer ponto de vista que não fosse o seu. Se FHC recebia críticas tranqüilamente a maioria das vezes, o mesmo não valia para Lula ou as pessoas em torno dele. Como George Bush e seus republicanos fanáticos, eles pareciam tão convencidos da correção de sua causa e suas idéias que qualquer ceticismo era visto como má-fé, derivado de motivos obscuros. Isso já tinha mostrado ser um problema nos níveis estadual e local. Então o que aconteceria agora que o PT estava no palco nacional, onde tudo certamente seria magnificado?

Como se previa, quando no final de 2002 o real disparou contra o dólar, caindo a uma taxa de câmbio de quase quatro para um, e muitos de nós da imprensa escrevemos reportagens atribuindo corretamente o declínio às dúvidas do mercado sobre Lula e as políticas que ele adotaria quando ocupasse o governo, o PT tentou nos intimidar. O real estava caindo, os petistas afirmavam, não por causa de Lula, mas por causa da "herança maldita" que FHC estava deixando para eles.

Para eles, não importava que analistas de mercado estivessem expressando abertamente suas dúvidas sobre Lula a todos nós, ou que a "herança maldita" fosse na realidade uma "herança bendita", que mostrou ser amplamente responsável pela construção da base para a estabilidade e o crescimento econômico que Lula hoje afirma ser dele. O PT tinha sua própria versão peculiar da verdade, e qualquer um que ousasse se desviar da ortodoxia particular dele corria o risco de ser evitado ou rotulado de traidor, desonesto ou a serviço de alguma força obscura e vil.

OS ANTECEDENTES

Desde o início, sempre pensei que as objeções declaradas do PT à minha reportagem sobre o hábito de beber de Lula nunca foram mais que um subterfúgio, um pretexto para se livrar de mim. Durante 2003 e o começo de 2004, escrevi numerosas matérias, várias delas incluídas aqui, que irritaram Lula e seus assessores mais próximos. Elas vão de um par de artigos sobre o caso Waldomiro Diniz a um sobre os problemas dos camponeses sobreviventes da guerrilha do Araguaia. Mas nada tinha alarmado e assustado mais o entorno de Lula do que uma reportagem que escrevi sobre o caso Celso Daniel publicada em fevereiro de 2004, três meses antes da reportagem que aparentemente levou o governo do PT a buscar minha expulsão.

Em um momento de franqueza incomum, José Genoíno, então presidente do PT e depois, durante o escândalo do mensalão, o alvo de piadas sobre dinheiro escondido na cueca, admitiu isso em uma entrevista em maio de 2004. Ao listar minhas supostas "ofensas" contra o Brasil e o PT, ele citou especificamente a história do Araguaia. Esse era um tema especialmente penoso para ele por causa dos boatos, nunca provados, que circularam durante anos de que ele era responsável pela captura, tortura e morte de alguns de seus companheiros durante aquele conflito secreto na Amazônia. Mas ele também destacou o caso Celso Daniel, que eu considero o verdadeiro motivo do esforço para me expulsar.

Desde o momento do assassinato de Celso Daniel, em janeiro de 2002, exatamente quando a campanha presidencial estava esquentando, todas as hipóteses oferecidas pelo PT pareceram duvidosas, de uma forma ou de outra. A primeira explicação, que ele tinha sido assassinado por um esquadrão da morte direitista, simplesmente não se encaixava nas circunstâncias predominantes em um Brasil democrático, e era uma teoria destinada de forma tão óbvia a beneficiar eleitoralmente o PT que parecia risível. Demorou um pouco para que a liderança do PT esclarecesse suas versões conflitantes. Mas a versão que eles finalmente escolheram foi a de que Daniel tivera uma desavença com "Sérgio, o Sombra", seu motorista e guarda-costas. Porém, isso também parecia ter discrepâncias evidentes, logo apontadas por promotores de São Paulo. Como dizemos em inglês, eu "senti cheiro de rato", ou seja, que havia algo errado, então decidi que valeria a pena investigar o caso.

Como eu estava constantemente voando de um lado para outro entre o Brasil e a Argentina durante a crise econômica que ocorreu lá em 2002 e 2003, demorou muito mais do que eu tinha previsto para conseguir fazer uma investigação adequada. Nesse intervalo, meus amigos em São Paulo me diziam o tempo todo "aí tem coisa, aí tem coisa". Depois que Lula tomou posse, em janeiro de 2003, houve sinais de que sua equipe, liderada por José Dirceu, estava tentando enfraquecer a investigação em curso, e quando comecei a examinar o caso, logo descobri o motivo.

Enquanto fazia reportagens em São Paulo no começo de 2004, eu tinha entrevistado dois dos irmãos de Celso Daniel, um dos quais tinha se escondido depois de receber ameaças de morte. Bruno e João Francisco Daniel disseram com toda a clareza que, de acordo com o que seu irmão havia contado a eles, os membros mais importantes do PT não apenas sabiam do esquema de corrupção que provocou sua morte, como haviam desempenhado um papel ativo em sua operação. Além disso, eles me disseram, esses membros do PT tinham confirmado para Bruno esse papel. Em resultado disso e de outras entrevistas, minha reportagem incluía um parágrafo, mais ou menos na metade do texto, que imediatamente disparou o alarme no governo e no partido governante.

"Pouco tempo depois do enterro de Celso, Gilberto Carvalho me contou que tinha feito várias entregas em dinheiro vivo ao partido, e que em uma ocasião ele ficou apavorado porque estava transportando mais de US$ 500.000 em uma valise", disse Bruno Daniel na entrevista. "Ele me contou que entregava o dinheiro diretamente a José Dirceu, e foi isso que eu disse aos promotores."

Um ano e meio mais tarde, depois que o escândalo do mensalão se tornou público, Bruno Daniel repetiria essa acusação em linguagem virtualmente idêntica em seu testemunho televisionado a uma CPI em Brasília. Numa acareação, tanto José Dirceu como Gilberto Carvalho negaram veementemente a acusação. Mas quem é mais provável que esteja dizendo a verdade, um entristecido irmão da vítima ou um par de políticos profissionais como Dirceu e Carvalho? Dadas as respectivas trajetórias, de minha parte, estou muito mais inclinado a acreditar nos irmãos Daniel.

No decorrer de minha reportagem sobre o assassinato de Celso Daniel, também encontrei e entrevistei uma pessoa que cumpria um papel importante no PT paulista e estava incomodada com as práticas ilegais em que o partido estava envolvido. Essa fonte não foi mencionada pelo nome em minha matéria. Dadas minhas relações tensas com Lula e seu governo e a disposição vingativa que eles haviam mostrado, mais as mortes misteriosas de várias pessoas envolvidas no caso, também não pretendo revelar a identidade dessa fonte agora. Mas em uma longa entrevista, me foi dito que a atividade ilegal de levantamento de dinheiro em Santo André não era um caso isolado, como afirmavam os líderes do partido, mas era antes parte de um esquema generalizado para acumular uma grande soma em caixa dois para a campanha, para contrabalançar o apoio da comunidade empresarial aos tucanos.

Tinham sido dadas ordens a todos os prefeitos do PT, minha fonte me relatou, para levantar dinheiro por todos os meios possíveis, e cada município havia recorrido a um mecanismo um pouco diferente para cumprir sua cota. Em Santo André eram as empresas de ônibus, como havia ficado claro na investigação do assassinato de Celso Daniel. Em Santos era o programa da Aids. Em Campinas, onde o prefeito, Antonio da Costa Santos, o "Toninho do PT", tinha sido assassinado quatro meses antes de Celso Daniel, era o superfaturamento de obras públicas e de contratos de estacionamento. E em Ribeirão Preto, eram os contratos de coleta de lixo.

"Ribeirão Preto também?", perguntei, um pouco chocado, mas no mesmo instante percebendo a importância do que ouvia. Estávamos falando obviamente da época em que Antonio Palocci era prefeito lá, e depois, como ministro da Fazenda, ele se tornou o símbolo da adoção por Lula da responsabilidade fiscal e uma das principais fontes da credibilidade do Brasil nos mercados internacionais. Arrastar seu nome para essa sórdida confusão poria seu mandato em risco, criaria convulsões nos mercados e colocaria em perigo tanto o governo de Lula quanto suas políticas econômicas.

Antes de a reportagem sobre Celso Daniel ser publicada, contatei o PT para comentar o assunto, como requer a prática jornalística apropriada. Eles ficaram nervosos com minha abordagem do caso Celso Daniel, que ainda estavam tentando abafar. E, pelo teor das minhas perguntas, ficou óbvio para eles que eu sabia que o caso de Santo André era apenas a ponta do iceberg, o que os deixou ainda mais nervosos e evasivos do que o normal. Embora eu tenha sido posto em contato com Aristides Junqueira, um ex-procurador da República que tinha sido contratado para lidar com o assunto em nome do partido, para discutir o caso do assassinato em si, ninguém no PT estava disposto a falar sobre — muito menos a reconhecer abertamente — a existência de um esquema mais amplo.

Em retrospecto, me dou conta de que, sem reconhecer isso, eu estava chegando perigosamente perto de expor acidentalmente um dos principais pilares de financiamento do esquema do mensalão. Hoje suspeito que parte do dinheiro levantado por esse esquema pode também ter terminado nas contas bancárias no exterior que, de acordo com Duda Mendonça, foram usadas para financiar a campanha do PT em 2002. Mas na época eu não tinha nenhuma indicação disso. Só comecei a suspeitar de uma ligação em setembro de 2004, quando uma história obscura e oblíqua, na verdade a primeira sobre o mensalão, apareceu no *Jornal do Brasil*. No entanto, o pouco que eu sabia foi suficiente para fazer o PT e os assessores de Lula me considerarem uma ameaça.

Na realidade, eu não tinha nem tempo nem intenção de seguir as informações chocantes que tinham surgido do caso Celso Daniel. Meus editores de Nova York tinham uma longa lista de outras coisas que queriam que eu fizesse, e, além disso, essa é uma tarefa que cabe mais propriamente à imprensa brasileira. Mas o PT não sabia disso, e temia o pior. Eu tinha me tornado muito mais que uma pedra no sapato deles, atrapalhando, com minhas matérias críticas, os planos para aumentar o prestígio de Lula no cenário internacional. Portanto, eles queriam se livrar de mim.

Não demorou muito para a oportunidade surgir. Histórias sobre o hábito de beber de Lula tinham circulado entre políticos e repórteres durante muitos anos, bem antes de ele se tornar chefe de Estado. Eu também as ouvia, e mesmo o pouco contato que tivera com Lula me deixara a impressão de que elas poderiam merecer crédito. Mas enquanto ele foi simplesmente o eterno aspirante à Presidência, e não o ocupante de fato do cargo, essas histórias não me pareceram tão relevantes. Para a imprensa brasileira, sim, mas não para um jornal americano. Afinal, nós tínhamos nosso próprio candidato, George Bush, cuja história pessoal incluía problemas com bebida, todas elas devidamente publicadas e discutidas durante a campanha de 2000, em vez de serem varridas para debaixo do tapete, como era o caso aqui.

Depois que Lula tomou posse, no entanto, e tornou-se o líder da quarta maior democracia do mundo, um país em que empresas americanas tinham investido bilhões de dólares e que os Estados Unidos viam como um aliado decisivo na América do Sul, o quadro mudou. Exatamente como Bill Clinton, Boris Yeltsin ou François Mitterrand, ele se tornou passível de um escrutínio maior. Nesse contexto, achei interessante que, depois de minha reportagem ter sido publicada, uma das críticas vocalizadas com freqüência na imprensa brasileira foi de que eu era uma espécie de americano hipócrita, tentando impor os valores puritanos e o "falso moralismo" de meu país a uma sociedade mais liberal.

Para mim, essas declarações simplesmente refletiam uma concepção basicamente equivocada sobre a imprensa americana e o que ela faz. Como eu disse antes ao me referir a Marta Suplicy, os repórteres americanos são ensinados que qualquer coisa que possa afetar o desempenho no cargo de um servidor público é relevante, e portanto um tema legítimo para investigação e cobertura. Concordo com essa avaliação, que ajuda a explicar por que o relacionamento de Bill Clinton com Monica Lewinsky se tornou um escândalo tão grande. Não é tanto pelo fato de ele ter cometido adultério, embora isso obviamente tenha tornado o assunto mais picante para o leitor médio. O que tornou o caso — a meu ver um pecadilho menor, especialmente se comparado ao que aconteceu durante os anos Bush — o assunto nacional foi que ele ocorreu na Casa Branca durante o horário do expediente, e o fato de o presidente depois ter mentido sobre sua conduta, sob juramento.

No caso de Lula, o primeiro comentário público sobre um possível problema com bebida depois que ele tomou posse, pelo que consigo me lembrar, ocorreu em setembro de 2003. Leonel Brizola, companheiro de chapa de Lula, fez um discurso no norte do estado do Rio de Janeiro no qual disse: "Quando eu fui candidato a vice do Lula, ele bebia muito. Eu o alertava de que a bebida destilada é perigosa. Ele não me ouviu e, segundo dizem, continua bebendo. A bebida ataca os neurônios, e talvez esse seja um dos motivos que o têm levado a perder a capacidade de percepção das coisas."

Afora uma pequena nota na página "Veja Essa" de *Veja*, as observações de Brizola não foram publicadas pelos principais órgãos da imprensa brasileira. Eu não fiquei surpreso: além de certo desdém por Brizola, que era visto como decadente e irrelevante, a maior parte da imprensa ainda estava em sua fase de lua-de-mel com o Partido dos Trabalhadores. Com raras exceções, pouco estava sendo feito para investigar potenciais escândalos, como o assassinato de Celso Daniel e as atividades do PT para montar um caixa dois.

No começo de 2004, sempre que ia a Brasília falar com líderes políticos, ouvia cada vez mais especulações sobre o hábito de beber de Lula, muitas vezes apresentadas como uma explicação para sua passividade no cargo e sua falta de liderança. Em março, esses relatos estavam se tornando mais insistentes. Naquele mês, um ex-presidente confidenciou a dois amigos meus brasileiros sua preocupação com o fato de Lula parecer passivo, alheio e nada senhor da situação. "Acho que Lula anda bebendo de novo", ele disse a meus dois amigos, que imediatamente me passaram a informação.

Naquele momento decidi que o assunto deveria ser investigado, e comecei a procurar a sério descobrir informações, fazendo a apuração. Depois que minha matéria foi publicada, o Palácio do Planalto e seus aliados procuraram desqualificar a reportagem alegando que minhas únicas fontes foram Diogo Mainardi e Cláudio Humberto. Isso é balela, um completo absurdo. Nunca na vida me encontrei nem conversei com nenhum desses dois colunistas, e em todo caso jamais teria baseado uma reportagem em declarações de um par de críticos sem nenhum acesso a Lula ou a seu círculo íntimo. Apenas citei pequenos trechos das colunas deles para exemplificar a especulação reinante no meio político brasileiro naquele momento.

Na verdade, minhas fontes foram principalmente políticos, e não jornalistas. Um deles, por exemplo, já virou ministro, e outro trabalha ainda hoje no Palácio do Planalto. Mas só uma das cerca de vinte fontes que conversaram comigo sobre Lula e seu gosto pelo álcool teve coragem de autorizar que seu nome fosse usado, e foi Leonel Brizola. Ele realmente foi uma fonte, mas isso também se prestou à campanha de desqualificação. Argumentava-se que era impróprio eu usar Brizola como fonte porque ele e Lula eram inimigos, porque ele se ressentia da emergência de Lula como figura política, que o deixava em segundo plano.

Mas isso era simplesmente um subterfúgio para desviar a atenção da questão principal, que era a veracidade das declarações que Brizola me fez durante nossa longa conversa em seu apartamento na avenida Atlântica. De fato, minha reportagem observava que Brizola passara de companheiro de chapa de Lula em 1998 a um crítico feroz do governo, dando assim ao leitor americano uma informação pertinente que os críticos da matéria preferiram ignorar. No fim, tudo se resume a isto: se Brizola viu o que diz que viu e disse o que disse a Lula, ou não. Ponto final. Se Brizola e Lula eram ou não amigos do peito é irrelevante ao lado dessa questão muito mais ampla e importante.

Ao contrário do que era publicado na imprensa brasileira na época em que a matéria apareceu, eu também fiz todos os esforços para conseguir que o Palácio do Planalto comentasse o assunto. Sem ser nada mais específico do que precisava ser, eu pedira para me encontrar com Ricardo Kotscho, então secretário de Imprensa de Lula. Mas ele preferiu não me receber, e me passou para seu jovem assistente, Fabio Kerche. Foi combinada uma reunião em Brasília.

Olhando hoje minhas anotações daquela sessão no Palácio do Planalto (eu tinha um gravador, mas não fui autorizado a ligá-lo), ela parece um exemplo perfeito de choque de culturas. Inicialmente, Kerche não tentou negar o crescente burburinho de especulação sobre o hábito de beber de Lula. Em vez disso, ele argumentou que a vida privada do presidente era privada, e devia portanto ficar fora dos limites de investigação da imprensa.

Respondi que "qualquer coisa que possa impactar o desempenho de um servidor público é pauta", e citei como exemplo o escândalo Clinton–Lewinsky. Ele respondeu que, embora esse pudesse ser o caso nos Estados Unidos, isso não era verdade no Brasil. Respondi que, embora estivéssemos no Brasil, eu era um repórter americano, escrevendo para um jornal americano que é publicado para leitores americanos, e que, pelos padrões do jornalismo americano, o assunto era perfeitamente válido, e eu pretendia tratar dele.

Depois da reunião em Brasília com Kerche em 26 de abril de 2004, deixei brevemente a questão de lado para trabalhar em outras matérias e pensar sobre o que queria fazer a seguir. Mas então, no dia 1º de maio, li algo na coluna de Miriam Leitão em *O Globo* que me certificou de que eu estava na trilha certa e de que era hora de seguir adiante e concluir a matéria. Miriam Leitão é uma craque, uma das melhores jornalistas do Brasil, concisa e competente no texto impresso e ágil e eloqüente na televisão. Ela também é obviamente muito bem relacionada e respeitada, com fontes tanto no governo como na oposição. Considerando tudo isso, o primeiro parágrafo de sua coluna naquele dia era como uma bandeira de advertência.

"O presidente Lula fala demais, de forma irrefletida" foram suas primeiras palavras. "Diariamente, os jornais relatam suas impropriedades, escorregões e gafes. No jantar da bancada do PTB, ele fez algo mais perigoso: misturou uma dose de uísque com o improviso. Vangloriou-se de seus contatos internacionais, desafiou o governo anterior para debate, falou que o país vive na pendura e disse que os líderes da América Latina vivem no século XIX. E tudo numa noite só."

Ao mesmo tempo em que o Palácio do Planalto estava tentando me desviar da história jurando que não havia nada fora do comum no hábito de beber do presidente, parecia que Lula estava determinado a contradizê-lo. O jantar do PTB tinha ocorrido apenas um par de noites antes de a coluna de Miriam Leitão aparecer, então na segunda-feira, 3 de maio, liguei para duas pessoas que eu sabia que tinham estado presentes. Ambas contaram essencialmente a mesma história, com detalhes picantes adicionais que Miriam Leitão apenas sugerira. Não tinha havido "uma dose de uísque", mas várias, e à medida que a língua de Lula se soltava, sua linguagem se tornava cada vez menos a de um chefe de Estado sóbrio e reflexivo e mais a de um novato fascinado por sua autoridade e por quão alto havia chegado. Em certo momento, disseram, ele até se gabou de que, se quisesse, podia pegar um telefone ali e imediatamente falar com George Bush, "o homem mais poderoso do mundo".

Meus dois informantes descreveram um Lula cheio de fanfarronices, e quando perguntei a eles à queima-roupa se Lula parecia estar bêbado, um deles riu e disse: "Lula bebe tanto que é difícil saber." O outro respondeu que no fim da noite Lula parecia "meio trôpego, como naquela festa na casa de João Paulo Cunha em fevereiro", para comemorar o aniversário de fundação do PT. Mas é claro que nenhum deles queria dizer nada oficialmente, por medo das conseqüências, e porque o PTB apoiava o governo e eles não queriam ser vistos enfraquecendo a autoridade do presidente.

Apesar da relutância deles em falar, o que no fim evitou que eu descrevesse o incidente em minha reportagem, eu achava que tinha um exemplo claro do hábito de beber do presidente impactando negativamente sua capacidade de exigir o respeito de outros e de se conduzir no cargo. A reportagem não ia listar todos os episódios em que Lula tinha bebido em excesso, mas eu estava confiante de que a informação que me fora passada por pessoas que lidavam com Lula me dava a base factual de que eu precisava. Então decidi seguir em frente e escrever, alertei meus editores de que a matéria estaria disponível para publicação naquele fim de semana, e fiz uma última rodada de ligações para o Palácio do Planalto para informar que a reportagem apareceria nos próximos dias, avisando-os de que se eles desejavam fazer uma declaração, aquele era o momento de fazê-lo. Depois fui à Argentina para trabalhar em outras reportagens que tinha começado lá.

A CONFRONTAÇÃO

Minha matéria foi finalmente publicada no domingo, 9 de maio de 2004 — Dia das Mães nos Estados Unidos. Eu estava em Buenos Aires, no escritório e apartamento que o jornal tinha lá.

O telefone tocou. Era o embaixador Roberto Abdenur na linha, ligando da embaixada brasileira em Washington. "Não sei o que você está pretendendo com isso, mas os mercados vão enlouquecer amanhã", foram as palavras iniciais dele. "Você está fazendo um dano enorme ao Brasil." Que ele usasse essa abordagem, enfatizando a possível reação de Wall Street, me surpreendeu. Eu esperava qualquer coisa menos aquilo: uma reclamação de que a reportagem era difamatória, talvez, ou de que ela prejudicava as boas relações entre os Estados Unidos e o Brasil teria sido a abordagem mais normal de um governo ofendido por uma reportagem no *Times*.

Defendi minha reportagem firmemente e lembrei a ele que, nessas situações, o *New York Times* oferece recurso à pessoa que é objeto de uma matéria controversa, na forma de uma carta ao editor. Ele manifestou o desejo de falar com a editora de Internacional do *Times*, Susan Chira, e o editor-chefe, Bill Keller. Eu prometi a ele que ligaria para Susan Chira e a poria em contato com ele assim que possível, o que, é claro, fiz.

Não sei o que foi dito nas conversas por telefone de Abdenur, um diplomata capacitado cuja integridade e julgamento sempre respeitei, com a editora de Internacional e finalmente com o editor-chefe, Bill Keller. Mas minha matéria tinha sido revisada duas vezes por nossos advogados antes da publicação, e eu estava confiante de que ela poderia suportar qualquer contestação legal. Sabia que com certeza haveria ameaças de processo no Brasil ou nos Estados Unidos, ou até nos dois países, mas sabia também que não havia nenhuma base legal para uma ação desse tipo.

A maioria dos relatos da imprensa brasileira que li me situa no Rio de Janeiro no dia em que minha controvertida matéria apareceu e depois pegando um avião para a Argentina o mais depressa que pude. A insinuação é que eu estava com medo do que podia acontecer comigo aqui ou não confiava no sistema judiciário brasileiro, e fugi para um lugar seguro. De fato, aconteceu exatamente o oposto. Na segunda-feira, 10 de maio, voltei de avião de Buenos Aires para o Rio para enfrentar a fera e monitorar e responder ao que, eu sabia, seria a resposta irada do governo. Como a gerente da sucursal do *New York Times* tinha me avisado que havia repórteres brasileiros estacionados do lado de fora da porta da frente de nosso escritório, exigindo que eu falasse com eles a despeito das instruções muito específicas que eu recebera de Nova York para não exacerbar a situação com declarações públicas, fui direto do Galeão para meu apartamento no Leblon e liguei a televisão.

A resposta inicial foi bem o que eu esperava: uma explosão de nacionalismo, parte dela bastante hipócrita. Em certo momento, houve um desfile de mais de 12 políticos de Brasília me denunciando em um canal de televisão a cabo. Eu tive de rir, porque dois dos que me atacavam — um de um partido aliado ao PT, o outro uma importante figura da oposição — tinham sido informantes para minha reportagem e expressado suas preocupações com a recente passividade de Lula e suas suspeitas de que ele andava bebendo em excesso.

No começo, eu pensei que o PT estava agindo de forma competente. Ali estava um estrangeiro lavando em público a roupa suja do Brasil, o que oferecia uma oportunidade de ouro a um governo que estava se debatendo para recuperar parte do ímpeto e do apoio que tinha perdido. Em política, nada consegue mais resultados do que a retórica, e eu dera a Lula e ao PT uma chance de adotar uma técnica que em inglês chamamos "*Rally 'round the flag, boys*", ou seja, "Vamos cerrar fileiras em torno da bandeira, rapazes". Foi astuto da parte deles confundir Lula com o Brasil e argumentar que, ao "insultar" Lula, eu estava de algum modo também insultando a honra de todo o Brasil. Isso era demagogia, é claro. Mas é também uma técnica eficaz se você está tentando esconder alguma coisa muito desagradável ou desviar a atenção de falhas maiores, que, é claro, era exatamente a situação em que o PT se encontrava.

O PT e parte da imprensa também se apressaram a explorar a única fenda na armadura da história que eu não previra e para a qual não estava preparado: o título da reportagem. Repórteres não escrevem os títulos de suas matérias, e quando vi as palavras "Gosto do dirigente brasileiro pela bebida torna-se preocupação nacional" no alto de minha reportagem, tive de estremecer, porque suspeitava que aquilo ia criar um problema. Na matéria em si, eu era explícito em declarar que o zunzum a respeito do hábito de beber de Lula estava basicamente confinado a políticos e jornalistas e mal era percebido pela população em geral. Embora eu citasse exemplos da sociedade como um todo, meu foco era o da elite, especialmente em Brasília.

Contudo, devo confessar que nunca pensei que Lula e seus assessores seriam tolos ao ponto de ordenar minha expulsão do país. Fiquei tão chocado quanto qualquer outra pessoa quando a medida foi anunciada na noite de terça-feira, e soube, assim que ouvi o noticiário, que eles tinham superestimado sua força e iam sofrer uma derrota. Uma coisa era eles invectivarem contra um gringo metido e narigudo que estava "manchando" a "honra" do Brasil. Mas ao tentarem me expulsar, empregando uma lei que datava dos piores dias da ditadura militar, eles tinham ido longe demais e agora estavam também pisando nos calos dos brasileiros. A imprensa em particular tendia a se sentir ameaçada.

Lula está sempre se queixando, às vezes com justa razão, do "corporativismo" na imprensa brasileira. Mas nesse caso ele ignorou uma lição que sua própria experiência o ensinara, e ao fazê-lo transformou-se imediatamente de vítima em vilão.

Mesmo com a revisão feita por nossos advogados de minha matéria antes de sua publicação, eu inicialmente pensei que era mais provável que Lula e o PT ameaçassem me processar e não me expulsar. De fato, essa foi a resposta inicial deles. Mas a história tinha sido blindada, com cada palavra aprovada por nossos advogados, e eu sabia que no fim nada resultaria de tais ameaças, especialmente nos Estados Unidos. Lá, o sistema legal inclui um processo conhecido como *discovery* (descoberta), que dá ao acusado o direito de exigir documentos de todos os tipos que estejam de posse do queixante. Se Lula e o PT tivessem realmente levado adiante sua ameaça, eles não só teriam sido solicitados a apresentar textos, fotografias e filmes comprometedores, mas também teriam se sujeitado a depoimentos que focalizariam episódios específicos, alguns dos quais eram mencionados na reportagem, e outros que não eram. O não-atendimento dessas exigências teria significado a rejeição da queixa e constrangimento e perda de credibilidade adicionais, como tenho certeza que os advogados do governo brasileiro explicaram aos assessores de Lula. Então, era melhor recuar, e foi o que eles fizeram.

Uma vez que a ordem de expulsão foi anunciada, no entanto, o jogo ficou um pouco mais pesado, e as chances de uma solução amigável e negociada, através do famoso jeitinho brasileiro, foram minguando até sumir. Se Lula realmente queria "lavar a honra" dele por meio de algum tipo de réplica nas páginas do jornal, então tentar me expulsar foi para ele um erro crasso de estratégia. Seu comportamento não era apenas autoritário e um ataque à liberdade de expressão, também cheirava a intimidação, e o *New York Times* nunca teve inclinação para se curvar ante esse tipo de comportamento. O governo Nixon aprendeu isso do jeito mais duro durante o caso dos Papéis do Pentágono, em 1971, quando o meu jornal publicou um dossiê oficial secreto sobre a Guerra do Vietnã. Irado, o Executivo conseguiu uma liminar suspendendo a publicação da série, mas, depois de uma luta legal intensa, a Suprema Corte apoiou a posição do jornal. Lula e seu pessoal parecem ou não terem sabido daquele episódio ou não o terem levado em conta.

Mas o maior erro de Lula ocorreu quando ele estava buscando uma justificativa legal para me expulsar. Alguma águia jurídica brilhante finalmente encontrou uma cláusula em uma lei da época da ditadura que autorizava uma medida como essa. Infelizmente para Lula, outra parte da mesma lei tinha sido usada para justificar sua própria prisão em 1980, e então ele acabou parecendo um hipócrita autoritário. Isso, por sua vez, o indispôs não só com a imprensa, mas com advogados, grupos de direitos humanos e muitos brasileiros comuns que ficaram inicialmente ofendidos porque eu estava "insultando" seu presidente. Portanto, sua decisão de reagir com o fígado logo virou um fiasco de relações públicas, especialmente quando notícias de sua decisão foram divulgadas no mundo inteiro. Nesse caso, sim, Lula ficou embriagado — embriagado pelo poder.

A RESOLUÇÃO

Sempre que um confronto desnecessário ou sem sentido é evitado, as pessoas gostam de dizer que "prevaleceram as cabeças mais frias". Isso não aconteceu nesse caso. Marcio Thomaz Bastos, o ministro da Justiça, teria provavelmente agido para evitar a explosão de emoção que levou Lula a cometer um erro politicamente tão custoso. Mas ele estava na Europa e não pôde intervir. Celso Amorim devia ter manifestado sua oposição, mas parece que não fez isso, por razões que explico no capítulo sobre política internacional. Isso deixou os cabeças-quentes, ou "aloprados", para usar uma das expressões famosas de Lula — em particular Dirceu e Gushiken, pelo que me disse depois alguém do Palácio do Planalto —, apelarem para o lado mais agressivo do presidente. De acordo com a mesma fonte, quando alguém objetou que me expulsar era inconstitucional porque minha mulher é brasileira, Lula replicou batendo na mesa e berrando, exaltado: "Que se foda a Constituição! Quero que ele vá embora!"

Depois, muitos de meus colegas na imprensa brasileira retrataram Bastos como o líder sensato e cheio de princípios que havia habilmente costurado uma resolução para uma crise desnecessária. Não partilho essa opinião. A meu ver, o comportamento de Bastos quando retornou da Suíça foi tortuoso e ficou aquém dos padrões éticos exigidos dele como o principal representante legal do país. Ele tinha sido advogado pessoal de Lula antes de ingressar no ministério, e, como ocorreu depois, durante a crise do mensalão de 2005 e 2006, agiu não para defender os interesses mais amplos da nação brasileira, mas para favorecer os interesses partidários mais estreitos de seu antigo cliente e do Partido dos Trabalhadores.

Para mim, o verdadeiro herói não louvado do episódio, se é que houve um, foi Sérgio Cabral, que na época era senador pelo estado do Rio de Janeiro e hoje é governador desse estado e um aliado de Lula. Sem me conhecer pessoalmente, mas reconhecendo que estava em jogo um princípio importante, ele entrou com um pedido de habeas corpus para evitar minha expulsão. O juiz do Supremo Tribunal Federal que aceitou sua petição, Francisco Peçanha Martins, o fez numa linguagem que era contundente em sua condenação do governo, deixando claro que se o caso tivesse chegado ao plenário do tribunal Lula e seus assessores provavelmente sofreriam uma derrota humilhante. Isso, por sua vez, deu a Bastos a munição de que ele precisava para convencer Lula a recuar. "No Estado Democrático de Direito, não se pode submeter a liberdade às razões de conveniência ou oportunidade da administração", escreveu o juiz Peçanha Martins. "E aos estrangeiros, como aos brasileiros, a Constituição assegura direitos e garantias fundamentais."

Depois que li o texto da liminar do juiz Peçanha Martins na quarta-feira, castigando o governo, soube que meu caso estava ganho e que eu poderia continuar trabalhando no Brasil.

A partir desse momento, as coisas aconteceram rapidamente. Na tarde da sexta-feira, meus advogados e os do governo, que estavam em contato desde que o Planalto anunciou minha expulsão, haviam chegado a uma linguagem que parecia aceitável para ambos os lados. Disseram-me que esperasse o anúncio de um acordo às oito da noite daquele dia, no qual o governo daria ordem de revogar o decreto que me expulsava, baseado em um pedido formal dos advogados do jornal de revogar o decreto. O governo insistiu em que nada fosse dito antes das oito da noite, o que eu interpretei como um exercício de controle de danos: ao esperar até esse momento, os jornais estariam fechando suas edições de sábado e o *Jornal Nacional* estaria a apenas alguns minutos de começar. Isso limitaria a capacidade da imprensa para fazer perguntas difíceis sobre a retirada constrangedora do governo de sua posição radical e autoritária. Baseado nessa garantia, notifiquei meus editores e advogados em Nova York, que então começaram a elaborar uma declaração saudando o fim do impasse e reafirmando sua plena confiança na precisão da minha reportagem.

Assim que o acordo foi finalizado, no entanto, o ministro Bastos prontamente o rompeu. Ele convocou depressa repórteres (com exceção, é claro, do *New York Times*) para uma entrevista coletiva em São Paulo e disse a eles que eu tinha escrito "uma carta de retratação", e que Lula tinha generosamente aceitado meu "pedido de desculpas". Foi um exemplo eficaz, se bem que inescrupuloso, do que os repórteres americanos que cobrem política chamam de *spin*, que consiste em torcer os fatos de modo a apresentar da melhor maneira possível uma situação desfavorável. Como muitos *spins*, aquele também não era verdadeiro.

Na realidade, meus advogados tinham simplesmente preenchido o documento exigido pelas leis brasileiras para revogar uma ordem de expulsão. Nada mais, nada menos. Não havia nenhuma "carta", e certamente nenhuma "retratação". Acompanhando o documento, como requerido, estavam os argumentos legais em favor da revogação do decreto do governo, cujo texto tinha sido elaborado previamente com o ministro da Justiça. Esse texto não incluía nem uma desculpa nem uma retratação. De fato, ele continha um par de críticas novas, veladas, ao comportamento de Lula e seus assessores, que tinham sido inseridas especificamente por insistência minha.

Há, por exemplo, uma referência à minha admiração pelas instituições democráticas do Brasil, uma declaração que tive o prazer de fazer porque era assim que eu me sentia verdadeiramente. Eu sabia que já estaria a caminho de sair do país, para nunca mais voltar, se a imprensa e especialmente o Judiciário não tivessem demonstrado sua independência e sua indisposição para se curvar diante do comportamento arbitrário e autoritário do presidente. Certo, a imprensa também estava defendendo seus próprios interesses, mas mesmo aqueles que não gostavam de mim e da reportagem que eu tinha escrito defenderam o princípio mais amplo que estava em jogo.

No documento eu tinha também expressado meu respeito pela "Presidência da República". Não o presidente em si, é claro, mas a instituição e o cargo que homens como Juscelino Kubitschek e FHC tinham ocupado com tolerância, integridade e distinção, em contraste com a explosão autocrática de Lula. Eu tinha insistido nessa linguagem precisa porque não estava disposto a fechar os olhos ao comportamento de Lula, muito menos a puxar o saco dele. Esperava, de forma vã, como ficou claro, que alguém na imprensa brasileira percebesse essa distinção e perguntasse sobre ela.

Assim que ouvi os primeiros relatos distorcidos do acordo no rádio e na televisão, cerca de duas horas antes do horário em que os dois lados tinham concordado que seria feito um anúncio público, liguei para meus advogados e editores em Nova York para contar a eles o que acontecera. Eles ficaram bastante surpresos, pois não estão acostumados a lidar com as coisas dessa maneira, e quando solicitei que respondessem endurecendo a linguagem da declaração que planejavam divulgar às oito da noite, eles concordaram. Também enfatizei para eles a importância de agir de imediato, antes que as mentiras da versão do governo proliferassem e ganhassem raízes.

A declaração revisada, na qual o jornal reiterava que minha matéria era "correta e justa", foi divulgada pouco depois. Mas o *Jornal Nacional* da TV Globo ou não a recebeu, ou preferiu ignorá-la. A cobertura deles, a primeira que a maioria dos brasileiros veria, papagueava o ponto de vista do governo, usando as palavras "retratação" e "desculpa" quase uma dúzia de vezes. Foi só quando o jornal já estava no ar havia cerca de vinte minutos que a declaração do *New York Times* foi mencionada, mas apenas brevemente e sem análise.

Felizmente, a maior parte da cobertura dos jornais na manhã seguinte reconheceu a manobra do governo pelo que ela era. "Governo cria 'retratação' e devolve visto para jornalista" foi a manchete principal de *O Estado de S.Paulo*, e a da *Folha* foi "Lula anula a expulsão; *NYT* nega ter se retratado". A *Veja* foi um pouco mais longe, tratando da questão em uma matéria de capa que detalhava várias ocasiões em que repórteres brasileiros tinham mencionado o pesado consumo de álcool por Lula e em que ele tinha parecido estar bêbado. Mas a matéria da TV Globo foi a primeira a aparecer, estabelecendo um tom negativo, e provocou muitos danos.

Quase exatamente no mesmo momento em que Bastos estava convocando a imprensa, um documento começou a circular na internet, supostamente escrito por uma professora da Universidade de Brasília. Nele, eu era acusado de ser um agente secreto do governo americano, de abusar sexualmente de garotas índias na Amazônia, de ser eu mesmo um bêbado e de conspirar com Diogo Mainardi e Cláudio Humberto para difamar Lula. A pessoa nomeada como autor do documento imediatamente negou jamais tê-lo escrito, e quando Ricardo Noblat se deu ao trabalho de traçar a cópia que recebera até sua fonte, ela o levou diretamente para, surpresa, surpresa, um endereço de e-mail no Palácio do Planalto.

Mais tarde liguei para a pessoa cujo nome aparecia na primeira versão conhecida do documento, Celso Correa, um assessor da Subchefia de Coordenação da Ação Governamental, órgão da Casa Civil, naquele momento encabeçada por José Dirceu. Mas Correa nunca estava "disponível" para conversar comigo ao telefone, e não respondeu a mensagens telefônicas que deixei para ele ou e-mails que lhe enviei, pedindo uma explicação para seus atos. Assim, até hoje, o papel do Palácio do Planalto na criação e circulação desse texto fabricado nunca foi satisfatoriamente explicado.

AS CONSEQÜÊNCIAS

No sábado, terminado o episódio, um grupo de amigos meus no Rio de Janeiro organizou uma pequena festa de desagravo para mim. Era um alívio poder sair às ruas de novo, depois de ter sido acuado a semana inteira em meu apartamento ou nos escritórios de meu advogado. Em certo momento, fui obrigado a me levantar e cantar, e comecei pelo refrão de *Apesar de você*, de Chico Buarque: "Apesar de você, amanhã há de ser outro dia. Eu pergunto a você onde vai se esconder da enorme euforia? Como vai proibir quando o galo insistir em cantar?" Quando terminei meu desempenho desafinado, um jornalista amigo me lembrou que Chico Buarque era um partidário de Lula, o que eu acho que deu um certo toque de ironia a minha escolha de música. Mas eu retruquei lembrando que a canção tinha sido escrita originalmente para protestar contra a censura e o autoritarismo da ditadura militar, e que ela agora se aplicava igualmente bem a Lula porque ele tinha usado uma lei que datava da ditadura para tentar se livrar de mim.

Nos dias que se seguiram, li várias reportagens na imprensa brasileira que citavam funcionários não nomeados do Palácio do Planalto se queixando de que o *New York Times* tinha sido "arrogante" ao tratar com eles. Francamente, eu não sabia do que eles estavam falando. Em nenhum momento meus editores trataram o Brasil com desrespeito, ou diferentemente, digamos, de como tratam um país europeu como a Inglaterra, a Alemanha ou França (nenhum dos quais, vale a pena mencionar, jamais agira de uma forma tão extrema e autoritária). Eles se comportaram como sempre fazem quando há uma queixa de um governo estrangeiro e eles têm fé em que a reportagem em questão está correta: os escalões mais altos dos editores do jornal ouvem educadamente a queixa e oferecem aos queixosos uma oportunidade de apresentar seu ponto de vista por escrito, normalmente na forma de uma carta. O que meus editores obviamente não fariam era ceder à intimidação do Palácio do Planalto ou a seus pedidos nada razoáveis.

Se alguém era culpado de agir com arrogância, me parece que era a equipe de Lula. Depois que eles mesmos romperam o embargo das oito da noite, por exemplo, tiveram a audácia de se queixar, por intermédio da embaixada brasileira em Washington, da declaração que o *New York Times* tinha acabado de publicar em defesa de minha reportagem, reclamando que nós estávamos violando o acordo. Era muita cara-de-pau. É como naquela velha piada judia em que a criança que mata os pais depois pede misericórdia ao juiz porque é órfã.

Além disso, houve também declarações oficiais sobre minha matéria que pareciam argumentar que Lula era uma figura sagrada, acima da crítica, como se ele fosse uma espécie de realeza. Considere-se esta de Gushiken: "Se ele estivesse no Japão e ofendesse o imperador, também seria expulso." Antes de mais nada, tendo sido repórter no Japão que ocasionalmente escrevia matérias para a *Newsweek* que a casa real japonesa considerava embaraçosos, eu sei que isso não é verdade. Porém, o mais perturbador é a comparação feita por Gushiken de um presidente com um imperador. O Brasil não é o Japão, nem a Inglaterra, nem a Espanha, nem a França pré-revolucionária. Ele não tem mais uma família real no poder, e a Presidência não é uma monarquia. Lula é simplesmente um servidor temporário do povo brasileiro, e não o rei Luz Inácio XIV, com direito a declarar "*L'État c'est moi*".

Para dizer a verdade, acho que um confronto como esse só poderia ter acontecido com o PT no poder. Alegações muito mais sérias e danosas que qualquer coisa contida em minha reportagem tinham sido levantadas tanto na imprensa brasileira quanto na estrangeira contra todos os últimos quatro antecessores de Lula, e o próprio PT tinha sido a fonte de algumas dessas denúncias. Nenhum dos outros presidentes civis se exaltou ou reagiu com o fígado. Em 1987, por exemplo, o então deputado Luiz Inácio Lula da Silva disse o seguinte do presidente José Sarney: "Paulo Maluf pode ser ladrão, mas é trombadinha perto do grande ladrão que é o governante da Nova República." E o que fez José Sarney? Como o modelo de tolerância que é, achou mais sensato ignorar a retórica daquele que hoje é seu aliado.

O hábito de beber de Lula continua a ser um tópico sensível no Palácio do Planalto ainda hoje. Mas as evidências disponíveis sugerem que ele moderou seu consumo nos últimos anos, e que minha reportagem pode ter desempenhado um papel nesse processo. Sei com certeza que pessoas dentro do PT que queriam que ele bebesse menos terminaram usando a matéria para reforçar sua argumentação. Sei disso porque um deles, um membro do Congresso, me disse isso pessoalmente quando, vários meses depois da controvérsia, estávamos falando sobre outro assunto e ele mudou o tema de nossa conversa para a polêmica de maio de 2004.

"Sabe, o que a gente deve é agradecer àquela matéria tua", ele me disse. Fiquei desconcertado e perguntei por quê. "Porque o Lula realmente estava exagerando na dose", ele respondeu. "E graças à tua matéria, ficou mas fácil dar uma controlada nele. Agora ele sabe que sempre está sendo observado."

Claro, desde o confronto com Lula, vários brasileiros também tocaram no mesmo assunto, se bem que de forma mais oblíqua, e não sofreram nenhuma conseqüência negativa. Antes da eleição de 2006, o ministro Luiz Fernando Furlan observou que, para se preparar para a batalha que vinha pela frente, Lula tinha "parado de beber" e perdido peso. Mas o exemplo mais notório, é claro, é Ronaldo, que respondeu a Lula na mesma moeda quando o presidente o criticou por estar acima do peso durante a Copa do Mundo de 2006. Diferentemente de mim, Ronaldo é não só brasileiro, mas também um famoso astro do futebol, então ele pode dizer o que quiser e não ter de se preocupar com represálias.

Também em junho de 2006, exatamente quando a campanha pela reeleição de Lula estava se iniciando, foi publicado um livro escrito por dois repórteres que cobriam o Palácio do Planalto, um para a *Folha de S.Paulo*, o outro para o *Estado de S.Paulo*, que imediatamente chamou minha atenção. *Viagens com o Presidente*, de Eduardo Scolese e Leonencio Nossa, apresentou um perfil de Lula que era geralmente não-elogioso, ilustrado com histórias detalhadas de estouros, insultos e comportamento agressivo em relação a subalternos.

Um incidente específico relatado por Scolese e Nossa, que o Planalto nunca negou oficialmente, me pareceu especialmente relevante. Em maio de 2005, exatamente um ano depois de ser forçado a recuar de minha expulsão, Lula embarcou para uma viagem à Ásia Oriental, visitando a Coréia e o Japão. Ao chegar a um jantar na embaixada brasileira em Tóquio, Lula pediu "uma dose caprichada de uísque com gelo", e "antes mesmo do início do jantar [...] manda servir o segundo, o terceiro e o quarto copos". Quando está na metade do quarto uísque, segundo os autores, ele começa a fustigar os países vizinhos e seus líderes, usando uma linguagem chula que deixa os outros brasileiros presentes — diplomatas, ministros, assessores, deputados, senadores — visivelmente constrangidos.

"Tem hora, meus caros, que eu tenho vontade de mandar o Kirchner para a puta que o pariu", ele começou, referindo-se a Néstor Kirchner, seu colega argentino. "A verdade é que nós temos de ter muito saco para aturar a Argentina." Quanto ao ex-presidente do Uruguai, Jorge Batle, "aquele lá não é uruguaio porra nenhuma. Aquele lá foi criado nos Estados Unidos. É filhote dos americanos". E do Chile, ele teve isto a dizer: "O Chile é uma merda. O Chile é uma piada. Eles fazem os acordos lá deles com os americanos. Querem mais é que a gente se foda por aqui. Eles estão cagando para nós."

Curiosamente, esse incidente não provocou muita reação nem crítica no Brasil quando apareceu em *Viagens com o Presidente.* A imprensa brasileira aparentemente ou já se acostumou às gafes que Lula comete quando viaja ao exterior, ou reluta em publicar algo que constranja o país e prejudique sua imagem. Mas quando a notícia desse estouro alimentado a uísque se tornou pública nos países vizinhos que eram atacados, causou indignação, danificou a imagem do Brasil como amigo e parceiro e gerou editoriais e críticas irritadas ao Brasil e a Lula em toda a imprensa.

No mínimo, o comportamento de Lula foi imprudente. Um líder político cuja imagem tinha sido prejudicada por uma controvérsia que gerou publicidade negativa para ele no mundo inteiro saberia que estava sendo ainda mais observado e teria evitado qualquer comportamento que pudesse dar crédito a mais especulações. Mas Lula aparentemente não sentia necessidade de se controlar, e se entregou a um comportamento que sugeria que ele não aprendera nada com sua amarga experiência um ano antes.

CONSIDERAÇÕES FINAIS

Admito que se coubesse a mim decidir, eu preferia nunca ter de falar de novo sobre esse incidente. Eu fico incomodado com o fato de que, das centenas de matérias que escrevi sobre o Brasil durante minha carreira aqui, de centenas de lugares e sobre dezenas de assuntos, a reportagem sobre Lula e a bebida é a única que a maioria dos brasileiros conhece. Para mim, o episódio já passou, e eu preferia escrever sobre coisas mais interessantes e importantes do que requentar o passado. Mas essa é uma realidade que tenho de aceitar, e reconheço que, quer eu queira, quer não, "o caso Larry Rohter" já faz parte da história do Brasil.

Mas Lula, provocado por repórteres brasileiros em busca de uma declaração polêmica, parece não conseguir esquecer o episódio. Ele relembrou várias vezes nos últimos quatro anos, e, inevitavelmente, o que tinha a dizer estava incorreto, motivado em parte pelo mesmo desejo de reescrever a história que ele demonstra quando fala sobre o mensalão e outros momentos constrangedores de sua presidência. E sempre que ele responde, é com novas acusações que revelam seu entendimento limitado do jornalismo ou sua indisposição de reconhecer as verdades subjacentes do que aconteceu.

Em várias ocasiões, por exemplo, Lula sugeriu que minha matéria fazia parte de uma operação de inteligência estrangeira clandestina, como o fez em entrevistas à *Folha de S.Paulo* em 2006 e 2007. Essa é uma idéia aparentemente plantada em sua cabeça por gente como Gushiken, Dirceu, Frei Betto e Mantega. Todos eles disseram publicamente que minha matéria era "encomendada", presumivelmente pela CIA, como retribuição pelo papel de líder de Lula na formação do G-20 e sua enérgica liderança em nome do Brasil e de outros países em desenvolvimento nas discussões sobre comércio na OMC. Mas para contestar essa idéia louca basta ler a cobertura das conversações comerciais em Doha e de questões como o dumping. Em uma história atrás da outra, algumas das quais estão incluídas no último capítulo deste livro, minha cobertura foi crítica do protecionismo dos países industrializados e simpática às aspirações do Brasil.

Desde o momento em que voltei ao Brasil, em 1999, repórteres e pessoas comuns começaram a pedir minha opinião sobre Lula. Eu sempre desconversei, por duas razões. Primeira, porque eu tinha de seguir o protocolo do *New York Times*, que exige que os repórteres se abstenham de apresentar suas visões pessoais sobre o povo e os temas que cobrem. Segunda, eu via Lula como uma obra ainda em progresso, e não queria julgá-lo prematuramente. Como diz a canção gospel americana: "*God ain't done with me yet*", ou seja, "Deus ainda não me terminou". Mas os anos que passei observando Lula em ação me deixaram com esta impressão: embora ele fosse muito eficiente como líder trabalhista e de oposição, como presidente ficou aquém do que se esperava, combinando algumas das piores qualidades de Ronald Reagan e George Bush.

Como Reagan, e em nítido contraste com alguém como Bill Clinton ou Ricardo Lagos, ou mesmo Néstor Kirchner, Lula não gosta de lidar com as minúcias de governar. Ele prefere usar seu considerável carisma pessoal fazendo discursos e anunciando políticas, deixando a tarefa difícil e entediante de implementar os detalhes para seus assessores. Mas esse tipo de desatenção invariavelmente leva a lapsos éticos e a escândalos — no caso de Reagan, o escândalo Irã-Contras; no caso de Lula, o mensalão.

Como Reagan, Lula também afirma que ignorava completamente as atividades ilegais que aconteciam bem debaixo de seu nariz, a apenas alguns metros de sua sala no Palácio do Planalto. Essa explicação poderia valer no caso de um homem de 75 anos, a idade de Reagan na época do escândalo Irã-Contras, com uma memória falha. Mas não é nada convincente no caso de Lula. Sabemos, por exemplo, que ele foi informado ainda em meados da década de 1990 de práticas de levantamento ilegal de dinheiro que ocorriam em seu partido. E o que aconteceu? O militante que fez a denúncia foi expulso do PT. Portanto, é forçar a credulidade pensar que quando o PT e o PL estavam negociando os detalhes financeiros do acordo em 2002 que faria deles aliados, com Lula e José Alencar sentados na sala ao lado, Lula não tinha nenhuma idéia de que havia um pagamento em dinheiro envolvido.

Tanto o escândalo Irã-Contras como o escândalo do mensalão eram potencialmente ofensas que poderiam levar ao impeachment, mas Lula, como Reagan, é um "presidente Teflon" em quem nenhuma acusação jamais cola. Em seus momentos de máxima vulnerabilidade e fraqueza, tanto Lula como Reagan também se beneficiaram da indisposição da classe governante de sujeitar seus países ao trauma político que resultaria de um processo de impeachment. Os Estados Unidos tinham passado por essa experiência com Richard Nixon uma década antes, e não queriam repeti-la; o Brasil passara pela mesma coisa com Fernando Collor de Mello e também não tinha desejo de interromper de novo a governança.

A grande força compensadora de Reagan era o que ficou conhecido como "O Grande Comunicador", uma expressão que poderia com a mesma facilidade ser aplicada a Lula. Nenhum dos dois pode ser descrito como um grande intelecto, mas ambos foram abençoados com o dom da afabilidade e de saber como se comunicar com as pessoas em uma linguagem direta e natural, com exemplos e comparações extraídos da vida cotidiana. Como Reagan, Lula parece "autêntico", sociável e prático.

As semelhanças de Lula com George W. Bush têm mais a ver com caráter e personalidade. Como Bush, Lula não parece ter muita curiosidade intelectual. Ele não gosta de ler relatórios, muito menos livros, tem uma ideologia estreita que impede que novas experiências mudem sua perspectiva, tinha muito pouca experiência do mundo fora das fronteiras de seu próprio país antes de assumir o governo, e disse algumas coisas notavelmente ingênuas e desinformadas enquanto viajava pelo exterior. Ambos maltratam sua língua nativa, mas ambos são tidos como calorosos e cativantes em situações de contato pessoal. Talvez isso explique a afinidade que eles parecem ter desenvolvido um pelo outro: apesar de suas diferenças ideológicas, parecem reconhecer um no outro espíritos aparentados.

De nenhum dos dois, contudo, pode-se dizer que tenha crescido em estatura ou credibilidade enquanto ocupava o cargo. Bush teve uma chance de grandeza oferecida a ele depois dos ataques terroristas de 11 de setembro de 2001, quando os americanos olharam para ele em busca da orientação e da liderança que tanto queriam. Mas ele desperdiçou essa oportunidade com a desastrosa decisão de ir à guerra no Iraque. Lula poderia ter alcançado sua chance de grandeza atendendo ao profundo anseio dos brasileiros por uma sociedade mais justa e eqüitativa, mas sua estatura e sua credibilidade têm sido diminuídas por uma série aparentemente infindável de escândalos de corrupção, mais marcadamente o mensalão.

O incidente em que George Bush expressou surpresa com o fato de haver negros no Brasil é notório e verdadeiro, como duas das pessoas que estavam na sala no momento me confirmaram. Mas as visões de Lula sobre os Estados Unidos são igualmente mal informadas, é difícil dizer se por ignorância ou por malícia. Todos aqueles anos de tutelagem de Marco Aurélio Garcia parecem ter feito pouco para ampliar seus horizontes.

Sugere-se com freqüência nos Estados Unidos que a presidência de George Bush tem sido uma espécie de drama edipiano no qual ele está sempre se comparando a seu pai e preocupado de não estar à altura dele. A presidência de Lula é em muitos aspectos semelhante, mas com Fernando Henrique Cardoso no papel da figura do pai que é invejado e ressentido. É absolutamente chocante ver a freqüência com que Lula se sente compelido a fazer ataques gratuitos contra FHC. As bravatas intermináveis sobre o torneiro mecânico realizando o que o professor não conseguiu, por mais cansativas que tenham se tornado, são apenas uma manifestação do complexo de inferioridade que Lula evidentemente sente em relação a FHC.

No dizer de Lula, ele é a "cara do Brasil" e FHC, uma espécie de elitista desligado da realidade brasileira simplesmente porque fala cinco línguas e tem um ph.D. Uma coisa é Lula se orgulhar de chegar à Presidência apesar de ter nascido na pobreza e recebido pouca instrução. Esse é um feito histórico notável que retrata positivamente o Brasil e a mobilidade social que a sociedade brasileira oferece. Mas Lula abraçar um culto da ignorância, argumentando que é um presidente melhor precisamente porque não tem instrução, é absurdo e insulta a inteligência do eleitor brasileiro. Eu argumentaria que FHC é tão autenticamente brasileiro quanto Lula. O Brasil tem muitas faces, e Lula e FHC representam aspectos diferentes mas igualmente pertinentes do Brasil e do caráter brasileiro.

Em janeiro de 2009, George Bush estará fora do poder, tendo provocado danos incalculáveis aos Estados Unidos. Lula, porém, ficará no governo pelo menos até 1º de janeiro de 2011. Ele pode esperar voltar num momento posterior, como ele mesmo tem sugerido, em 2015. Alguns de seus apoiadores mais exuberantes no PT, reconhecendo a escassez de líderes elegíveis de seu partido e a pouca aprovação que eles agora têm por causa da corrupção e de uma longa trilha de promessas quebradas, têm até tramado para que ele tenha um terceiro mandato consecutivo. Eles têm pressionado nos bastidores, sem sucesso até agora, para fazer as mudanças na Constituição exigidas para que isso aconteça.

Mas qualquer coisa desse tipo seria um passo atrás para o Brasil. A possibilidade de mudança e um novo estilo de política que Lula representava trinta anos atrás, quando o conheci, se dissiparam há muito tempo. Hoje, Lula e seu partido representam um modo retrógrado de conduzir a política e endossar idéias quase igualmente datadas. Embora os dois mandatos de Lula tenham trazido melhoras perceptíveis na vida brasileira, especialmente para os pobres, esses avanços são limitados ao campo material. Em termos morais e éticos, o Brasil não avançou, graças à convicção do PT de que o fim justifica os meios e ao uso arbitrário do poder por Lula. Fui, de um modo muito pequeno e por um breve momento, uma vítima disso. Mas as maiores vítimas são os brasileiros, que sofrerão as conseqüências das chances perdidas por Lula muito tempo depois que eu tiver sido esquecido.

Herói da classe trabalhadora*

Data: 30 de abril de 1979

SÃO PAULO (SP) — Ele aparece diariamente nos telejornais e programas de entrevistas. Sua foto está estampada na capa das revistas de notícias do país e chefes de Estado visitantes pedem para se encontrar com ele. Num país onde a agitação trabalhista tem sido punível com prisão, Luiz Inácio da Silva — mais conhecido como Lula — é um herói da classe operária. Embora nunca tenha concluído o curso ginasial, este torneiro mecânico de 33 anos tem levado lixeiros, professores, motoristas de ônibus e médicos a entrar em greve, para conquistar bons aumentos de salários. "Incomoda empresários e políticos daqui ter de se sentar e tratar Lula de igual para igual", diz um jornalista brasileiro. "Incomoda ainda mais quando ele os chama de ladrões e exploradores."

No mês passado, Lula liderou 200 mil trabalhadores, no cinturão de subúrbios industriais em torno de São Paulo, numa greve de duas semanas por salários mais altos e melhores condições de trabalho. Como as greves são praticamente ilegais no Brasil, o governo prendeu 1.600 pessoas e destituiu Lula do posto de presidente do Sindicato dos Metalúrgicos. Mas Lula tem desafiado as autoridades e ganhou mais apoio do que nunca dos 90 milhões de trabalhadores do Brasil. Continua encontrando-se regularmente com dirigentes governamentais e empresariais e ainda faz pressão pelas reivindicações originais do sindicato, que incluem grandes aumentos salariais, o direito de ter um representante do sindicato fiscalizando as linhas de produção e nenhum desconto pelos dias parados. "O operário brasileiro precisa ganhar bem para comer bem", diz Lula.

A militância de Lula é incomum entre líderes operários brasileiros. Mesmo antes de os militares tomarem o poder em 1964, os sindicatos operavam como virtual braço do governo. Seus dirigentes eram chamados desdenhosamente de *pelegos* (pele de carneiro que se põe sob a sela) — gíria dos trabalhadores para designar a política do governo de usar os dirigentes trabalhistas para sufocar e abrandar descontentamentos da classe operária. Mas as tensões aumentaram nos últimos 15 anos, enquanto a economia brasileira crescia rapidamente e a região de São Paulo desenvolvia a maior concentração industrial da América Latina. "A conduta do governo tem sido a pior possível", diz Lula. "O que conquistamos até agora custou muita luta, e também teremos de lutar pelo que queremos no futuro."

Os metalúrgicos de Lula começaram sua batalha há quase um ano, quando se recusaram a aceitar um decreto do governo estabelecendo que o aumento de salário fosse igual à taxa de inflação; em vez disso, eles insistiram num aumento de 11% acima da inflação. Pouco depois de assumir o cargo em março, o presidente João Baptista Figueiredo atacou as reivindicações dos grevistas, chamando-as de "elitistas". E, apesar de uma "trégua" de 45 dias, durante a qual os empresários prometeram não demitir trabalhadores, mais de quatrocentos foram dispensados de montadoras de veículos, da indústria química e de outras fábricas. "Os empresários descumpriram sua palavra e o governo não faz nada", acusa Lula. Na semana passada, com a inflação mensal chegando a 5,8% — a mais alta em 14 anos —, professores, funcionários de postos de gasolina e empregados de postos de gasolina e funcionários da cidade de São Paulo também entraram em greve. "Este país vai ter problemas", adverte um diplomata em Brasília. "Basta olhar para as taxas de inflação."

Lula é um líder natural para os trabalhadores descontentes. Suas raízes são proletárias. Ele tem trabalhado como torneiro mecânico desde que sua família migrou de Pernambuco para São Paulo — numa viagem de 13 dias que Lula relembra ter passado "num pau-de-arara". Seu irmão mais velho depois foi preso devido a ativismo sindical, o que ajudou a atrair Lula para a causa. Hoje, ele freqüentemente se senta na capota de um carro estacionado em frente à catedral de São Bernardo do Campo, ouvindo queixas de membros do sindicato sobre represálias na firma. Alguns dos motoristas que passam por ali põem a cabeça para fora e gritam: "Para a frente, Lulão! Estamos com você até o fim." Outros buzinam e o saúdam com os polegares voltados para cima.

O surgimento de Lula como figura nacional atraiu os políticos, mas ele tem se mantido distante. "Há sempre uma pequena elite no topo, atuando em nome da massa de pessoas lá embaixo, sem saber o que esse povo quer", diz ele. "Não vou permitir que eu ou a classe operária sejamos usados dessa maneira." Recentemente, para um encontro com o chanceler alemão

Helmut Schmidt no São Paulo Hilton, ele comprou um terno: sua conversa foi menos formal. "Eu lhe disse que a Volkswagen é a pior, a mais repressora de todas as multinacionais que operam no Brasil", relembra.

Quando a "trégua" expirar em meados de maio, Lula e seus metalúrgicos prevêem que as greves provavelmente voltarão. Contudo, o ministro do Trabalho, Murilo Macedo, disse que é possível chegar a um acordo e apostou sua reputação nisso: o governo tem até insinuado que pode anunciar uma revisão do antiquado código do trabalho no dia 1º de maio e reempossar Lula na presidência de seu sindicato. "Não importa o que aconteça", diz um embaixador latino-americano em Brasília, "Lula continuará sendo um importante protagonista na política brasileira. Ele é um fator completamente novo tanto no Brasil quanto na América Latina". Lula afirma que os brasileiros se encontram tão preparados para a luta de classes quanto os operários em qualquer parte do mundo — e para provar isso, vêm estocando alimentos em igrejas de São Paulo, preparando-se para a próxima greve.

---

* Reportagem publicada na revista *Newsweek*.

Transformação de político de esquerda recebida com ceticismo no Brasil

Data: 7 de julho de 2002

SÃO PAULO (SP) — No começo de sua carreira política, quando sua voz era áspera e ele tinha barba e cabelo descuidados, Luiz Inácio Lula da Silva às vezes fazia campanha com uma camiseta em que se lia a advertência: "Não estou de bom humor hoje."

Mas agora que concorre pela quarta vez à presidência do Brasil, o eterno candidato do Partido dos Trabalhadores, de esquerda, prefere ternos elegantemente talhados e tenta firmemente sorrir para as platéias.

Saber se a ideologia de Lula também mudou é uma questão mais complexa. Ele tem inquietado os mercados aqui e no exterior, enquanto luta para manter a posição de candidato favorito até 6 de outubro, quando será realizado o primeiro turno da eleição.

Nas últimas semanas, o real, a moeda brasileira, teve sucessivas baixas recordes e o mercado de ações despencou, devido aos temores de que Lula e seu partido ainda sejam, no fundo, agitadores revolucionários e pretendam governar dessa maneira, se ele se tornar presidente do maior país da América Latina. Um segundo turno acontecerá dia 27 de outubro, se nenhum candidato conquistar a maioria no primeiro turno.

Lula diz que suas opiniões socialistas "evoluíram e se abrandaram". Mas os investidores estrangeiros e a classe média brasileira, de cujos votos ele precisa para vencer, continuam a especular se sua transformação é apenas superficial.

O candidato tem reagido condenando a especulação do mercado, o que ele chama de "terrorismo econômico", mesmo quando tenta tranqüilizar os desconfiados.

"Vejam, se nos 22 anos de história do Partido dos Trabalhadores eu não tivesse mudado, algo estaria errado", disse recentemente Lula, ex-líder operário. "Acho que tenho mudado, mudado muito", acrescentou, "e acho que o Partido dos Trabalhadores está muito mais maduro, muito mais consciente".

Contudo, as causas do ceticismo que tanto exaspera Lula são fáceis de perceber. Como observou em recente artigo a *Veja*, principal revista do país, quase toda reformulação de posição que ele tem feito na atual campanha "é seguida de uma cláusula de ressalva", que parece destinada a tranqüilizar e garantir à base esquerdista do partido que ele não vai traí-la.

"É verdade que o Partido dos Trabalhadores está mais moderado do que era antes, mas isso não acalma as pessoas", diz o prestigioso analista político Bolívar Lamounier, em entrevista aqui na cidade onde o partido nasceu. "Durante vinte anos, eles deram a impressão de serem mais revolucionários do que realmente são, e agora estão colhendo o que semearam."

Lula, que tem 56 anos, agora promete que, se eleito, nada fará para abalar a confiança dos investidores. Mas seu partido é um aglomerado de esquerda historicamente dado a fortes discussões e divisões internas, que vai desde uma facção trotskista impenitente, apelidada de "os xiitas", até um grupo de socialistas de estilo europeu, chamados de "os cor-de-rosa". Sua plataforma reivindica uma "ruptura necessária" com o atual modelo econômico do Brasil, para evitar "a subordinação aos interesses e caprichos do capital financeiro globalizado".

Lula também diz que não deixará de fazer os pagamentos da crescente dívida externa do Brasil, o que representa uma mudança em relação às posições adotadas pelo partido até pouco tempo. Ele promete, entretanto, "renegociar" essas obrigações na época do vencimento.

Embora afirme não ser contra uma zona de livre-comércio nas Américas, Lula diz que só a apoiará se a considerar "verdadeiramente correta e justa" e se não excluir a Cuba comunista.

Na verdade, a popularidade de Lula tem subido juntamente com a oposição aos mercados livres que está crescendo na América Latina, à medida que se torna claro que a onda de privatização e desregulamentação da década de 1990 não trouxe prosperidade, nem mesmo crescimento sustentado.

"Cada país tem seu próprio modelo econômico, sua própria política tributária e de desenvolvimento, e o Brasil precisa construir a sua", disse ele. "O Brasil não pode ser tratado como se fosse uma colônia. O Brasil precisa pensar sobre o que quer, sobre o que o povo brasileiro quer."

Em outro esforço para se aproximar do centro, no fim de junho Lula escolheu um surpreendente companheiro de chapa — José Alencar, magnata da indústria têxtil e senador, que pertence a um pequeno partido de direita ligado a grupos evangélicos protestantes.

Mas os fiéis do Partido dos Trabalhadores presentes à convenção de indicação vaiaram ruidosamente a escolha, e Lula agora está sendo acusado de traição por dois candidatos presidenciais mais à sua esquerda.

Não querendo desviar-se de sua mensagem, Lula geralmente tem evitado situações em que possa ser instado a esclarecer contradições em sua plataforma. Durante um período de dez meses, ele se recusou a atender vinte pedidos de entrevista do *New York Times*. Seu principal assessor de imprensa, José Eduardo Mendonça, também se recusou a ser entrevistado.

Mas em recente entrevista coletiva a repórteres estrangeiros, Lula descartou a idéia de que três frustrantes derrotas, desde 1989, o tinham estimulado a tentar vender um "Lula light" mais palatável na atual campanha.

"Mudei mais na forma do que no conteúdo", disse ele.

O presidente do Partido dos Trabalhadores, José Dirceu, explica numa entrevista: "Nossos objetivos continuam sendo os mesmos, mas os métodos, a maneira de atingirmos essa meta, mudaram."

A meta principal, acrescenta Dirceu, continua sendo "um novo contrato social" que ponha fim à desigualdade e à exploração. Lula "não está prometendo socialismo no Brasil", mas o simbolismo do Partido dos Trabalhadores no poder seria poderoso e inescapável, observa Dirceu.

Silva é, talvez, o sobrenome mais comum no país, e Lula diz que fala em nome das massas espoliadas, de cuja experiência participou.

"Antes de tudo", diz Dirceu, "eleger um presidente com o sobrenome Silva é uma ruptura cultural muito importante no Brasil". Desde que o Brasil se tornou República, há mais de um século, disse ele, "tem sido apenas a elite que elege presidentes e controla o poder neste país, e precisamos romper com isso para que possa haver participação popular na administração do Estado".

Lula nasceu no árido estado nordestino de Pernambuco, numa família de camponeses, mas, como milhões de outras pessoas da região, migrou, ainda criança, para o cinturão industrial em torno de São Paulo. Tornou-se operário de fábrica aos 14 anos de idade e perdeu parte de um dedo num acidente de trabalho. De acordo com as biografias, foi estimulado por Frei

Chico, um irmão mais velho que na época era membro do Partido Comunista, a participar ativamente do movimento operário.

Foi sua liderança numa série de greves de metalúrgicos aqui, no final da década de 1970, que o projetou no cenário nacional e fez dele o mais importante líder sindical do país. Mas, com exceção de quatro anos passados na Câmara dos Deputados, Lula nunca ocupou cargo eletivo, o que leva adversários a questionarem sua capacidade para governar um país complexo, com dimensões continentais e 175 milhões de habitantes.

Fernando Henrique Cardoso tem aproveitado as preocupações dos eleitores brasileiros com a desordem em países vizinhos para defender seu candidato escolhido a dedo, o ex-ministro da Saúde, José Serra, do Partido da Social Democracia Brasileira, que esteve no poder nos últimos oito anos. Fernando Henrique derrotou Lula em 1994 e 1998.

"Se fosse eleito um presidente incompetente, poderíamos ter o mesmo destino da Argentina", disse FHC no mês passado.

Mas, em recente entrevista à imprensa brasileira, a embaixadora americana no Brasil, Donna J. Hrinak, comparou a ascensão de Lula, de torneiro mecânico a aspirante a presidente, ao equivalente brasileiro do sonho americano.

"Lula teve de superar uma porção de coisas para chegar ao ponto em que está", disse ela.

Embora Lula tenha viajado muito nos últimos anos, algumas de suas opiniões sobre o mundo fora do Brasil ainda parecem baseadas em estereótipos sustentados pela esquerda latino-americana durante a Guerra Fria. Em discurso feito em Cuba no ano passado, ele deixou claro que continuava apoiando o presidente Fidel Castro e seu governo ditatorial.

"Obrigado a você, Fidel Castro, obrigado por você existir", disse ele. "Embora seu rosto esteja marcado de rugas, Fidel, sua alma continua limpa, porque você não traiu os interesses do seu povo."

Como seu amigo Hugo Chávez, presidente da Venezuela, Lula tem mantido uma posição crítica em relação aos esforços dos Estados Unidos para se defenderem contra o terrorismo, após o 11 de Setembro.

"Acho que tentar resolver os problemas da humanidade por meio da guerra não é a melhor experiência para a raça humana", afirmou ele, falando do governo Bush.

José Dirceu diz que "nenhum governo dirigido por Lula vai seguir uma política antiamericana, porque isso seria politicamente estúpido". Mas também deixa claro que Lula queria que o Brasil fosse mais independente e autoconfiante no cenário mundial.

"Se os bancos e as grandes corporações querem no Brasil um governo que seja dócil ao capital financeiro e submisso ao Departamento de Estado, aí não tem jeito", diz. "Preferiríamos perder a eleição a aceitar isso."

Operário e, talvez, presidente

Data: 8 de outubro de 2002

SÃO PAULO (SP) — Quando criança, ele trabalhava na lavoura ao lado da mãe; adolescente, forçado pela pobreza a deixar a escola, trabalhou em fábricas, em turnos de 12 horas. Mas agora, com 56 anos, Luiz Inácio Lula da Silva está a apenas um passo de se tornar o primeiro operário a ser eleito presidente do Brasil.

Mais de 38 milhões de pessoas votaram em Lula, candidato do Partido dos Trabalhadores, de esquerda, nas eleições de domingo, duas vezes mais do que os votos dados ao seu mais próximo adversário, José Serra, do centrista Partido da Social Democracia Brasileira. Os dois irão se enfrentar num segundo turno, no dia 27 de outubro, mas Lula agora é o favorito, e não somente porque esse é, por acaso, o dia do seu aniversário.

"Paciência! No dia 27, vamos concluir a tarefa de convencer eleitores que rejeitaram o modelo econômico", disse Lula hoje, numa entrevista coletiva, menosprezando sugestões de que estava desapontado por não ter vencido no primeiro turno, como as pesquisas sugeriam que poderia ocorrer. "Nosso estado de espírito está até melhor do que o da seleção", acrescentou, referindo-se ao time que conquistou a Copa do Mundo, três meses atrás.

Lula parece ser um pára-raios para o descontentamento dos 175 milhões de habitantes do Brasil. A economia desacelerou, o desemprego está alto, o valor da moeda está em queda, e ele afirma que seus conhecimentos, seu passado e visão do mundo o ajudarão a ter sucesso onde todos os gestores, tecnocratas e administradores experientes têm falhado.

"Lula foi profundamente marcado pela experiência de ter passado fome, vivido na miséria e, pessoalmente, ter feito parte dos socialmente excluídos", diz Frei Betto, frade católico que é um dos mais antigos amigos de Lula e seu biógrafo. "Gosta de dizer que a revolução que ele quer é garantir para cada brasileiro um prato de comida por dia."

Luiz Inácio Lula da Silva nasceu perto de Garanhuns, povoado de pequenos agricultores do estado de Pernambuco, no dia 27 de outubro de 1945, o penúltimo de sete filhos. Os pais eram agricultores, mas, poucos meses após seu nascimento, o pai migrou para o estado de São Paulo, onde se empregou como estivador.

Sete anos depois, Lula, sua mãe e irmãos também rumaram para o Sul, onde descobriram que o pai formara outra família. Para ajudar sua mãe a completar o orçamento, Lula trabalhou como engraxate e vendedor de rua, vendendo amendoim e balas.

Aos 12 anos, depois de se alfabetizar, começou a trabalhar em tempo integral, sendo finalmente contratado numa fábrica de parafusos, onde permaneceu por quatro anos. Durante as horas livres, estudava numa escola técnica, onde obteve o certificado de torneiro mecânico.

Transferindo-se para uma fábrica de metal laminado, fazia freqüentemente horas extras e perdeu parte do dedo mínimo da mão esquerda, num acidente de trabalho. Quando foi demitido durante um período de recessão, passou seis meses batendo de porta em porta, até conseguir novamente emprego em outra fábrica.

Embora agora use ternos feitos sob medida — numa concessão aos coordenadores da campanha —, esses tempos duros do início de sua vida continuam sendo, ao mesmo tempo, a fonte das reivindicações de Lula por um Brasil mais justo e de sua atração para as massas populares. Enquanto estava ainda na casa dos 20 anos, ele também sofreu a perda de sua primeira mulher num parto, porque o casal não podia se dar ao luxo de pagar cuidados médicos adequados.

"Um cara como o Serra nunca poderia entender o que nós, pessoas comuns, temos de agüentar no Brasil", diz Aderaldo Nascimento da Silva, um entregador de 25 anos, que no domingo votou no Partido dos Trabalhadores. Foi a primeira vez que ele votou numa eleição. "Mas Lula, pessoalmente, teve momentos difíceis e sente a mesma coisa que nós."

Lula começou sua carreira sindical aos 22 anos, estimulado por um irmão mais velho, que era membro do Partido Comunista Brasileiro. Em 1975, ano em que o irmão foi preso e torturado pela ditadura militar, Lula foi eleito presidente do Sindicato dos Metalúrgicos em São Bernardo do Campo.

Em 1980, após liderar uma série de greves combativas (e na maior parte bem-sucedidas), ele já se tornara uma figura nacional. Mas quando seu sindicato organizou outra greve naquele ano, foi detido, destituído do posto e condenado por violar a draconiana Lei de Segurança Nacional da ditadura, veredicto que foi derrubado graças a um recurso de apelação.

A partir daí, ele e um pequeno grupo de líderes operários ampliaram o foco de suas metas e começaram a organizar o Partido dos Trabalhadores, como uma entidade política mais flexível do que os partidos de esquerda encontrados em outras partes da América Latina. Ele compara seu partido a uma árvore cujo tronco é firmemente socialista, mas tem galhos que acomodam socialdemocratas e trotskistas, defensores da teologia da libertação e gays, intelectuais e ambientalistas.

"Hoje, não há no mundo nenhum partido de esquerda que tenha as características do Partido dos Trabalhadores", disse ele recentemente, em que "dogmas não prevalecem e pessoas com as mais diversas tendências políticas podem participar".

O partido disputou eleições pela primeira vez em 1982, com Lula candidato a governador de São Paulo, usando o slogan "Trabalhadores votam em trabalhadores". Perdeu feio, mas manteve-se orgulhosamente fiel às suas origens: quando lhe perguntavam se era comunista, respondia invariavelmente: "Não, sou torneiro mecânico."

Ele foi candidato do partido nas quatro eleições presidenciais realizadas no Brasil desde o fim do governo militar, em 1985. Sua porcentagem de votos cresceu a cada eleição, mas, até este ano, a maioria dos especialistas afirmava que seu partido tinha um "teto eleitoral" de 35% a 40% que iria impedi-lo de se tornar presidente.

Nos últimos anos, porém, "tanto Lula quanto o Partido dos Trabalhadores mudaram, porque o Brasil e o mundo mudaram", disse José Dirceu, presidente do partido e um dos mais íntimos parceiros políticos de Lula. Hoje, Lula parece se considerar um democrata do *mainstream*, mais próximo, em temperamento e ideologia, do Partido Socialista da França do que de Fidel Castro, um antigo ídolo.

"De vez em quando alguém vem me dizer que meu discurso de 1980 não era como os que faço hoje", disse ele no começo deste ano. "Que bom!"

Político de esquerda assume o poder no Brasil e promete um "novo caminho"

Data: 2 de janeiro de 2003

BRASÍLIA (DF) — O maior país da América Latina embarcou hoje numa ambiciosa experiência política e social, quando Luiz Inácio Lula da Silva, líder do Partido dos Trabalhadores, de esquerda, ex-torneiro mecânico e líder sindical, foi empossado como presidente do Brasil, prometendo "um novo estilo de governo" e uma cruzada contra a fome, a injustiça e a corrupção.

"Chegou o momento de trilhar novos caminhos", declarou Lula em seu discurso de posse, afirmando que o progresso do Brasil tinha sido emperrado pelo que ele chamou de "impasse econômico, social e moral" de um sistema baseado no egoísmo.

"Vamos mudar, sim. Mudar com coragem e cuidado, humildade e ousadia", acrescentou.

Em pelo menos dois sentidos, a história brasileira não apresenta nenhum precedente para a ascensão ao poder de Lula, que tem apenas instrução elementar, perdeu parte de um dedo num acidente de fábrica e, como relembrou em seu discurso, vendeu amendoim nas ruas, quando criança, para ajudar sua mãe divorciada a equilibrar o orçamento. Ele é o primeiro membro da classe operária a se tornar presidente aqui e o primeiro candidato de um partido de esquerda a vencer uma eleição presidencial.

Lula conquistou uma vitória esmagadora em outubro, recebendo mais de 52 milhões de votos em sua quarta tentativa de chegar à presidência, ao apresentar uma plataforma que prometia aos 175 milhões de habitantes do Brasil melhores tempos, após quase uma década de austeridade. Hoje, ele tocou nesse tema novamente, dizendo que "criar empregos vai ser minha obsessão" e que "é absolutamente necessário que este país volte a crescer".

O presidente atribuiu seu retumbante triunfo à rejeição das políticas de livre mercado do seu antecessor, Fernando Henrique Cardoso.

A troca de guarda tem deliciado e revigorado a esquerda latino-americana, como ficou evidente pelas delegações estrangeiras de sindicalistas e simpatizantes políticos que agitavam bandeiras argentinas, uruguaias, equatorianas e peruanas, enquanto se misturavam com brasileiros comuns ao longo da rota do desfile.

Dirigentes mundiais iam desde o presidente Thabo Mbeki, da África do Sul, ao príncipe das Astúrias, herdeiro do trono espanhol. Mas os dois chefes de Estado que atraíram mais atenção e arrancaram mais aplausos foram Fidel Castro, de Cuba, e o polêmico presidente da Venezuela, Hugo Chávez, que recentemente convidou Lula e Fidel a se juntarem a ele no que chamou de "eixo do bem" latino-americano.

No que foi visto aqui como uma descortesia calculada, Robert B. Zoellick, representante comercial dos Estados Unidos, chefiou a delegação americana. Durante a recente campanha, Lula classificou Zoellick como "o subsecretário do subsecretário do subsecretário", depois que o funcionário americano sugeriu que o Brasil seria reduzido à posição de exportador para a Antártica, se rejeitasse o plano do governo Bush de uma Área de Livre Comércio para as Américas

"É natural que o presidente americano não viesse ao Brasil nesta data", lamentou segunda-feira, numa entrevista, o presidente do Partido dos Trabalhadores, José Genoíno. "Mas poderia ter enviado um representante com mais peso. Mas tudo bem. Os americanos são assim mesmo."

Hoje, a única referência de Lula às relações com os Estados Unidos foi apelar para "uma parceria madura" entre os dois países mais populosos do hemisfério. Mas, por duas vezes, criticou indiretamente o governo Bush, afirmando que "crises como essas no Oriente Médio deveriam ser resolvidas pacificamente e por meio de negociações" e queixando-se de subsídios e tarifas que minam a capacidade do Brasil para exportar produtos agrícolas.

Um dos slogans da campanha de Lula era que "a esperança vence o medo", e o otimismo e o entusiasmo provocados por sua vitória ficaram amplamente evidentes. Quando Lula, de 57 anos, dirigiu-se para sua posse num Rolls-Royce, espectadores subiram em árvores para saudá-lo e interromperam o cortejo da guarda de honra que vinha a cavalo. Uma pessoa chegou a pular dentro do carro para abraçar e beijar Lula.

A vasta esplanada em frente ao edifício do Congresso onde Lula prestou juramento parecia uma gigantesca festa ao ar livre, com dezenas de milhares dos novos partidários do presidente se reunindo para cantar, dançar, comer e beber. Alguns estavam acampados em barracas, depois de viajar durante dias para participar da celebração, enquanto outros haviam dormido em carros, caminhões e ônibus.

Alguns seguidores, muitos deles usando camisetas ou bonés vermelhos, carregavam a bandeira vermelha com uma estrela branca dentro do Partido dos Trabalhadores ou faixas lembrando as origens humildes de Lula. Um cartaz com uma história em quadrinhos mostrava três imagens contrastantes dele: a primeira, com uma maleta barata, lembrando a migração de sua família camponesa do Nordeste pobre, a segunda com ele segurando uma chave de boca para simbolizar seus anos como operário de fábrica, e a terceira com ele usando a faixa presidencial do Brasil.

Kleber Gonzaga, 24 anos, fazia parte de um grupo de 14 estudantes universitários do estado natal de Lula, Pernambuco, que alugaram uma van e viajaram exatamente 2.125 km para vê-lo tomar posse. Perderam a festa de ano-novo em casa, ao partirem no domingo, e a viagem vai custar a cada um deles o equivalente ao salário de um mês, mas disseram que isso não tem importância.

"Não é apenas por Lula ser do agreste, como a gente, ou porque, como homem do povo, tenha sofrido em sua própria pele o mesmo tipo de problemas e dificuldades que nós temos", explicou Gonzaga. "A maior parte de nós estuda ciências sociais, e a gente queria testemunhar este momento histórico, a fim de poder contar aos nossos futuros alunos que estivemos aqui."

Guerra do Brasil contra a fome começa lentamente

Data: 30 de março de 2003

BRASÍLIA (DF) — Um dia depois de ser eleito presidente do Brasil, Luiz Inácio Lula da Silva anunciou que a grande prioridade de sua administração seria garantir que cada brasileiro pudesse comer três refeições por dia. Mas, cinco meses depois de advertir que "quem tem fome tem pressa" e de prometer ajuda imediata, seu programa Fome Zero tem gerado mais polêmica do que resultados.

As razões para o atraso, segundo os críticos, vão desde a falta de experiência administrativa do novo governo até um prolongado debate filosófico que tem retardado o início do programa. A ajuda deve ser providenciada em forma de cupons, vale-alimentação, transferência de dinheiro ou distribuição de comida? Devem ser exigidos recibos? Um cardápio nacional único ou variações regionais?

"A sociedade está mobilizada para romper este círculo vicioso de pobreza e fome", reconhece numa entrevista aqui José Graziano, chefe do novo Ministério de Segurança Alimentar do governo. "Há uma grande expectativa e estamos tendo dificuldade em atendê-la."

O apoio popular ao programa é de fato excepcionalmente forte, com comunidades ricas organizando campanhas de doações e grandes firmas oferecendo anúncios de graça, linhas telefônicas e outros serviços. Mas, recentemente, quando os jornais informaram que um cheque de US$ 15 mil que a modelo brasileira Gisele Bündchen doou, após aparecer num desfile de modas em janeiro, não tinha sido trocado, o programa começou a ser atacado.

"Burocracia 10, Fome 0", afirmou uma manchete. Outro jornal assim intitulou uma reportagem: "Amadorismo 1, Fome 0."

No momento, apenas duas cidades, Guaribas e Acauã, no estado do Piauí, no remoto sertão, estão participando de uma versão piloto do programa, que tem um orçamento de mais de US$ 500 milhões para este ano. Por volta do meio do ano, prevê Graziano, pelo menos 150 cidades estarão fazendo parte do programa, com o número subindo para mil até o fim do ano.

Mas os moradores de uma das cidades escolhidas disseram que, na verdade, precisavam de maior acesso a água potável, não de comida. Também se queixaram de que tinham autorização para gastar o pagamento mensal apenas em produtos alimentícios básicos, e não em remédios, roupas, livros escolares ou outros artigos de que poderiam ter mais necessidade.

"Estamos começando com essas medidas que exigem o menor investimento", diz Graziano. "Mas este é um programa a longo prazo, com mais de sessenta elementos."

O governo, entretanto, parece não saber com certeza a quantas pessoas terá finalmente de ajudar. Durante a campanha, Lula falava de 50 milhões de brasileiros famintos, numa população de 175 milhões. Mas, depois de eleito, alguns dos seus assessores começaram a usar a cifra mais modesta preferida pelo serviço de estatística do governo, cerca de 18 milhões de pessoas.

Parte da confusão pode ser lingüística. Os brasileiros tendem a usar uma única palavra — fome — para designar, de maneira intercambiável, fome, subnutrição, escassez de alimentos e inanição. Também não está claro se os possíveis beneficiários estão passando fome ou simplesmente têm baixa renda, uma distinção importante num país em que milhões vivem da agricultura de subsistência,

A ajuda a famílias famintas também foi reduzida, refletindo as medidas de austeridade que Lula foi forçado a adotar, como parte de um acordo com o Fundo Monetário Internacional. Durante a campanha eleitoral, ele falava de quantias de até US$ 70 mensais, mas o esforço do Fome Zero, pelo menos inicialmente, vai ser limitado a um pagamento de US$ 15 por mês.

Em face dos atrasos, Zilda Arns, diretora do mais bem-sucedido programa de assistência social a crianças necessitadas, associado à Igreja católica, advertiu recentemente que o governo "não deve tentar reinventar a roda". Embora "seja natural que as pessoas queiram apresentar suas próprias idéias e inovar", disse ela, "o bom administrador sabe como olhar para o que já está funcionando".

Mas as autoridades que administram o Fome Zero têm posição uniformemente crítica aos trabalhos do governo anterior de Fernando Henrique Cardoso, que, em dezembro, foram elogiados pelas Nações Unidas. Embora o ministro da Educação, Cristovam Buarque, tenha sugerido que se usasse um programa escolar de tíquetes já existente para administrar o auxílio alimentação, o Ministério da Segurança Alimentar afirma que esse plano e outros como ele são cheios de falhas.

"O registro oficial não é confiável", diz Frei Betto, assessor íntimo de Lula que foi designado para o programa de alimentos. Segundo ele, havia pessoas no registro que não deviam estar recebendo ajuda e pessoas fora da lista que deveriam estar no registro.

Antes que Fernando Henrique Cardoso assumisse o poder em 1995, "o Brasil tinha três dezenas de programas de fome e nutrição que freqüentemente eram pouco mais do que patrocínio e clientelismo político, mal administrados e coordenados, com muito desperdício e incompetência", diz Nancy Birdsall, do Centro de Desenvolvimento Global em Washington, que no passado monitorou programas sociais do Brasil para o Banco Mundial. "Mas acho que houve uma grande limpeza no governo de Fernando Henrique."

Frei Betto diz que o programa Fome Zero evitará qualquer tipo de retorno ao clientelismo político, encaminhando diretamente a ajuda aos pobres, em vez de às autoridades locais. Mas, em alguns estados, prefeitos da oposição estão ameaçando não participar do programa, argumentando que a nova estrutura, que inclui conselhos supervisores locais, se destina a atender aos interesses de congressistas e deputados estaduais pertencentes ao partido de Lula, o Partido dos Trabalhadores.

"Um ministério não é o caminho certo", porque "você cria mais estrutura e não resolve nada", advertiu recentemente Mauro Morelli, bispo católico há muito tempo envolvido em esforços antifome. "Sem parceria com a sociedade", disse ele, "o governo tem dificuldade em escapar de duas coisas terríveis: burocracia e corrupção".

Líder brasileiro entra cautelosamente na cena mundial

Data: 31 de maio de 2003

BRASÍLIA (DF) — Aprender uma nova tarefa enquanto a executa não é coisa nova para Luiz Inácio Lula da Silva. Ele fez isso há quase quarenta anos, como aprendiz de torneiro mecânico, e, agora, presidente novato do maior país da América Latina, está revivendo o mesmo fenômeno.

Não que apenas venha estudando manuais de economia para dominar melhor o assunto que lhe apresenta o desafio mais difícil. Lula também está reformulando algumas idéias que há muito acalentava sobre o mundo e sobre como ele funciona, mesmo que isso desagrade ao eleitorado de esquerda que, no ano passado, ajudou a elegê-lo o primeiro presidente-operário do Brasil.

"Deus, quando fez o ser humano, fez sua cabeça redonda, para que as idéias possam circular" e "possamos mudar de idéia de vez em quando", disse ele nesta semana, durante entrevista de uma hora a sete repórteres estrangeiros, no palácio presidencial. "Tenho de me adequar a essa realidade", acrescentou, "e trabalhar na base dessa realidade e não de minhas aspirações".

No caso de Lula, isso tem significado arquivar grande parte da ambiciosa agenda social que o levou a se eleger por margem recorde de votos. Em vez disso, ele tem aumentado as taxas de juros, apresentou um pacote de reforma fiscal que pode cortar benefícios de pensionistas e aumentar a arrecadação de impostos e reduziu as despesas do governo, a fim de cumprir as metas de superávit orçamentário estabelecidas num acordo com o Fundo Monetário Internacional.

"O PT mudou, porque mudou a realidade, mudou porque virou governo", prossegue. "É uma mudança natural."

A entrevista aos repórteres foi a primeira desde que Lula tomou posse em janeiro e antecedeu o que promete ser uma explosão de atividade e exposição pública dele no país e no exterior. Fiel ao estilo informal de Lula, o encontro foi classificado como "conversa" e não uma entrevista formal, o que significava, de acordo com as regras estabelecidas pelo Planalto, que suas observações não podiam ser gravadas nem filmadas.

Lula foi o único chefe de Estado a comparecer ao Fórum Social Mundial e ao Fórum Econômico Mundial, ambos em janeiro, refletindo suas origens como líder operário de esquerda e sua nova condição de estadista. Mas sua estréia no cenário mundial acontecerá quando comparecer ao encontro do Grupo dos 8 (G-8) em Évian, França, na próxima semana, e no dia 20 de junho, quando deverá visitar o presidente Bush, em Washington.

Bush é, sob muitos aspectos, o oposto de Lula em ideologia e educação. O presidente brasileiro é cético quanto a um acordo de livre-comércio patrocinado pelos americanos, criticou até a ação militar americana contra o terrorismo no Afeganistão e, segundo citação recente de uma revista daqui, teria dito que Bush estava "delirando", com sua insistência em valer-se de uma ação militar para resolver o problema do Iraque.

Mas Lula parece adotar uma visão mais pragmática do que ele e seu partido tinham no passado sobre o homem a quem, de brincadeira, ele tem chamado de "companheiro Bush". "Não posso pedir a George Bush para ser o presidente que eu quero que ele seja, e ele não pode me pedir que eu seja o presidente que ele quer que eu seja", diz. "Temos de aprender a conviver como nós somos."

Esta versão aparentemente mais domesticada de Lula tornou-se a queridinha do FMI e dos mesmos investidores de Wall Street, cujo temor a um governo do Partido dos Trabalhadores contribuiu para elevar as taxas de juros e de câmbio durante a campanha presidencial brasileira, no ano passado. Na vizinha Argentina, por exemplo, o novo presidente, Néstor Kirchner, sente-se encorajado a "ser como Lula e não como Hugo Chávez", o combativo presidente populista da Venezuela.

"Não é uma mudança ideológica", reage Lula, quando perguntado se seu partido estava avançando rumo ao centro ou ainda se considerava socialista. "Ainda acreditamos em tudo que sempre acreditamos."

Contudo, Lula parece estar seguindo uma trajetória semelhante à do seu antecessor no cargo. "Fernando Henrique Cardoso também virou as costas à sua própria teoria", relembra David Fleischer, editor-proprietário da *newsletter* política *Brazil Focus* e professor de ciência política na Universidade de Brasília.

Como um dos autores da "teoria da dependência", Fernando Henrique Cardoso se tornou um favorito da esquerda latino-americana, ao afirmar que países da "periferia" do sistema capitalista estavam condenados à exploração pelo centro. Na época em que se tornou presidente, em 1995, ele tinha abandonado essa opinião, em linguagem quase idêntica à que Lula agora começa a usar.

"Estou farto de encontrar presidentes da América Latina que culpam o imperialismo pelos infortúnios do Terceiro Mundo", disse Lula em discurso recente. "Isso é uma bobagem. Somos vítimas apenas de nossa própria incompetência."

Tais declarações desalentam a esquerda ortodoxa no Brasil e no restante da América Latina, que saudaram a eleição de Lula como um divisor de águas. Agora, acusam-no de se tornar "mais católico do que o papa", ao seguir a receita do FMI, e de abandonar seus princípios, para liderar um governo que está à direita do de Fernando Henrique Cardoso.

Lula e seus partidários dizem que isso é um absurdo. "Marx, se fosse vivo, provavelmente diria 'dêem respostas à realidade de vocês no início do século XXI e não à nossa realidade da Manchester do século XIX'", disse em abril Luiz Dulci, principal ideólogo do Partido dos Trabalhadores durante muitos anos e agora membro da assessoria pessoal do presidente.

Fernando Henrique Cardoso também argumentou que foi necessário reformar e modernizar a economia brasileira, a fim de prepará-la para uma explosão de crescimento rápido, mas isso nunca aconteceu durante seus oito anos no cargo. Lula diz acreditar que o povo brasileiro lhe deu "um ano de tolerância" e que esse crescimento será retomado no próximo ano, mas seus críticos da esquerda dizem que ele está simplesmente repetindo o erro de FHC.

Recentemente, Lula pediu desculpas a Fernando Henrique Cardoso por ter sido contra reformas propostas por ele e que agora apóia, quando está no poder. "Nem todo mundo vai dormir ou acorda na mesma hora", afirmou ele, o que levou uma eminente figura da oposição a descrever o Partido dos Trabalhadores como "o partido dos que acordam tarde".

Irritados com a reviravolta de Lula a respeito do pacote das pensões e dos impostos, grupos radicais dentro do Partido dos Trabalhadores recentemente divulgaram a gravação de um discurso de 1987, em que

Lula criticava exatamente as medidas que agora, como presidente, quer ver aprovadas. Auxiliares de Lula têm ameaçado expulsar os chamados xiitas, e, para compensar a perda desse apoio, têm costurado uma aliança com um partido centrista.

Até o próprio vice-presidente de Lula, um magnata da indústria têxtil que foi escolhido como um gesto de paz à comunidade empresarial, agora se juntou ao coro de críticos. "Não podemos continuar à mercê dessas pessoas que nos puseram numa camisa-de-força", queixou-se José Alencar na semana passada, quando o Banco Central se recusou a reduzir as taxas de juros, que estão próximas de um recorde histórico.

"Não sou muito de ter estresse, não", diz Lula sobre as farpas vindas do seu próprio campo. "Não perco uma noite de sono com pouca coisa." Mas ele está plenamente consciente da responsabilidade histórica e do "simbolismo de um torneiro mecânico que virou presidente", segundo diz.

"Meu fracasso não seria apenas o fracasso de um presidente", explica Lula. "Seria o fracasso de um movimento que não poderia levantar a cabeça nos próximos cinqüenta anos, e isso teria repercussões no exterior."

Morte de prefeito no Brasil suscita acusações de corrupção

Data: 1º de fevereiro de 2004

SANTO ANDRÉ (SP) — Depois que Celso Daniel, prefeito desta cidade industrial, foi seqüestrado e morto a tiros no dia 20 de janeiro de 2002, dirigentes do seu partido, o Partido dos Trabalhadores, imediatamente culparam esquadrões da morte de direita. Organizaram uma campanha internacional de protestos, que só terminou quando a polícia concluiu que Daniel fora vítima de crime comum.

Mas, dois anos depois, pouco parece haver de comum na morte de Celso Daniel. Seus parentes e os promotores que reabriram o caso agora dizem que ele foi morto devido a uma disputa relacionada a um fundo suspeito de muitos milhões de dólares, que, segundo os parentes, se destinava a beneficiar o caixa dois de campanha do partido que hoje governa o Brasil.

De acordo com um dos irmãos do prefeito, João Francisco Daniel, o esquema de corrupção envolvia duas autoridades do partido, que agora se encontram na equipe do presidente Luiz Inácio Lula da Silva e, nessa qualidade, estão entre os homens mais poderosos do Brasil. Os dois descartam o envolvimento em qualquer tipo de impropriedade e não estão sendo acusados formalmente. O presidente do PT, José Genoíno, e outros dirigentes partidários negam a existência de suborno ou envolvimento de funcionários graduados do partido.

Em dezembro, depois de reabrir o caso com base em novas informações da família, a polícia deteve Sérgio Gomes da Silva, chefe da equipe de segurança do prefeito e acusado de supervisionar o sistema municipal de propinas que financiava a "caixinha". Sérgio é acusado de planejar o assassinato de Daniel.

Apesar de muitas negativas, os promotores falam abertamente de caixa dois. "Não foi um seqüestro, foi um acerto de contas num acesso de raiva", declara José Reinaldo Guimarães Carneiro, um dos promotores. "O prefeito foi morto porque estava tentando desmantelar um esquema de corrupção implantado em sua própria prefeitura." Como promotor estadual, Carneiro tem limitações em sua capacidade de investigar autoridades federais.

Os promotores dizem, e os parentes de Daniel reconhecem, que o prefeito sabia do fundo secreto, que foi construído com subornos e comissões provindos de contratos municipais, e que ele o julgava um meio necessário para levantar dinheiro para um partido de esquerda tradicionalmente esnobado por grupos empresariais endinheirados.

Mas quando o prefeito tentou impedir os intermediários de desviar parte do dinheiro para seus próprios bolsos, dizem os promotores e parentes, esses intermediários mandaram matá-lo.

"O prefeito jamais obteve qualquer proveito pessoal com o esquema", disse em dezembro outro promotor, Roberto Wider. "Ele levava uma vida que foi franciscana", uma vida de austeridade.

Os partidos de oposição, que vêm tentando abrir um inquérito no Congresso, e a imprensa brasileira têm sugerido que o governo do PT está trabalhando nos bastidores para arquivar a investigação. Mas José Genoíno afirmou que o partido "não só não está impedindo a investigação, como a apóia".

Ele e outras autoridades do partido sustentam que a reabertura do caso tem motivação política, porque o estado de São Paulo é agora, como era há dois anos, quando se realizou a investigação original, governado pelo Partido da Social Democracia Brasileira (PSDB), oposicionista.

"Nós somos vítimas duas vezes nesta situação", disse Genoíno recentemente a repórteres, em São Paulo. "Primeiro, porque Celso Daniel era um dos nossos companheiros mais queridos e foi assassinado. E agora, porque estão tentando matar o prefeito pela segunda vez."

Numa entrevista, Bruno Daniel, outro irmão do prefeito, disse que o suspeito esquema de corrupção envolvia José Dirceu e Gilberto Carvalho. Dirceu era então presidente do Partido dos Trabalhadores e agora é chefe da Casa Civil do presidente Lula; Gilberto Carvalho era na época chefe de gabinete do prefeito e agora é secretário pessoal do presidente.

"Não muito tempo depois do enterro de Celso, Gilberto Carvalho me disse que fez várias entregas de dinheiro ao partido e que, em certa ocasião, ficou com medo, porque estava transportando mais de 500 mil dólares numa valise", conta Bruno Daniel. "Ele me disse que entregava o dinheiro diretamente a José Dirceu, e foi isso que eu declarei aos promotores."

Por intermédio de um porta-voz no gabinete do presidente, Carvalho e Dirceu se recusaram a discutir qualquer aspecto do caso. Mas, em 16 de janeiro, um dia depois da solicitação de entrevista, Dirceu acusou repórteres e promotores de conspirarem contra o PT e sugeriu que o Brasil precisava de uma lei de mordaça para a imprensa.

"Estamos vendo a Constituição ser violada diariamente por uma série de procedimentos ilegais do Ministério Público e de alguns órgãos da imprensa brasileira", afirmou Dirceu. "O Congresso precisa se debruçar sobre essa situação de extrema gravidade", acrescentou.

Aristides Junqueira, ex-procurador-geral da República e agora advogado do PT, se queixa do que chamou de "excessos" dos promotores. Também criticou João Francisco Daniel pelo que descreveu como acusações irresponsáveis. "É fácil para o irmão falar e transformar isso em algo político", diz. "É uma pena que Celso Daniel não esteja aqui para esclarecer as coisas."

As declarações de Dirceu e Carvalho provocaram dura reação da Associação Nacional dos Procuradores da República, da Associação Nacional dos Membros do Ministério Público e do promotor chefe. "Não se sabem as razões por que setores do governo federal e de um partido político, que não são objeto dessa investigação, têm se manifestado virulentamente contra as apurações que visam a desvendar os autores do homicídio", declarou no dia 20 de janeiro o promotor chefe interino, Humberto Magalhães da Silveira Jr.

Na época de sua morte, Daniel, economista, 50 anos, tinha sido designado coordenador da campanha de Lula e era considerado o candidato mais forte ao Ministério da Fazenda, se Lula ganhasse a eleição presidencial, o que ele conseguiu por maioria esmagadora em outubro de 2002.

O seqüestro e assassinato de Daniel aconteceram num momento delicado da campanha. Nas pesquisas, o número de intenções de votos para o candidato do PT vinha caindo durante semanas. Alguns números até o mostravam caindo para segundo lugar, atrás de Roseana Sarney, uma governadora com viés de direita.

Nesse contexto, a descoberta de um fundo de corrupção do PT poderia ter sido um golpe fatal para a candidatura de Lula. Isso foi de fato o que aconteceu com a própria Roseana Sarney: dois meses mais tarde, sua campanha desmoronou e ela saiu da disputa depois que uma equipe da Polícia Federal invadiu o escritório de seu marido e encontrou mais de 600 mil dólares em dinheiro vivo.

O financiamento de campanha sempre foi algo extremamente escuso na política brasileira, com o PT liderando as denúncias do que chamava de corrupção e desonestidade em grande escala. Em 1992, o presidente Fernando Collor de Mello renunciou para não enfrentar um processo de impeachment, depois que a imprensa descobriu um gigantesco e suspeito fundo de financiamento que continuou a ser fomentado depois que ele tomou posse.

De acordo com autoridades da cidade, do partido e agentes da lei, o esquema de corrupção foi organizado depois de Daniel se tornar prefeito, em janeiro de 1997. Um dos seus primeiros atos foi privatizar as linhas de ônibus municipais, o que, segundo Rosângela Gabrilli, proprietária de uma empresa de ônibus daqui, levou imediatamente a um esquema de propinas que exigia inicialmente o pagamento mensal de 350 dólares por ônibus, cifra que gradualmente subiu para quinhentos.

"Era tudo bem calculado, com o pagamento aumentando quando o preço das passagens subia", diz Gabrilli, numa entrevista concedida no escritório de sua empresa. "No auge da coisa, eu pagava 41 mil e 800 dólares por mês. Como estamos numa empresa de ônibus, lidamos com uma quantidade grande de cédulas pequenas, e eles sempre reclamavam disso comigo, dizendo que queriam receber em notas de 50."

Santo André, cidade de 700 mil habitantes, vizinha de São Paulo, tem uma meia dúzia de empresas de ônibus com mais de 325 veículos. Pelos cálculos de Gabrilli e de outras pessoas, isso significa que o fundo suspeito arrecadou mais de 100 mil dólares mensais apenas com contratos de ônibus, aumentos de passagens e mudanças de itinerário, de janeiro de 1997 até a morte de Daniel, quando, segundo ela, as exigências de propinas pararam imediatamente.

Um vereador do PT, Ricardo Alvarez, disse que tinha se queixado a Daniel a respeito de outras irregularidades na coleta de lixo, obras públicas e cobrança de multas de trânsito. Procuradores confirmaram que agora estão investigando a concessão de contratos em algumas dessas áreas.

"O diretório nacional do partido podia ter adotado uma postura diferente em relação a tudo isto", diz Alvarez em entrevista na sede da prefeitura. "A investigação original estava cheia de furos, falhas e perguntas sem resposta. Se há um acobertamento político em andamento, é no sentido de não permitir que o caso seja esclarecido."

Através de registros bancários, a polícia e os promotores estabeleceram que pelo menos alguns dos subornos das empresas de ônibus terminaram numa conta bancária do homem acusado de planejar o assassinato de Daniel, Gomes da Silva, também conhecido como "Sérgio, o Sombra". Mas, a partir do momento em que o dinheiro saiu do controle de Gomes da Silva, eles foram impedidos de rastreá-lo, em parte por causa da falta de cooperação dos agentes federais.

Transcrições de gravações de conversas telefônicas feitas pela polícia nos dias subseqüentes ao assassinato de Daniel indicam que dirigentes do partido estavam extremamente preocupados em neutralizar o que reconheciam que poderia ser um desastre em matéria de relações públicas. Numa conversa em meados de fevereiro, Gilberto Carvalho discutiu com Gomes da Silva um encontro a ser realizado na casa de Dirceu, a fim de planejar ações para controlar os danos.

"Vamos ter uma conversa, conversar um pouco sobre nossa tática da semana", disse Carvalho a Gomes da Silva, segundo versões da transcrição publicadas em jornais brasileiros. "Porque nós vamos ter que ir para a contra-ofensiva."

Dirigentes do partido têm contestado a legalidade das gravações e defendido sua destruição, mas nunca contestaram sua autenticidade. Junqueira, advogado do partido, diz que, ao contrário da impressão que a gravação pode transmitir, Gomes da Silva de fato não tomou parte em nenhuma discussão na casa de Dirceu nem se encontrou com ele.

Em outra conversa, um funcionário do partido felicita a companheira de Daniel, Ivone Santana, por uma longa matéria sobre ela publicada num jornal de São Paulo, uma semana após a morte de Daniel.

"Ótima sua entrevista, tá perfeita", disse ele. "Se você falar o que falou aí, nota 10, dor de uma viúva. Essa linha tá superlegal, a linha da dor."

COMENTÁRIO

Já passaram mais de seis anos desde que Celso Daniel foi assassinado, e o caso continua sem solução, aparentemente um mistério. Embora eu suspeite que a situação vá continuar inalterada enquanto o PT estiver no poder, isso não significa que a vida daqueles envolvidos no caso ainda é a mesma. Considere a situação de Bruno Daniel, um dos irmãos do prefeito assassinado.

Tenho a impressão de que a cobertura do caso Celso Daniel na imprensa brasileira praticamente cessou depois da dramática acareação de Bruno e João Francisco Daniel com Gilberto Carvalho na CPI dos Bingos, em 2005. Houve tantos escândalos desde então que o caso Daniel foi virtualmente engavetado. Portanto, quando recebi uma mensagem de Bruno Daniel no começo de 2008, pedindo que eu lhe telefonasse, fiquei curioso de saber o que acontecera com ele depois de ter reafirmado em público as acusações que fizera para mim em particular.

Consegui falar por telefone com Bruno Daniel em Paris, onde ele vive agora exilado com sua esposa, Marilena Nakano, e os três filhos deles. De forma muito discreta, para não ofender Lula e o PT, o governo francês tinha concedido recentemente a ele o status de refugiado político, reconhecendo implicitamente que o assassinato de Celso Daniel era um caso eivado de irregularidades. No entanto, achei Bruno Daniel desanimado com o modo como as coisas estavam indo no Brasil.

"Não tem novidades no caso", ele me disse. Embora o envolvimento de Sérgio, o Sombra tivesse sido encaminhado a um tribunal, o que restava da investigação "voltou à estaca zero" depois que a juíza responsável pelo caso foi transferida. "Queremos acelerar a atuação do Judiciário e fazer um pouco de pressão no sentido de não acolherem o pedido do advogado do Sérgio, o Sombra alegando a inconstitucionalidade da investigação do Ministério Público. Seria um enorme retrocesso." Bruno Daniel me contou que acabou na França involuntariamente, por causa de uma série de acontecimentos posteriores a seu testemunho na CPI que o fizeram temer por sua vida e pela vida de sua família. Primeiro, Carlos Belmonte Printes, o médico-legista que foi o primeiro a examinar o corpo de Celso Daniel, foi ele próprio encontrado morto no final de 2005, em circunstâncias ainda não esclarecidas. Belmonte tinha detectado claros sinais de tortura, contrariando a versão de crime comum, e estava programado para testemunhar diante da CPI quando morreu, em São Paulo. De um ataque do coração? Ou foi suicídio? Foram apresentadas explicações contraditórias.

"Depois da morte do Belmonte, a gente começou a receber ameaças veladas", me disse Bruno Daniel. Houve ligações de telefones celulares que não podiam ser rastreadas. Houve rumores vindo de uma favela de que haveria um contrato para matar um "parente" de Celso Daniel. Houve um falso seqüestro de um primo e um pedido de resgate. "A polícia disse que a campanha de ameaças foi padronizada, então saímos, às pressas." Apesar da solidariedade francesa, a vida como refugiado político tem sido difícil, disse ele: "A gente não consegue trabalho, só consegue bicos, e às vezes nem bico tem."

Perguntado sobre a situação de Bruno Daniel por um repórter de São Paulo, Gilberto Carvalho, que ainda é o secretário particular do presidente, respondeu assim: "A permanência do sr. Bruno Daniel e família na França é resultado de uma opção pessoal. Somos um país democrático, com todas as instituições funcionando em plena normalidade. Sua volta ao Brasil é bem-vinda." Mas Bruno Daniel permanece cético. "Está em aberto nossa volta", ele me disse. "O caso precisa avançar um pouco lá. Se o Sérgio, o Sombra for condenado, as pessoas que agem de maneira impune, sem medo da justiça, vão pensar duas vezes. Mas por enquanto não dá."

Muito tempo depois de operação antiguerrilha, sobreviventes exigem justiça do governo do Brasil

Data: 28 de março de 2004

XAMBIOÁ (TO) — No cemitério daqui, meia dúzia de corpos um dia sepultados secretamente foram exumados. Mais esqueletos foram recuperados numa reserva indígena um pouco ao norte. Em algum lugar da selva jazem os restos mortais de aproximadamente outros cinqüenta, cujos parentes agora exigem justiça, mesmo que ela chegue atrasada.

Os mortos foram vítimas de uma operação antiguerrilha contra insurgentes comunistas. O conflito foi travado em grande parte em segredo, neste remoto recanto no sudeste da Amazônia, de 1970 a 1974, durante os anos mais duros do governo militar brasileiro.

Quando Luiz Inácio Lula da Silva tomou posse, há mais de um ano, como o primeiro presidente vindo dos quadros de um partido de esquerda, o Partido dos Trabalhadores, muitos presumiram que ele seria favorável a prestar ajuda aos parentes dos mortos na localização dos corpos de entes queridos e a levar à justiça os responsáveis por sua tortura e morte.

Na vizinha Argentina e no Chile, estão sendo empenhados grandes esforços para abordar casos de abusos muito mais generalizados, sob ditaduras semelhantes. Mas o governo de Lula, como outros governos brasileiros durante trinta anos, até agora tem resistido a um esclarecimento completo do episódio, um dos mais sombrios e mais polêmicos do passado desta nação, por medo de abrir velhas feridas.

"Isto não vai ser feito de maneira que crie uma grande crise política nacional", diz Nilmário Miranda, secretário de Direitos Humanos do governo, em resposta às crescentes acusações de traição e covardia moral. "Tem de ser negociado."

No total, as Forças Armadas brasileiras enviaram mais de 10 mil soldados para esta região escarpada onde os rios Araguaia e Tocantins se encontram. O que ficou conhecido como a guerrilha do Araguaia só terminou quando mais de sessenta combatentes do Partido Comunista do Brasil, que esperavam estabelecer uma "zona libertada" maoísta na Amazônia, foram encurralados e executados. Alguns foram degolados e muitos outros mortos depois de se render às tropas e ser torturados.

Acredita-se que um número mais ou menos igual de camponeses locais, apanhados no fogo cruzado e sob pressão dos dois lados, também tenham sido mortos, segundo moradores da região e grupos defensores dos direitos humanos. Outras centenas deles foram obrigados a se mudar do lugar.

Até hoje, esses camponeses continuam sem indenização e impedidos de voltar às suas pequenas fazendas, que foram sumariamente desapropriadas pelos militares ou bombardeadas com napalm há três décadas.

A versão de que os militares executaram deliberadamente um programa de extermínio dos rebeldes, assim eliminando também camponeses locais, é sustentada por um novo livro, o best-seller *A Ditadura Derrotada*, que reacendeu o interesse pelo conflito.

O autor, Elio Gaspari, teve acesso a uma fita de áudio oficial gravada pelo general Ernesto Geisel, presidente do Brasil de 1974 a 1979, na qual chefes militares de alta patente falavam sem reservas sobre sua decisão de não capturar os guerrilheiros nem levá-los a julgamento, mas eliminá-los.

"Esse troço de matar é uma barbaridade, mas eu acho que tem que ser", disse o general Geisel no início de 1974, numa conversa com seu futuro ministro do Exército. "Não podemos largar essa guerra."

Antes de deixar o cargo, o general providenciou uma anistia que se aplicava aos guerrilheiros e exilados esquerdistas e também aos agentes militares e policiais que os tinham torturado ou matado.

Mas, em julho, um juiz federal ordenou que os militares fornecessem aos parentes informações sobre o modo como os guerrilheiros e camponeses tinham morrido e onde foram enterrados. O governo do Partido dos Trabalhadores imediatamente procurou bloquear o cumprimento da sentença, surpreendendo os defensores dos direitos humanos.

A decisão aqui foi interpretada como um esforço para cimentar as relações com uma instituição militar que tradicionalmente viu no Partido dos Trabalhadores um reduto de radicais, e gerou profunda angústia dentro do próprio partido. Alguns importantes líderes partidários viram nisso uma traição de princípios. Outros manifestaram publicamente seu descontentamento.

"Esta é uma ferida aberta entre nós", disse no ano passado, em discurso na Ordem dos Advogados, Luiz Eduardo Greenhalgh, membro do Congresso e que foi advogado do presidente, quando este era líder operário. "Senti uma profunda dor quando o presidente, que é meu amigo, companheiro e ex-cliente, decidiu, por razões de Estado que não compreendo — e não compreendo mesmo —, recorrer de uma decisão, de uma sentença judicial que levei 21 anos da minha vida para ganhar."

Para aplacar seus críticos, o governo criou uma comissão para investigar como os guerrilheiros morreram e onde seus corpos foram enterrados. Mas a comissão não inclui membros das famílias nem outros representantes não-governamentais e não tem autoridade para punir os responsáveis pelos assassinatos. Já deixou de cumprir dois prazos estabelecidos para prestar informações aos parentes.

"A criação desta comissão serve para proteger os que prenderam, mataram ou 'desapareceram' opositores da ditadura", disse Elizabeth Silveira, presidente do grupo Tortura Nunca Mais, em depoimento a uma comissão do Congresso em Brasília, no ano passado.

"O governo", acrescentou, "está fortalecendo a impunidade em nosso país e nadando contra a maré da história".

Uma das principais figuras nas negociações entre o Partido dos Trabalhadores e as Forças Armadas, em grande parte realizadas a portas fechadas, é José Genoíno, presidente do partido, ele próprio um sobrevivente da guerrilha.

"Defendemos o direito das famílias a um esclarecimento concreto sobre o local onde estes corpos se encontram e, se não for possível localizá-los, sobre o que lhes aconteceu", diz ele. "Mas o que o governo do Partido dos Trabalhadores não vai fazer é criar um tribunal político para julgar o comportamento das Forças Armadas durante a ditadura militar."

Mas, para os defensores dos direitos humanos e alguns membros do PT, essa resposta suscita outro importante problema, o da justa compensação aos moradores da região que também foram apanhados na política de terra arrasada dos militares.

"Por mais injusto que tenha sido o que aconteceu aos guerrilheiros, eles tomaram uma decisão consciente de lutar, sabiam o que estavam fazendo e o que poderia lhes acontecer", diz Miriam Alves, do PT e membro da Comissão de Direitos Humanos da Câmara dos Deputados do Congresso brasileiro. "Mas a população local não tinha escolha, e foi massacrada", acrescenta. "O Estado precisa reparar esta situação."

A família de Eduardo Rodrigues dos Santos está entre as que mais sofreram. O azar da família foi ser vizinha de um grupo de colonos, mais tarde identificados como guerrilheiros, que tinham chegado do Sul, ficaram amigos dos camponeses e ofereciam medicamentos e outros serviços escassos na região.

Durante uma campanha militar, recorda Rodrigues dos Santos, a família foi transferida para uma ilha no meio do rio Araguaia. Dali, eles viram quando aviões da Força Aérea Brasileira bombardearam e metralharam a povoação, destruindo sua casa e as de outras famílias.

Um dia, em 1972, dois dos seus filhos, Lauro e Sabino, acharam no chão um objeto estranho, que eles não sabiam ser uma granada. Esta explodiu, destroçando a cabeça de Sabino, destruindo a maior parte do braço esquerdo de Lauro e dilacerando seu tronco.

"Foi no dia 16 de agosto, e estávamos na hora do almoço", relembra Lauro, agora com 52 anos e dono de um armazém de secos e molhados. "Passei quatro meses no hospital, e os oficiais do Exército que vieram me visitar disseram que a granada era deles e que cuidariam de mim pelo resto da minha vida, com bolsa de estudos e indenizações por deficiência física. Mas nunca recebi nada."

Rodrigues dos Santos, agora com 78 anos, foi pressionado a servir como guia do Exército junto com seu amigo Otacílio Alves de Miranda, um barqueiro local.

"Sentimos que não podíamos dizer não", explica Rodrigues. Os dois afirmam ter sido torturados, numa tentativa de arrancar-lhes informações sobre os guerrilheiros.

"Fui realmente espancado, quando eles me levaram a Brasília para ser interrogado", diz Miranda, numa entrevista em sua casa em Marabá, perto daqui. "Durante horas seguidas, eles deram choques elétricos em minha cabeça e me espancaram com porretes, gritando e berrando comigo o tempo todo."

Essa brutalidade era rotineira, afirmam outros antigos guias. Até hoje, disse Antônio de Souza numa entrevista em Xambioá, cidade onde as Forças Armadas brasileiras tinham uma base, ele e seus amigos têm cicatrizes e ainda sofrem pesadelos.

"Depois de me torturarem com choques elétricos e mergulharem minha cabeça num tanque com água até que eu não pudesse mais respirar, eles me jogaram num depósito de lixo cheio de cobras e escorpiões e aí me deixaram por mais de uma semana", relembra. "Quando finalmente me levaram para ser interrogado, retiraram de um saco de aniagem a cabeça de um homem e perguntaram se eu o conhecia."

Depois de ser liberado, Miranda, então com 33 anos, sofreu um derrame. Foi hospitalizado e os médicos removeram um tumor cerebral que ele e sua mulher, Felicidade, acreditam ser resultado das torturas. Mas, quando procuraram os militares em busca de indenização, foram enxotados.

"Para aqueles que morreram, tudo acabou, suas atribulações terminaram", diz a mulher de Miranda. "Mas os que sobreviveram ainda sofrem até hoje as conseqüências traumáticas dos horrores que foram forçados a suportar."

COMENTÁRIO

Publicada apenas algumas semanas depois de minha investigação do assassinato de Celso Daniel, esta matéria enfureceu o governo Lula e o PT ao se referir a acusações de "traição e covardia moral" por eles terem deixado de enfrentar um dos atentados aos direitos humanos mais chocantes ocorridos no Brasil. José Genoíno, um ex-guerrilheiro e prisioneiro, que era, na época, o presidente do PT, ficou especialmente enraivecido, e durante a tentativa, cinco semanas depois, de me expulsar do Brasil, chegou a dizer que a "desfaçatez" dessa matéria e da investigação da morte de Celso Daniel eram por si sós justificativa suficiente para que eu fosse posto para fora do país.

Fiz minha primeira tentativa de escrever uma matéria sobre a guerrilha do Araguaia em 1978. Naquela época, a imprensa ainda estava sujeita a censura, e só se permitia que fossem publicadas as referências mais veladas e indiretas ao assunto. Mas isso, combinado com as histórias que eu ouvia de grupos de esquerda e de ativistas de direitos humanos, foi suficiente para me mandar para Marabá, que era então um povoado pequeno, quente e poeirento cercado de guarnições militares.

A cidade estava então infestada de espiões militares, e a presença de um repórter estrangeiro imediatamente atraiu a atenção deles. Poucos dias depois de minha chegada, amigos que trabalhavam na Comissão de Justiça e Paz da prelazia de Marabá me contaram que tinham sabido por informantes militares que o general Hugo Abreu, então chefe da Casa Militar do presidente Ernesto Geisel, tinha ordenado minha prisão. Eles deram um jeito de eu me esconder até que as coisas se acalmassem e eu pudesse voltar a Belém em segurança.

Salto para 2002. Lula acabou de ser eleito presidente do Brasil, levando a esquerda ao poder pela primeira vez desde o golpe que derrubou João Goulart. Durante o discurso de agradecimento que Lula fez na avenida Paulista, uma das pessoas a quem ele agradeceu por ter criado as condições que tornaram possível sua vitória foi João Amazonas, fundador do PCdoB e o homem responsável por enviar guerrilheiros ao Araguaia. Aquele gesto significava que o governo Lula ia promover a questão das reparações àqueles que tinham desaparecido e sido assassinados no Araguaia pelo Estado durante a ditadura militar? Evidentemente, esse era mais um assunto que precisava ser monitorado.

Eu estava mais interessado nas famílias de camponeses que já viviam na região do Araguaia quando os primeiros guerrilheiros do PCdoB, que os camponeses sempre viram simplesmente como "os paulistas", começaram a chegar no final da década de 1960. Eu conhecia várias dessas famílias e tinha ouvido as histórias de seu sofrimento antes, durante e depois da guerrilha do Araguaia. Elas eram as principais vítimas do episódio, mas pareciam ter sido esquecidas por todos os outros protagonistas: Forças Armadas, governo e até os próprios guerrilheiros.

O PT poderia ter remediado essa injustiça quando assumiu o poder. Mas preferiu não, e as verdadeiras vítimas da guerra, as famílias de camponeses da região, não conseguiam entender por que tinham sido abandonadas. Como ocorre com freqüência no Brasil, o debate só ocorria entre as elites no Sudeste do país. Eu queria ouvir outras vozes e histórias, aquelas dos ignorados e abandonados, e foi isso que me levou mais uma vez a Marabá e a Xambioá.

Quando minha reportagem no Araguaia terminou, voei para São Paulo para entrevistar José Genoíno, que era o especialista do PT no assunto, pois havia lutado no Araguaia, sob o codinome "Geraldo", até ser capturado pelos militares em abril de 1972. Depois da queda da ditadura, ele também liderou um esforço para abrir canais de comunicação entre as Forças Armadas e o PT, que tinham cada qual suspeitas em relação ao outro. E Genoíno fora até mencionado como um possível ministro da Defesa quando Lula foi eleito em 2002.

As entrevistas com Genoíno, que parecia sempre achar a imprensa estrangeira insuficientemente respeitosa, eram sempre delicadas, e nenhuma delas foi mais delicada que esta. Eu o entrevistara várias vezes no passado, e ele sempre mostrara impaciência comigo e com minhas perguntas, que ele obviamente julgava serem especialmente impertinentes. Mas esta estava fadada a ser uma situação especialmente sensível, dada a história pessoal dele. Ele era tão suscetível a fofocas de que se tornara um dedo-duro sob tortura e revelara informações que comprometiam seus companheiros militantes, que tinha até escrito um artigo de jornal negando os boatos.

Genoíno não tinha como saber que isso era irrelevante para mim, já que o foco de meu artigo não eram os militantes do PCdoB que tinham se tornado figuras políticas nacionais, mas os camponeses que tinham sido deixados para trás. Como minha matéria sobre Celso Daniel ainda não havia sido publicada, eu também não tinha de me preocupar com a possibilidade de ela envenenar a atmosfera, e esperava que a entrevista transcorresse bem. Mas ele logo objetou a minha linha de questionamento, que sugeria que ele e o PT tinham uma dívida moral com os camponeses, que eles estavam ignorando de modo a ganhar pontos com os militares. Em pouco tempo, ele se exaltou, e eu tive que abandonar o assunto e passar para outros temas de minha pauta.

Isso ocorreu há quatro anos. E embora o governo do PT tenha feito muita coisa para honrar os mártires famosos da luta armada contra a ditadura — uma pensão e uma promoção póstuma para Carlos Lamarca, pontes e ruas que receberam o nome de Carlos Marighella, por exemplo —, que eu saiba ainda não fez nada para compensar os camponeses do Araguaia pelo sofrimento e pelo sacrifício que eles suportaram apenas porque estavam por acaso no lugar errado e na hora errada.

Atolado em escândalos, governo fica paralisado

Data: 4 de abril de 2004

BRASÍLIA (DF) — Um escândalo de corrupção que vem se alastrando no Brasil praticamente imobilizou o governo do presidente Luiz Inácio Lula da Silva, cujo apoio já vinha se desgastando por causa do fraco desempenho da economia no seu primeiro ano de mandato.

Esta crise começou em meados de fevereiro, quando Waldomiro Diniz, então o homem de ligação do presidente com o Congresso, foi visto num videoteipe, gravado há dois anos, aparentemente solicitando contribuições de campanha de centenas de milhares de dólares a um bicheiro, em troca de favores políticos. Um relatório do governo divulgado no fim de março reconheceu que essas "impropriedades administrativas" tinham continuado depois que o Partido dos Trabalhadores, de viés de esquerda, assumiu o poder no ano passado.

Eleito com uma plataforma que prometia justiça social e crescimento econômico, Lula, ex-líder sindical, está quase em um terço do seu mandato de quatro anos. Mas não tem sido capaz de avançar em nenhum dos dois setores, e o escândalo de corrupção deve tornar menos provável que ele consiga cumprir suas promessas.

"O sentimento de insatisfação e crise está crescendo", diz Alexandre Garcia, ex-secretário de imprensa da presidência e agora comentarista político de uma rede de televisão. "O governo parece paralisado e abalado pelas revelações, o próprio Partido dos Trabalhadores está dividido e perplexo, e a oposição, preocupada", diz, sobre a crescente fraqueza do governo, que deixa a economia à deriva.

O escândalo tem diminuído a popularidade de Lula. Numa pesquisa de opinião divulgada no fim de março, a maioria dos entrevistados disse que "o país está no caminho errado". Foi a primeira vez, desde que Lula tomou posse em janeiro de 2003, que seu governo não conseguiu apoio da maioria.

Waldomiro Diniz foi demitido e está sob investigação, e a atenção se voltou para seu chefe, José Dirceu de Oliveira e Silva, o todo-poderoso braço-direito a quem o presidente chama de "o capitão do meu time". Vários militantes do partido se apressaram em dizer que tinham advertido Dirceu e outros dirigentes partidários sobre irregularidades na arrecadação de fundos, mas que foram ignorados ou punidos.

Dirceu disse recentemente que, na sua opinião, o assunto Waldomiro Diniz era "um assunto encerrado", porque a investigação concluiu que "este governo não rouba nem deixa roubar". Como os repórteres não ficaram satisfeitos com essa resposta e continuaram a pressioná-lo, ele vociferou contra os jornalistas, chamando-os de "incivilizados, um bando de mal-educados" e acusando a oposição de tentar "desestabilizar" o primeiro governo de esquerda eleito no Brasil.

Mas, com os meios de comunicação revigorados, cada semana parece trazer novas revelações de irregularidades financeiras no caminho rumo ao poder do Partido dos Trabalhadores.

Diniz, ex-diretor da loteria do Rio de Janeiro, afirma que foi obrigado a pressionar chefes do jogo do bicho a contribuir ilegalmente para a campanha do partido, e promotores estão prosseguindo com sua investigação sobre o que dizem ser um esquema de propinas de muitos milhões de dólares no estado de São Paulo.

"Não acho que ele seja o único", diz Fernando Ferro, deputado federal pelo Partido dos Trabalhadores do estado natal de Lula, referindo-se a Waldomiro Diniz. "Infelizmente, tem muito disso no Partido dos Trabalhadores, e há muitas pessoas que ainda vão criar problemas para o governo."

Com José Dirceu forçado a gastar seu tempo se defendendo, o governo do Partido dos Trabalhadores tem sido obrigado a olhar para fora de suas fileiras em busca de um substituto. Como resultado disso, o papel de principal coordenador político do governo caiu nas mãos do camaleão José Sarney, um conservador que foi presidente do Brasil de 1985 a 1990 e agora preside o Senado.

"Hoje, José Sarney é o centro de gravidade e homem forte do Palácio do Planalto", escreveu recentemente Dora Kramer, colunista política do *Jornal do Brasil*. "Em tom de brincadeira — nada distante da realidade, porém —, costuma-se dizer em Brasília que José Sarney manda mais agora do que jamais mandou quando era presidente da República."

Nesse papel, Sarney, que faz parte da coalizão de governo, tem ajudado a bloquear no Congresso instaurações de inquéritos que examinariam alegações de corrupção, com apoio até de membros dissidentes do partido.

O escândalo acontece no auge de um melancólico desempenho econômico que já debilitou a credibilidade e popularidade do governo. Lula tomou posse prometendo um "espetáculo do crescimento". Mas, no ano passado, a economia encolheu pela primeira vez em mais de uma década. Estatísticas governamentais divulgadas recentemente mostram que o dinheiro que Lula investiu em projetos de desenvolvimento, em seu primeiro ano de governo, mal chegou a um décimo do investido por seu antecessor no ano anterior.

Gosto do dirigente brasileiro pela bebida torna-se preocupação nacional

Data: 9 de maio de 2004

BRASÍLIA (DF) — Luiz Inácio Lula da Silva nunca escondeu seu gosto por um copo de cerveja, uma dose de uísque ou, até melhor, um trago de cachaça, a forte bebida brasileira feita de cana-de-açúcar. Mas alguns dos seus compatriotas começaram a especular se a predileção do presidente por bebidas fortes estaria afetando seu desempenho no cargo.

Nos últimos meses, o governo de viés de esquerda de Lula tem sido assaltado por crises sucessivas que vão de um escândalo de corrupção até o fracasso de importantes programas sociais. O presidente tem freqüentemente permanecido distante dos olhares do público e deixado seus assessores fazerem a maior parte do trabalho pesado. Isso tem provocado especulações de que seu evidente alheamento e passividade possam de alguma forma estar relacionados ao seu apetite pelo álcool. Mas seus partidários desmentem esses rumores de consumo em excesso.

Embora, entre políticos e jornalistas, sejam cada vez mais freqüentes os comentários sobre o consumo de álcool de Lula, poucos se dispõem a expressar suas apreensões em público ou explicitamente. Uma das exceções é Leonel Brizola, líder do Partido Democrático Trabalhista, de esquerda, que foi companheiro de chapa de Lula na eleição de 1998, mas agora se preocupa e acha que o presidente está "destruindo os neurônios em seu cérebro".

"Quando fui candidato a vice-presidente na chapa de Lula, ele bebia muito", disse em recente discurso Brizola, agora um crítico do governo. "Alertei-o para o perigo das bebidas destiladas. Mas ele não prestou atenção, e, conforme eu disse, continua bebendo."

Numa entrevista no Rio de Janeiro, em meados de abril, Brizola se estendeu um pouco mais sobre as preocupações manifestadas e às quais, segundo ele, Lula não deu atenção. "Eu lhe disse: Lula, sou seu amigo e companheiro. Você precisa dar um jeito nisso e controlar essa coisa", lembrou Brizola.

"Não, não tem perigo, já está sob controle", foi a resposta de Lula, segundo contou Brizola, imitando a voz rouca e áspera do presidente. "Ele resistiu, é resistente", continuou Brizola. "Mas tinha esse problema. Se eu bebesse como ele, estaria frito."

Porta-vozes do presidente se recusaram a discutir *on the record* os hábitos do presidente em matéria de bebida, dizendo não querer, com uma resposta formal, dar respaldo a acusações sem base. Numa breve mensagem por e-mail, respondendo ao pedido de um comentário sobre o tema, eles descartaram como "uma mistura de preconceito, desinformação e má-fé" a especulação de que o presidente bebia em excesso.

Lula, um ex-torneiro mecânico de 58 anos, tem se mostrado homem de fortes apetites e impulsos, o que contribui para seu apelo popular. Com um misto de simpatia e divertimento, os brasileiros têm observado seus esforços para não fumar em público, seus flertes com atrizes atraentes em eventos públicos e sua batalha contínua para evitar as comidas gordurosas, que fizeram seu peso aumentar pouco depois de tomar posse, em janeiro de 2003.

Além de Brizola, líderes políticos, assim como a mídia, parecem preferir tratar o assunto indiretamente, mas fazem isso com gosto. Sempre que possível, a imprensa brasileira publica fotos do presidente com olhos turvos ou rosto avermelhado, e constantemente faz referências aos churrascos de fim de semana na residência presidencial, em que a bebida alcoólica corre livremente, e aos eventos oficiais em que Lula nunca parece estar sem um drinque na mão.

"Tenho um pequeno conselho para Lula", escreveu em março passado o colunista Diogo Mainardi na *Veja*, a principal revista de notícias do país, mencionando uma lista de artigos que continham tais referências. "Pare de beber em público", aconselhou ele, acrescentando que o presidente se tornara "o maior porta-voz e anunciante da indústria de bebidas", com seu aberto e público consumo de álcool.

Uma semana depois, a mesma revista publicou carta de um leitor preocupado com o "alcoolismo de Lula" e com o efeito disso sobre a capacidade do presidente na condução do governo. Embora alguns sites venham se queixando há meses do "nosso presidente alcoólatra", era a primeira vez que a grande imprensa nacional se referia a Lula dessa maneira.

Historicamente, os brasileiros têm razão de ficar preocupados com qualquer sinal de que seus presidentes bebem muito. Jânio Quadros, eleito em 1960, era um notório bebedor que certa vez alardeou: "Bebo porque é líquido." Sua inesperada renúncia, após menos de um ano no cargo, durante o que foi descrito como uma tremenda bebedeira, iniciou um período de instabilidade que levou a um golpe em 1964 e a vinte anos de severa ditadura militar.

Quer Lula tenha ou não tenha realmente problema com bebidas alcoólicas, o assunto se infiltrou na percepção pública e tornou-se objeto de chacotas. Por exemplo, quando, no início deste ano, o governo gastou 56 milhões de dólares para comprar um novo avião presidencial, o colunista Cláudio Humberto, uma espécie de Matt Drudge (o rei da fofoca política nos EUA, direitista que sempre pegava no pé de Bill Clinton e detonou o escândalo Monica Lewinsky) da política brasileira, patrocinou um concurso para dar um nome gaiato à aeronave.

Um dos ganhadores, relembrando que o avião do presidente dos Estados Unidos é chamado de Air Force One, sugeriu que o jato de Lula fosse denominado "Pirassununga 51", que é o nome da marca de cachaça mais popular do país. Outra sugestão foi "Movido a Álcool", trocadilho referente ao plano governamental de estimular os carros a usarem etanol como combustível.

As especulações sobre os hábitos presidenciais de beber têm sido alimentadas por várias gafes e mancadas que ele tem cometido em público. Quando candidato, certa vez ofendeu os moradores de uma cidade considerada um reduto de gays, chamando-a de "cidade-pólo, exportadora de veados", e, como presidente, seus deslizes em público têm continuado e se tornado parte do folclore político brasileiro.

Em fevereiro, por exemplo, numa cerimônia para anunciar um novo e grande investimento, Lula se referiu duas vezes ao presidente da General Motors, Richard Wagoner, como o presidente da Mercedes-Benz. Em outubro, num dia de homenagem aos idosos da nação, Lula lhes disse: "Quando se aposentarem, não fiquem em casa atrapalhando a família. Procurem alguma coisa para fazer."

No exterior, Lula também tem cometido deslizes ou falado desastradamente. No ano passado, em visita ao Oriente Médio, ele imitou sotaque árabe ao falar português, pronunciando erradamente as palavras. E, em Windhoek, Namíbia, disse que a cidade era tão limpa que "não parece estar num país africano".

A equipe e os partidários de Lula respondem que esses deslizes são apenas ocasionais, devem ser esperados de um homem que gosta de falar de improviso e nada têm a ver com o consumo de álcool, que, de qualquer forma, eles descrevem como moderado. Segundo eles, o presidente está sendo julgado por um padrão injusto e diferente do adotado para seus antecessores, porque é o primeiro presidente brasileiro da classe operária e tem apenas o curso primário.

"Qualquer um que já tenha estado em recepções formais ou informais em Brasília testemunhou presidentes bebericando uma dose de uísque", escreveu recentemente no jornal *O Globo,* do Rio de Janeiro, o colunista Ali Kamel. "Mas sobre o fato nada leu a respeito dos outros presidentes, somente de Lula. Isso cheira a preconceito."

Lula nasceu numa família pobre, num dos estados mais pobres do Brasil e passou anos dirigindo sindicatos de trabalhadores, um ambiente conhecido pelo consumo de bebidas fortes. Relatos da imprensa brasileira têm descrito repetidamente o pai do presidente, Aristides, a quem ele mal conheceu e que morreu em 1978, como um alcoólatra que maltratava os seus filhos.

Histórias de episódios de bebedeiras envolvendo Lula são numerosas. Após uma noite de farra quando era membro do Congresso, no final da década de 1980, Lula saiu do elevador no andar errado do edifício em que morava na época e tentou botar abaixo a porta de um apartamento que ele, equivocadamente, julgava ser o seu, segundo políticos e jornalistas daqui, inclusive alguns que são ex-moradores do edifício.

"Sob Lula, a caipirinha virou bebida nacional por decreto presidencial", publicou no mês passado o jornal *Folha de S.Paulo,* em uma reportagem sobre a associação de Lula com o álcool e referindo-se a um coquetel feito com cachaça.

Plano brasileiro para domar jornalistas os deixa ainda mais revigorados

Data: 6 de setembro de 2004

RIO DE JANEIRO (RJ) — Um plano do presidente Luiz Inácio Lula da Silva, de criar um conselho nacional de jornalistas para regulamentar a impetuosa imprensa do Brasil, tem provocado crescentes críticas aqui. Empresas de mídia que seriam afetadas pelo projeto de lei classificam-no como a mais séria ameaça à liberdade de expressão no país, desde que a ditadura militar de direita foi derrubada há duas décadas.

De acordo com a legislação, o conselho teria poderes para "orientar, disciplinar e fiscalizar" os jornalistas — que seriam obrigados a se registrar no órgão — e seu trabalho. As penalidades para violações das regras ou decisões do conselho iriam desde multas até a revogação do registro oficial de determinado repórter, o que teoricamente impediria o infrator de trabalhar na profissão.

A legislação, que foi apresentada em agosto, tem sido duramente criticada não só por jornalistas, como também por grupos defensores dos direitos humanos e associações representativas de advogados e juízes. Num protesto emblemático, a Associação dos Magistrados Brasileiros acusou o governo de sucumbir à "lógica autoritária" e declarou que o Brasil não tinha "necessidade de nenhum órgão com poderes para restringir a liberdade de expressão".

O governo também está preparando legislação que estabeleceria a Agência Nacional de Cinema e Audiovisual, que teria autoridade para julgar se os programas de televisão estão se portando com "responsabilidade editorial" e exigir que aqueles que produzem programas de televisão e filmes trabalhem "em harmonia com as metas de desenvolvimento social do país". A proposta tem recebido críticas generalizadas das redes de televisão e de diretores de filmes.

Depois de prometer "redefinir artigos que cheiram a autoritarismo", o ministro da Cultura, Gilberto Gil, concordou na semana passada em abrandar a linguagem da proposta sobre filmes, televisão e rádio.

Mas o governo não tem mostrado a mesma disposição para recuar da idéia do conselho de imprensa, que seria um órgão autônomo, com certas características de um sindicato.

"Numa sociedade, nenhum direito é absoluto", disse recentemente Luiz Gushiken, assessor-chefe em questões de comunicações de Lula. Em reunião pública com proponentes do conselho em abril, no palácio presidencial, Gushiken também disse que a mídia brasileira deve adotar uma "agenda positiva" e se abster de "explorar contradições que fomentem discórdia e conflitos de ego".

De fato, altos funcionários do governo têm caracterizado o clamor contra a legislação como um exemplo do tipo de abuso da mídia que o novo sistema evitaria. "Querer cercear o debate com uma gritaria, ganhar no grito, isso, sim, é autoritarismo, isso é cercear a liberdade de imprensa", disse José Dirceu de Oliveira e Silva, chefe da Casa Civil de Lula.

O governo de Lula está enfrentando uma série de alegações de corrupção e irregularidades administrativas, todas amplamente divulgadas pela mídia.

Neste ano, entre esses casos estavam acusações de que o principal assistente de Dirceu solicitou doações de campanha a bicheiros e escândalos relacionados a remessas de dinheiro feitas pelo presidente do Banco Central e práticas de levantamento de recursos por parte do tesoureiro do partido do governo.

Porta-vozes do governo têm negado repetidamente qualquer relação entre esses incidentes e os planos de regulamentação da imprensa. Mas outras autoridades do governo têm criticado o tom geral da recente cobertura sobre o primeiro governo de esquerda eleito no Brasil, que tomou posse em janeiro de 2003, com apoio generalizado, mas tem gradualmente perdido popularidade.

"Estamos surfando numa onda de acusações no Brasil", disse recentemente o ministro da Justiça, Márcio Thomaz Bastos. "Estas são acusações sem nenhum controle de verificação ou investigação, que destroem reputações e colocam as pessoas em situação defensiva."

Líderes oposicionistas têm replicado que, durante os vinte anos em que esteve na oposição, o Partido dos Trabalhadores freqüentemente denunciava supostos casos de corrupção no governo e passava aos repórteres dossiês incriminadores. Eles acusam Lula, ex-presidente do Sindicato dos Metalúrgicos cujo partido está no poder pela primeira vez, de hipocrisia e comportamento antidemocrático.

"O Partido dos Trabalhadores e o presidente chegaram à conclusão de que seu governo não pode ser criticado", diz José Carlos Aleluia, líder da bancada de um partido conservador de oposição no Congresso. "Se a oposição cumpre seu papel, está agindo de maneira nociva, e se a imprensa faz uma acusação, é uma provocação impertinente, irresponsável. Então, mordaça nelas."

Lula tem defendido energicamente a proposta, às vezes em linguagem que, por si só, provoca mais críticas. "Se vocês defenderem o conselho de imprensa, eu darei uma entrevista", disse ele em meados de agosto, aparentemente em tom de brincadeira.

Em outra ocasião, usando abordagem semelhante, disse a jornalistas que cobriam uma de suas viagens ao exterior: "Vocês são realmente um bando de covardes" por não apoiarem o plano dele.

Um líder da oposição revidou, dizendo que "Lula está sofrendo do efeito Chávez", uma referência aos ataques do presidente Hugo Chávez aos meios de comunicação na Venezuela. Mas o presidente do Partido dos Trabalhadores, José Genoíno, minimizou as observações de Lula, dizendo que ele estava "desabafando mais como líder operário" do que "expressando uma posição de governo".

O governo de Lula também lançou um novo "código de ética" para funcionários do governo, com exceção de ministros e porta-vozes, de discutir investigações oficiais com repórteres. O presidente do Superior Tribunal de Justiça, Edson Vidigal, disse que a medida revelava "um certo terrorismo" e também sugeriu que era inconstitucional.

Autoridades do governo prometeram que o conselho de imprensa seria um órgão profissional, semelhante àqueles que regulamentam as atividades de médicos, engenheiros e advogados, e seria livre de controle político. O objetivo é "garantir à sociedade a plenitude da liberdade de imprensa, e não a liberdade para alguns profissionais e algumas empresas divulgarem o que bem entendem a serviço dos seus interesses", escreveu Ricardo Kotscho, secretário de Imprensa do presidente, num artigo amplamente divulgado.

Alberto Dines, um veterano colunista e editor, classificou a iniciativa como "a mais inepta e atarantada na esfera da imprensa que qualquer governo criou, desde a volta da democracia em 1985", num artigo para o site Observatório da Imprensa, que monitora a mídia. "Num momento em que vem sendo acossado por uma saraivada de acusações, o governo não pode propor algo como isso, que prevê a punição de jornalistas."

Líder brasileiro fica na defensiva enquanto escândalo se alastra

Data: 5 de junho de 2005

RIO DE JANEIRO (RJ) — Um escândalo de corrupção que vem se agravando tem deixado o presidente Luiz Inácio Lula da Silva na defensiva e minado o apoio popular ao seu governo, justamente quando estão se intensificando as manobras políticas com vistas à eleição para presidente no próximo ano.

Com um inquérito agora em andamento no Congresso brasileiro, e que provavelmente vai se arrastar por meses, a atividade legislativa normal parou. Essa paralisia ameaça a agenda de Lula, que inclui mudanças nas leis tributárias e trabalhistas, há muito tempo desejadas por grupos empresariais, e projetos de lei que autorizam gastos para beneficiar os pobres. Assessores de Lula vêm tentando conquistar à moda antiga, com generosas porções de dinheiro para obras eleitoreiras, o apoio de quem está em cima do muro.

O escândalo começou no mês passado, quando a revista *Veja* publicou uma reportagem de capa detalhando o que descreveu como um esquema de propinas no serviço nacional de correios. Num videoteipe que tem sido exibido repetidamente na televisão, um funcionário graduado do departamento é mostrado quando pedia suborno a um possível empreiteiro, em nome de um dos mais importantes aliados políticos de Lula. O funcionário também afirma que outros nomeados por indicação política em agências estatais estão envolvidos em esquemas semelhantes para beneficiar partidos aliados de Lula.

O sistema político brasileiro é estruturado de forma que torna praticamente impossível um único partido conseguir maioria no Congresso. Para conseguir aprovar leis, o partido de Lula, o Partido dos Trabalhadores, como seus antecessores, foi obrigado a formar coalizões com vários partidos menores, cujas ideologias são flexíveis e cujo interesse principal é a distribuição de cargos, o clientelismo político e outras vantagens.

Um deles é o Partido Trabalhista Brasileiro, cuja representação no Congresso quase duplicou desde que Lula, ex-líder operário, tomou posse em janeiro de 2003. O principal líder do partido aliado é Roberto Jefferson, a quem a mídia e líderes oposicionistas acusam de ser o principal organizador e beneficiário do esquema de corrupção.

Jefferson nega ter feito algo ilegal. Ele também tem sido defendido por Lula, que, segundo citação da imprensa brasileira, declarou: "Digam ao Roberto Jefferson que estou solidário com ele. Parceria é parceria."

Pesquisas divulgadas nesta semana indicam que o escândalo está afetando a imagem do governo e a popularidade de Lula, que mostrou uma queda de nove pontos desde fevereiro. Menos de 40% dos entrevistados manifestaram satisfação com o desempenho do governo, e a corrupção foi citada, à frente da criminalidade e da violência, como o "mais vergonhoso" problema social do país.

Com o governo parecendo vulnerável, a oposição, que parecia resignada com a reeleição de Lula para um segundo mandato no próximo ano, se revigorou e vem mostrando uma nova agressividade.

"Este governo está girando em círculos, como um peru bêbado em véspera de Natal", disse na semana passada o ex-presidente Fernando Henrique Cardoso, do Partido da Social Democracia Brasileira (PSDB), da oposição.

Até mesmo alguns dos mais firmes defensores do presidente começam a falar de um governo desnorteado, de uma situação que vai ficando fora de controle. "Pinta um clima de fim de feira moral, de desesperança, de indignação, de salve-se quem puder, tudo ao mesmo tempo", escreveu Ricardo Kotscho, secretário de Imprensa de Lula nos dois primeiros anos de mandato, em artigo colocado na internet.

Corrupção não é tema novo na política brasileira. O presidente Fernando Collor de Mello renunciou em meio a um processo de *impeachment*, em 1992, após a revelação de que ele operava um esquema secreto de corrupção de milhões de dólares. Mas Lula e seu partido são especialmente vulneráveis nesse assunto, porque sempre se apresentaram como uma ilha de honestidade num "mar de lama".

Desde que tomou posse, Lula tem sido acossado por sucessivos casos de corrupção, que começaram com o de um auxiliar, filmado em videoteipe quando solicitava contribuições de campanha a contraventores. No mês passado, o Supremo Tribunal aprovou a instauração de um inquérito sobre as atividades do ministro da Previdência Social de Lula, que, segundo os promotores, providenciou garantias falsas para empréstimo de um banco do governo.

Também provocou a ira popular, no mês passado, uma operação policial que, num dos estados mais pobres do país, prendeu 29 empresários e políticos, entre eles oito prefeitos pertencentes a partidos aliados de Lula. Foram acusados de corrupção. Segundo os promotores, verbas federais destinadas à merenda escolar e programas de alfabetização foram, em vez disso, parar nos bolsos deles.

Tendo perdido a batalha para bloquear no Congresso o inquérito sobre o escândalo, assessores de Lula agora lutam para limitar o raio de alcance da investigação. Mas os partidos de oposição, percebendo aí uma oportunidade para enfraquecer ainda mais a popularidade do governo, vêm pressionando para examinar outras agências governamentais, inclusive o Instituto de Resseguros, em mãos de partidos aliados.

Durante os vinte anos em que esteve na oposição, o Partido dos Trabalhadores apoiou numerosos inquéritos parlamentares. Mas os líderes partidários têm reagido a este, acusando seus adversários de tentar promover um golpe.

"As elites querem derrubar o governo Lula, o único governo operário eleito nas Américas", disse o senador Aloizio Mercadante, líder da bancada do Partido dos Trabalhadores no Senado. "Fizeram isso no Chile e deu no que deu."

Mas, aparentemente, esta argumentação não tem ressonância entre os brasileiros comuns. Após a divulgação de outro videoteipe incriminador, mostrando, no remoto Estado amazônico de Rondônia, legisladores pedindo pagamentos ao governador do estado, que tem sido ameaçado de *impeachment*, centenas de pessoas invadiram o edifício do Legislativo, em protesto contra a corrupção.

Por enquanto, oposição brasileira protege presidente de escândalo

Data: 14 de agosto de 2005

RIO DE JANEIRO (RJ) — Seu ministro mais próximo se demitiu desacreditado, como também fizeram três altos dirigentes do seu partido, e vários parlamentares enfrentam a possibilidade de cassação. Mas, mesmo quando o pior escândalo de corrupção da história brasileira continua derrubando os que o cercam, o presidente Luiz Inácio Lula da Silva tem parecido imune à infecção.

Ele deve essa boa sorte, afirmam líderes políticos e comentaristas, menos a uma ausência de provas do que a frios cálculos políticos. Em vez de pôr em perigo uma economia forte ao procurar tirar Lula do cargo, líderes oposicionistas têm falado abertamente agora em "blindá-lo", para que, enfraquecido e com a imagem seriamente manchada, sobreviva o tempo suficiente para ser derrotado numa eleição presidencial a se realizar daqui a apenas 14 meses.

"Para o país, é conveniente que o presidente pareça ser o bobo da corte, que nada sabia do que estava acontecendo", diz Hélio Jaguaribe, conceituado cientista político. "É mentira, mas é uma boa mentira. Não há nenhuma vantagem em ter uma crise institucional agora, de forma que é melhor deixá-lo fora disso."

O escândalo aqui começou há três meses, com a divulgação de um videoteipe mostrando um funcionário de terceiro escalão, nomeado por indicação política para o serviço dos correios, solicitando um suborno em nome do dirigente de um grande partido aliado do presidente Lula. Desde então, espalhou-se tão rapidamente que as ações ilegais agora vêm sendo procuradas, e muitas vezes encontradas, em quase todos os recantos do governo e do partido de Lula.

Entre as infrações descobertas, estão a solicitação e o desembolso de contribuições ilegais de campanha e pagamento de uma "mesada mensal" de 12 mil e 500 dólares a membros de partidos aliados de Lula, para conquistar seu apoio no Congresso. Dirigentes do Partido dos Trabalhadores, de viés de esquerda, também operaram um fundo de corrupção de 30 milhões de dólares e aceitaram presentes, como jipes, de firmas interessadas em obter contratos do governo.

As crescentes transgressões estão submetendo ao seu teste mais duro essa atitude de deixa-pra-lá em relação a Lula. Na quinta-feira, o consultor de mídia do presidente admitiu, em declarações televisadas perante o Congresso, que a pessoa acusada de administrar o caixa dois pagara a ele 3,25 milhões de dólares, não contabilizados, através de contas bancárias secretas no exterior, por seu trabalho na campanha eleitoral de 2002.

Inicialmente, Lula, um ex-líder sindical cujas políticas econômicas têm acalmado os temores do empresariado ante seu passado de esquerda, zombou da importância do escândalo e do impacto que teria no seu governo. "Olhem para a minha cara e vejam se estou preocupado", disse ele no fim de maio, quando o Congresso autorizou o primeiro dos três inquéritos parlamentares que agora dominam as manchetes no país.

Nas últimas semanas, porém, ele tem mostrado sinais de tensão e fadiga, com os colunistas Merval Pereira e Franklin Martins começando a falar sobre seu "comportamento errático". Freqüentemente emocionado em público, Lula tem chorado durante discursos recentes, entre os quais um na quinta-feira e outro na semana passada, quando falou nostalgicamente em sua mãe e em sua infância de garoto pobre do interior do Nordeste.

Em vez de permanecer em Brasília, Lula tem viajado pelo país — 15 viagens nas últimas cinco semanas — reafirmando sua integridade pessoal perante platéias escolhidas a dedo. Mas, com a renúncia em junho de José Dirceu, seu principal assessor e primeiro-ministro *de facto,* ele não tem ninguém de confiança para tocar as tarefas administrativas diárias, e vêm crescendo as queixas de que o país está à deriva.

O presidente também tem sido criticado por adotar a bélica retórica populista de seu amigo Hugo Chávez, presidente da Venezuela, que jantou com Lula em Brasília na quinta-feira e fez uma forte declaração de apoio.

À medida que o apoio a Lula se evapora entre a classe média urbana, ele tem cada vez mais recorrido a apelos classistas dirigidos a operários de fábricas e camponeses que foram a base original de apoio ao seu Partido dos Trabalhadores.

"Minha mãe não era capaz de fazer *[a letra]* 'o' com um copo", disse ele em discurso no mês passado. "Um dos legados que eles me deixaram (...) é que andar de cabeça erguida é a coisa mais importante que pode acontecer para um homem e uma mulher. (...) E não vai ser a elite brasileira que vai me fazer abaixar a cabeça."

Todos os indícios sugerem, porém, que a oposição política e os poderosos interesses empresariais baseados em São Paulo estejam fazendo o possível para manter Lula no poder, desde que ele continue a seguir políticas econômicas conservadoras. De acordo com informações da imprensa, o presidente do Supremo Tribunal Federal tem tido encontros com esses grupos para lembrar-lhes que não é do interesse de ninguém ver o presidente derrubado.

Em 1992, um dos antecessores de Lula, Fernando Collor de Mello, deixou o cargo depois que o Congresso iniciou processo de impeachment contra ele. Mas essa renúncia, resultado de um escândalo de corrupção que tem sido superado pela crise atual, foi um trauma nacional que, aparentemente, poucos brasileiros gostariam de repetir.

Retirar Lula do cargo significaria dar o poder a seu vice-presidente, José Alencar, de 73 anos, um empresário nacionalista que discorda das medidas governamentais de apertar o cinto. Pior ainda, poderia até significar a ascensão de Severino Cavalcanti, um parlamentar do baixo clero ainda mais velho e despudoradamente retrógrado, que se tornou presidente da Câmara dos Deputados em fevereiro.

Com a economia crescendo, as exportações batendo recordes e as taxas de juros e de inflação caindo, a elite tem numerosas razões para temer a idéia de um longo e arrastado processo de impeachment que pudesse levar investidores a evitar o Brasil. A solução tem sido escalar Lula para o papel de vítima inconsciente de uma vasta conspiração, embora José Dirceu tenha dito anteriormente que nunca atuou em qualquer questão importante sem o conhecimento do seu chefe.

Na semana passada, em visita ao Brasil, o secretário do Tesouro dos Estados Unidos, John W. Snow, também proferiu um voto de confiança em Lula, minimizando o impacto da crise, quando os repórteres lhe fizeram perguntas sobre este assunto. "A situação, independentemente de como queiram caracterizá-la, não tem tido maior impacto na economia", que "absorveu isso", disse ele. "Isso reflete a confiança nas instituições básicas deste país."

Enquanto o Brasil se prepara para votar, mancha de escândalo parece desbotar

Data: 25 de setembro de 2006

CARUARU (PE) — Há um ano, o presidente Luiz Inácio Lula da Silva estava em apuros, com seu apoio e sua legitimidade minados pelo maior escândalo de corrupção da história moderna do Brasil. Mas com os brasileiros programados para votar no dia 1º de outubro, agora parece provável que ele será reeleito, por maioria esmagadora.

A reviravolta, segundo analistas políticos, é resultado de vários fatores que têm sustentado a posição do presidente, tais como doses generosas de clientelismo e programas sociais. O mero cansaço do eleitorado, ouvindo falar de corrupção dia após dia, obviamente também desempenha um papel em tudo isso.

Mas igualmente importante é a base de apoio ao presidente, entre os pobres da nação, como esses aqui do Nordeste. Lula, de 60 anos, o primeiro presidente de esquerda eleito no país, nasceu na região, sendo um dos oito filhos de uma família camponesa.

A canção-tema da campanha de Lula, tocada incessantemente nos alto-falantes dos comícios e em anúncios da televisão, a todo momento lembra aos eleitores essas raízes e sua forte relação com eles. "É o primeiro presidente que tem a alma do povo, que tem a cara da gente", proclama um dos versos.

Esse raciocínio parece ter tido ressonância entre os eleitores. O mesmo se pode dizer da estratégia de Lula de se distanciar do escândalo e do seu Partido dos Trabalhadores, que deve perder muitas de suas cadeiras no Congresso, mesmo quando o presidente parece ter a probabilidade de sair ileso da eleição.

As pesquisas indicam que os brasileiros culpam o Congresso, o Partido dos Trabalhadores e "o governo" pela corrupção, mas, em grande parte, têm isentado Lula de responsabilidade pelo escândalo.

"Lula não é um presidente convencional, e tem um grau de identificação com o setor menos instruído do povo que é como um salvo-conduto que lhe permite fazer o que quiser", diz Rubens Figueiredo, professor universitário e consultor de opinião pública. "Ele foi absolvido antecipadamente."

Em meados de setembro, irrompeu novo escândalo, que forçou a substituição do diretor de campanha de Lula, mas teve impacto mínimo sobre as pesquisas. Dois agentes do Partido dos Trabalhadores foram presos com 792 mil dólares em dinheiro vivo que, segundo a polícia, iam ser pagos a proprietários de uma empresa de ambulâncias, envolvidos em outro escândalo do Ministério da Saúde, em troca de um dossiê destinado a incriminar o adversário de Lula, um ex-ministro da Saúde, na eleição de 2002.

Pesquisas recentes mostraram Lula beirando a casa dos 50% dos votos necessários para evitar um segundo turno em 29 de outubro. Seu adversário mais próximo, Geraldo Alckmin, do Partido da Social Democracia Brasileira (PSDB), tem ficado bem atrás, com menos de 30% dos eleitores pesquisados dizendo que votarão nele. Analisados estado por estado, esses números indicam um eleitorado de 126 milhões de votantes nitidamente divididos por classe e região.

Embora Lula e Alckmin, que é médico e ex-governador do estado de São Paulo, estejam correndo juntos no Sul mais próspero e industrializado, as pesquisas mostram Lula conseguindo 70% dos votos nesta área pobre de nove estados que tem mais de 50 milhões de habitantes.

"Seria tão mais fácil a gente governar se tivéssemos que cuidar só dos pobres", disse Lula, agradecido, no início da campanha. "Os pobres não dão trabalho", acrescentou. "O pobre quer apenas um pouco de pão. Eles não têm dinheiro para ir protestar em Brasília, para fazer passeatas."

O escândalo que ameaçou descarrilar a presidência de Lula estourou em maio de 2005, quando foi revelado um esquema de propinas envolvendo contratos no serviço de correios. Mas, à medida que a imprensa e investigadores do Congresso foram se aprofundando, descobriram provas de que a campanha presidencial de Lula, em 2002, fora financiada ilegalmente. O esquema clandestino de levantamento de fundos continuou depois de sua eleição e incluía pagamentos por fora a membros do Congresso, em troca de votos.

Em resultado disso, os dois assessores mais importantes de Lula — o chefe da Casa Civil, José Dirceu, e o ministro da Fazenda, Antonio Palocci

— se viram implicados e tiveram de renunciar. Desacreditado, o presidente do Partido dos Trabalhadores, que Lula fundou em 1980, quando era líder operário, também teve de se afastar, como fizeram o secretário-geral e o tesoureiro do partido.

Inicialmente desorientado, Lula apresentou pelo menos cinco justificações bastante variadas para a corrupção, desde uma alegação inicial de que "o que o PT fez do ponto de vista eleitoral é o que é feito no Brasil sistematicamente" até declarações de que fora "traído" por auxiliares não identificados e de que nada sabia do que estava acontecendo.

No fim das contas, resolveu dizer que "a mesma elite que domina este país há quinhentos anos" inventou o escândalo para impedi-lo de trabalhar pelos interesses dos pobres, cuja maioria tem permanecido do lado do presidente.

"Sempre houve corrupção no Brasil, mas sempre foi mantida em segredo, enquanto agora está vindo a público e sendo comentada diariamente nos noticiários", diz aqui o caminhoneiro Giderson Tenório, de 60 anos. "Como diz a Bíblia, aquele que não tem pecado que atire a primeira pedra."

Num comício de campanha realizado aqui, no dia 5 de setembro, Lula falou em tom desafiador, acompanhado pelo seu ex-ministro da Saúde, Humberto Costa, agora candidato a governador. Humberto Costa foi acusado recentemente de fazer parte do "escândalo dos vampiros", envolvendo superfaturamento de produtos hemoderivados, mas o presidente instou seu companheiro a não se preocupar, porque "o povo é mais inteligente do que a classe política" e vai dar seu veredicto nas urnas.

"Eu mesmo fui acusado muitas vezes", disse Lula.

Em julho, no início da campanha, dirigentes do partido deram a Lula, que é propenso a cometer gafes e exageros quando fala improvisadamente, "Dez Mandamentos" a serem seguidos. Embora o presidente tenha ocasionalmente tido dificuldade em se conter, como quando comparou seus críticos aos nazistas, vem cumprindo os pontos principais, que incluem evitar entrevistas e debates, para não ter de improvisar, e manter-se distante do seu comitê de reeleição, para não ser ligado às suas práticas de financiamento.

Lula também tem sido recompensado com o apoio dos eleitores por seus programas sociais destinados a melhorar a condição dos pobres.

Depois que sua badaladíssima campanha Fome Zero se mostrou um fracasso, ele juntou vários programas iniciados pelo governo anterior, reempacotou-os sob o nome de Bolsa Família e encaminhou os benefícios a famílias com renda per capita mensal de menos de sessenta dólares, com requisitos mais tolerantes do que os oferecidos por seu antecessor.

Mais de 11 milhões de famílias, quase um quarto dos 185 milhões de habitantes do Brasil, agora se beneficiam do Bolsa Família, que paga até 45 dólares mensais por família. Com a eleição se aproximando, Lula também tem apressado a eletrificação rural e esforços para instalar cisternas.

"Lula tem usado a máquina do Estado de uma forma inédita, que não vejo em cinqüenta anos", diz Bolívar Lamounier, analista político de São Paulo. "Ele tem conseguido habilmente manter os eleitores dentro do bolso dele no Nordeste, onde as pessoas são mais dependentes do governo e podem facilmente virar cativos do clientelismo, de maneira que a única batalha está sendo travada no Sul."

Política Internacional

O lugar ocupado pelo Brasil no mundo é curioso. Seu vasto território, rico em recursos naturais e fazendo fronteira com dez países, abriga a quinta maior população do mundo. Desde o tempo do barão do Rio Branco até o Itamaraty presente, o Brasil sempre teve um dos serviços diplomáticos mais talentosos e competentes do que os de qualquer outro país. No entanto, seu comportamento no cenário internacional foi historicamente o de um país muito menor, hesitante e inseguro de si. Ele procura evitar conflitos (ou mesmo desacordos) de qualquer tipo em nome de princípios que são definidos e articulados apenas vagamente, e só de forma intermitente usou sua influência para cultivar laços mais fortes e mais estreitos com seus vizinhos. Como me disse uma vez um perplexo embaixador americano, usando uma analogia do boxe, o Brasil é um país que sempre "luta numa categoria abaixo da sua".

É claro que o subdesenvolvimento é um fator fundamental para ajudar a explicar essa timidez tradicional: o mundo pode ser um lugar muito hostil, e o poder é muitas vezes projetado pela força, não pelo exemplo moral.

Durante a maior parte de sua história, o Brasil teve de concentrar energias na ocupação de seu território e lutar para alimentar, dar habitação e cuidar de seu povo. As Forças Armadas eram fracas e mal supridas, e, infelizmente para os brasileiros, estavam mais interessadas em ser o árbitro da política interna do que em cumprir sua missão constitucional apropriada: agir como o defensor das fronteiras e projetar o poder externamente.

Mas uma característica de países grandes, especialmente com escala continental, independentemente de seu estágio de desenvolvimento econômico, é que eles tendem a ficar auto-absorvidos e olharem mais para dentro deles mesmos. Esse foi certamente o caso dos Estados Unidos, que oscilaram ao longo de sua história de períodos de isolamento auto-imposto a envolvimento relutante, muitas vezes desajeitado, com o resto do mundo. Mas penso que isso também vale para o Brasil e a China, ambos países onde trabalhei como correspondente, assim como para a Rússia, a Índia e mesmo a Indonésia.

No caso do Brasil, essa tendência foi exacerbada pela geografia, pela língua e pela cultura. Até recentemente, o Brasil vivia de costas para o resto da América do Sul, de olhos voltados mais para os distantes Europa e Estados Unidos, para os países a que ele aspirava imitar, do que para seus vizinhos. As fronteiras que o Brasil partilha com a maioria desses vizinhos estavam na parte mais remota e atrasada do país, o que também desestimulava o contato. Não admira que, num sentido metafórico, Paris parecesse mais próximo que Bogotá, Caracas, Lima ou a Cidade do México. Como os americanos, os brasileiros tradicionalmente sabiam pouco sobre seus vizinhos mais próximos e mostravam apenas um interesse mínimo e esporádico em conhecê-los.

Mas nas últimas décadas, a partir da ditadura militar, isso começou a mudar, embora a política externa continue a ser um assunto que diz respeito apenas a uma pequena elite. O embaixador americano desnorteado pelo fato de o Brasil "lutar abaixo de sua categoria" era um relativo novato no Brasil, e não um diplomata de carreira, e na realidade tinha muito menos motivos para estar perplexo do que um de seus antecessores na década de 1970 teria. Especialmente durante os oito anos de FHC, que fora ministro das Relações Exteriores e sempre parecia apreciar os contatos com líderes estrangeiros, o Brasil pareceu se tornar não só mais envolvido, mas também mais à vontade e autoconfiante e ágil.

Sob Lula e o Partido dos Trabalhadores, porém, a política externa mudou em sentidos importantes, afastando-se tanto da diplomacia tradicionalmente prudente do Itamaraty como das calibragens que José Sarney e FHC introduziram. Para começar, há conflitos óbvios entre as posições tradicionais do Brasil na arena internacional e aquelas que o PT adotava, e essas contradições cresceram com o tempo, como mostra o "Dossiê das Farc", vazado pelo governo colombiano em julho de 2008 para a revista *Cambio.* Houve também múltiplos centros de poder dentro do governo, cada um deles competindo com os outros de tal forma que, especialmente durante o primeiro mandato de Lula, nunca ficava claro quem estava encarregado da política externa. Em conseqüência, o governo nunca falava com uma só voz e seus objetivos eram muitas vezes obscuros.

Lula mal havia sido empossado, por exemplo, quando Roberto Amaral, então ministro da Ciência e Tecnologia, provocou a primeira dessas controvérsias. O Brasil, disse ele à BBC, "não pode renunciar ao conhecimento científico" e precisa "dominar todo o ciclo nuclear" para "estar preparado". Como o Brasil demorou em aderir ao Tratado de Não-Proliferação Nuclear, só o fazendo em 1998, por insistência de FHC, e Lula fizera declarações quando candidato que criticavam a não-proliferação nuclear, isso pareceu a muitos estrangeiros um exemplo preocupante de retrocesso. Foi preciso uma campanha de vários dias para assegurar ao resto do mundo que essa não era realmente a expressão de uma nova política, mas apenas um exemplo de um ministro inexperiente falando sem pensar e sem respaldo oficial.

Em última instância, contudo, os principais problemas da política externa de Lula podem ser traçados diretamente a Marco Aurélio Garcia. Ele é pouco conhecido dos brasileiros comuns, exceto pela indesejada explosão de publicidade que recebeu durante a crise da aviação de 2007, quando foi filmado dentro do Palácio do Planalto fazendo um gesto de "top-top" em reação à cobertura da imprensa do desastre do vôo 320 da TAM em São Paulo. Mas, como chefe da Secretaria de Relações Internacionais do Partido dos Trabalhadores durante muitos anos, Garcia era o principal tutor de Lula em política externa e política internacional. Seu papel era semelhante ao que Condoleeza Rice desempenhava para George Bush: tentar ajudar um político que era mal informado sobre o mundo além das fronteiras de seu país (e não estava especialmente interessado no que acontecia lá) a formar uma visão de mundo coerente.

Mas, como Condoleeza Rice no governo Bush, Marco Aurélio Garcia acabou sendo promovido a uma posição que estava além de seu nível de conhecimento e capacidade, basicamente por causa daquela longa e estreita relação pessoal com o presidente. Em sua função como conselheiro de Lula em assuntos de segurança nacional e política externa, Garcia, ex-professor universitário, parecia se ver como uma espécie de Henry Kissinger tupiniquim, um mestre da *realpolitik*. A realidade, contudo, é que ele parece mais um Renato Aragão da diplomacia, um trapalhão cujo principal talento é bagunçar as coisas.

A questão não é só que Garcia tem uma visão fundamentalmente falha do papel e dos interesses do Brasil no mundo, cultivando antes a China que a Europa como um aliado para compensar o poder dos Estados Unidos, e constantemente apresentando desculpas para os excessos demagógicos de populistas de esquerda latino-americanos como Hugo Chávez e Evo Morales, mesmo quando os interesses do Brasil foram ameaçados. Isso, combinado com a falta de experiência e conhecimento de Lula, se traduziu na campanha mal concebida e em última instância fracassada para conquistar para o Brasil um assento permanente no Conselho de Segurança da ONU. Suas visões distorcidas também contribuíram para o fracasso da tentativa de fazer uma aliança com a China, destinada a permitir que o Brasil usasse a influência daquele país contra os Estados Unidos e a Comunidade Européia. Além disso, Garcia falhou repetidamente na execução da política em relação à Venezuela e à Bolívia, com claro prejuízo para os interesses do Brasil.

Até sua queda em conseqüência do escândalo do mensalão, José Dirceu também dava palpites na política externa, mantendo um canal extra-oficial quase secreto que se concentrava nas relações com os Estados Unidos, um país do qual ele tinha pouco conhecimento ou compreensão. Ele uma vez me disse, por exemplo, que havia no governo dos Estados Unidos uma facção antibrasileira "fascista". Dirceu fazia viagens a Washington e consultava freqüentemente a embaixada americana em Brasília, para grande deleite do governo Bush, que, como todos os governos americanos, ficava muitas vezes frustrado com o que via como obstinação do Itamaraty.

Como único diplomata experiente da equipe do Planalto, Celso Amorim poderia ter tentado conduzir a política externa em uma direção mais favorável aos interesses do Brasil. Mas ele era um recém-chegado ao campo de Lula e, diferentemente de Marco Aurélio Garcia, não fazia parte do círculo íntimo do presidente. Para compensar a vantagem de vinte anos de Marco Aurélio e conseguir ser ouvido pelo presidente, Amorim parecia compelido a se tornar mais católico que o papa, e a endossar os temerários impulsos do presidente mesmo quando a reflexão sóbria e a história indicavam outro caminho. Isso se aplica tanto às questões internas, como aplicar critérios políticos para a promoção e o recrutamento de diplomatas, como às decisões sobre políticas concretas, tais como as tendências terceiro-mundistas de Lula.

A campanha para conquistar um assento permanente no Conselho de Segurança da ONU, o principal foco da política externa do primeiro mandato de Lula, oferece o melhor exemplo de como foi deixado de lado um julgamento sóbrio. Governos brasileiros anteriores haviam endossado essa idéia, mas ela era basicamente retórica. Os diplomatas sensatos do Itamaraty sabiam que fazer pressão demais nessa questão complicaria desnecessariamente as relações com a Argentina e o México, que também se viam como potências regionais e preferiam um assento permanente rotativo para a América Latina.

Mas como Lula, a exemplo de muitos de seus pares americanos, parece convencido de que o destino manifesto do Brasil o autoriza a ser uma potência regional mais afirmativa, ele e Marco Aurélio Garcia tentaram levar à prática esse esforço. Celso Amorim ou não tentou dissuadi-los ou não conseguiu fazê-lo. O resultado foi constrangimento e às vezes humilhação para o Brasil. Em cada etapa da campanha, o Brasil foi sobrepujado e em última instância traído pela China, supostamente sua aliada e companheira na crença no que Brasília descrevia como "solidariedade Sul–Sul", na qual as novas potências emergentes do que antes era conhecido como Terceiro Mundo agem em conjunto contra as nações industrializadas da América do Norte e da Europa. Aconteceu novamente em julho de 2008, quando as negociações para liberalizar o comércio internacional através da Rodada de Doha colapsaram, com Brasil e China em campos opostos.

Por causa da confusão sobre quem estava realmente encarregado da política externa, o governo acabou caindo em um padrão constrangedor. Marco Aurélio Garcia anunciava publicamente o que descrevia como a posição oficial do Brasil sobre alguma questão global. Então, um ou dois dias depois, Celso Amorim "esclarecia" essa postura com uma declaração que ou alterava substancialmente ou contradizia completamente o que Garcia havia dito. Tenho pena dos pobres diplomatas estrangeiros nas embaixadas em Brasília que tinham de tentar explicar a política externa brasileira em despachos para suas capitais.

Desde o começo, pensei que a adoção pelo Partido dos Trabalhadores de uma política externa baseada na "solidariedade Sul–Sul" era mal pensada e potencialmente danosa aos verdadeiros interesses do Brasil. Como retórica, uma abordagem como essa era compreensível: assim que Lula tomou posse, abandonou as posições tradicionais de seu partido sobre questões econômicas e começou a cultivar a aprovação dos mesmos analistas de mercado e magnatas de Wall Street que ele antes hostilizava. Portanto, ele precisava fornecer ao fiéis do partido, especialmente àqueles da extrema esquerda, algo que abrandasse sua irritação e a sensação que tinham de estar sendo traídos. Como a política externa tem um componente tão grande de retórica, e interessa apenas a uma pequena elite, a escolha perfeita era "falar pela esquerda" e assim compensar sua decisão de "agir pela direita" na economia.

Mas Lula e seu governo pareciam muitas vezes realmente acreditar na própria retórica, ou pelo menos agir como se fosse esse o caso. Promover a "solidariedade Sul–Sul" e buscar alianças com a China e a África eram posições ideológicas que talvez fossem apropriadas como parte de um manifesto do Partido dos Trabalhadores. Mas governar é outra história: um governo precisa sempre buscar o interesse nacional, e não seguir os caprichos ou projetos favoritos de um só partido ou facção. Além disso, com freqüência essas iniciativas simplesmente não funcionam ou fazem sentido, como ficou demonstrado em maio de 2004 na conferência de cúpula Árabe-Sul-americana de dois dias em Brasília, que não produziu nada além de lengalenga.

Ao agir com base nessas noções ingênuas de "solidariedade Sul-Sul", o Brasil caiu direitinho nas mãos dos chineses, que têm quase 5 mil anos de experiência em lidar com estrangeiros, comparados a menos de duzentos do Brasil, e portanto conhecem todas as artimanhas para promover seus interesses. O Brasil foi claramente engambelado, por exemplo, quando concordou em conceder à China o status de "economia de mercado", aparentemente em troca de uma promessa chinesa de apoiar a campanha do Brasil para conquistar um assento permanente no Conselho de Segurança da ONU.

Mas o que aconteceu? O Brasil cumpriu sua parte na barganha, que permitia que produtos chineses baratos entrassem no mercado brasileiro, desconsiderando produtores domésticos que têm de pagar a seus empregados salários mais altos do que os chineses pagam aos deles. Isso, por sua vez, criou tensões entre o governo de Lula e a Fiesp e a classe empresarial de São Paulo, que tiveram de suportar o impacto de uma explosão de produtos chineses baratos. Mas quando chegou o momento de a ONU considerar propostas de expansão do Conselho de Segurança, a China torpedeou o plano mais lógico, que teria assegurado assentos permanentes não só ao Brasil, mas também ao Japão, rival histórico da China (e também um dos mais importantes parceiros comerciais do Brasil).

Quando Lula e Marco Aurélio Garcia caíram nessa armadilha, o Itamaraty, que evidentemente sabia que essa não era uma opção sensata, foi arrastado com eles. Aqueles que tiveram a audácia de sugerir que a política brasileira em relação à China era ingênua e irrealista foram punidos ou demitidos. Tomemos o caso de Roberto Abdenur. Ele havia servido com distinção como embaixador do Brasil tanto em Pequim como em Washington. Mas quando, corajosamente, fez uma palestra em 2006 para um grupo de empresários em São Paulo advertindo que a política brasileira era ingênua e que a China devia ser considerada mais um rival do que um aliado, Roberto Abdenur efetivamente pôs um fim em sua carreira. Alguns meses depois, foi transferido de Washington. O pretexto era que seu período de serviço terminara, mas o próprio Abdenur se queixou em entrevistas à imprensa brasileira de que estava sendo punido por levantar questões sobre a política em relação à China.

Sejamos francos: ao contrário de Fernando Henrique Cardoso, que gostava genuinamente do toma-lá-dá-cá dos assuntos externos, fala várias línguas e foi ministro de Relações Exteriores antes de ser eleito presidente, Lula, a despeito de todo o seu carisma pessoal e da curiosidade que sua biografia suscitou no exterior, não é um diplomata hábil. Ele é impulsivo e indisciplinado, e, como seu amigo George Bush, não consegue se ater a sua pauta, e também tem propensão a cometer gafes. Sim, Lula é caloroso pessoalmente e sabe como se relacionar com seus pares. Mas isso não é suficiente. A diplomacia é a arte da sutileza, de manipular a linguagem para forjar acordos com múltiplos significados e interpretações, e nem a fineza nem a acuidade verbal foram o traço forte de Lula. Ele também não tem, como José Sarney tem, experiência legislativa em elaborar projetos, que teria lhe servido bem na negociação de compromissos e acordos com nações estrangeiras.

Tanto Lula como Celso Amorim declararam em várias ocasiões que, graças a seus esforços, "nunca na história" as relações entre o Brasil e os Estados Unidos foram melhores. Isso não é verdade, como diplomatas tanto brasileiros como americanos reconhecem quando conversam em *off*. Nos últimos cinqüenta anos, as relações entre os dois países foram piores provavelmente de 1977 a 1981, quando Jimmy Carter estava no poder em Washington e uma ditadura militar governava o Brasil. Desde o início, o choque a respeito de direitos humanos levou a disputas sobre compras de armas e proliferação nuclear, tornando a visita de Carter ao Brasil em 1978, que eu cobri, bastante tensa.

As relações claramente alcançaram um pico histórico quando Bill Clinton e Fernando Henrique Cardoso eram presidentes. Os dois chefes de Estado não apenas gostavam verdadeiramente um do outro, mas compartilhavam afinidades ideológicas que se traduziram em laços mais calorosos entre os dois Estados. Isso ajuda a explicar não só a disposição de Washington de intervir em benefício de FHC e do Brasil durante a crise econômica do final de 1998 e o início de 1999, mas também várias outras iniciativas menos celebradas de aproximar os dois países.

Fernando Henrique e Bush, por outro lado, eram como água e óleo. Bush achava FHC muito pomposo e condescendente, e se ressentia de um tom que julgava repreensivo, como se FHC fosse um professor universitário e Bush um estudante particularmente lento. FHC, por sua vez, simplesmente não conseguia suportar a ignorância e a preguiça intelectual de Bush. Felizmente, essa fase durou só dois anos: apesar de todas as suas diferenças ideológicas, Bush e Lula parecem de fato se dar bem. Assim, desde 2003 as relações foram surpreendentemente cordiais e construtivas. Mas isso não significa que elas estão melhores do que nunca, como Lula certamente saberia se tivesse melhor compreensão da história.

Mencionei José Sarney em parte porque queria chamar a atenção para um dos grandes triunfos da política externa brasileira nas últimas décadas. Na primeira vez que vim ao Brasil, na década de 1970, para cobrir o que era chamado então de "Cone Sul", Brasil e Argentina estavam ambos vivendo sob ditaduras militares chauvinistas de direita. Nos dois países, jogos de guerra militares e treinamento de prontidão para combate se concentravam na possibilidade de conflito com o país vizinho, e as Forças Armadas de ambos os países estavam realizando clandestinamente programas de armas nucleares tendo o outro em mente.

Quando essas ditaduras caíram, no entanto, os novos líderes civis tomaram medidas para construir a confiança mútua e negociaram os tratados que levaram à formação do Mercosul e ao abandono da corrida de armas nucleares regional. Esse é um dos grandes feitos da diplomacia moderna, não apenas da América Latina, mas do mundo, e José Sarney e Raúl Alfonsín merecem um enorme crédito por controlarem as Forças Armadas, revertendo 150 anos de suspeita mútua e começando a construir uma parceria econômica e política. O mundo conhece e admira isso, como ficou claro quando o presidente Bill Clinton foi à Índia e ao Paquistão em 2000 e instou aqueles dois países a abandonarem sua corrida de armas nucleares, citando Brasil e Argentina como exemplos de como a cooperação pode beneficiar países e povos.

O Mercosul, porém, tem se desviado cada vez mais de seus objetivos nos últimos anos, e a principal responsabilidade por sua falta de direção e energia é do Brasil. Sendo o maior membro do grupo, o Brasil tem uma obrigação especial de exercer a liderança, mesmo quando isso possa parecer desagradável ou inconveniente, ou exija sacrifícios de curto prazo. Nas palavras de um dos grandes blues de B. B. King, "Você tem de pagar o custo para ser o chefe".

Mas o Brasil sempre quis desfrutar os benefícios de ser o líder do Mercosul sem pagar o preço correspondente. A área que cobri inclui não só o Brasil, mas todos os três outros membros originais do Mercosul, e ouvi constantemente queixas dos Ministérios de Relações Exteriores desses países sobre o que é visto como passividade e falta de liderança do Brasil. Esse é o caso não só da Argentina, que abandonou suas aspirações de ser uma potência regional sem deixar de ter um certo sentimento residual de ciúme, mas também dos membros menores, Uruguai e Paraguai, e de membros associados como o Chile.

Embora pregando os benefícios da liberalização do comércio no grupo do Mercosul, o Brasil com freqüência não se dispôs a pôr esses ideais em prática. Em vez disso, o comércio se tornou um processo de barganha, contrariando o espírito original do Mercosul, e embora a Argentina pelo menos tenha peso suficiente para negociar cotas de importação e exportação com o Brasil, os membros menores não têm. Tabaré Vázquez, presidente do Uruguai, queixou-se a mim em uma entrevista em 2006 de que, por causa de barreiras comerciais artificiais, o Uruguai não podia sequer exportar sua marca mais popular de água mineral para o Rio Grande do Sul, bem do outro lado da fronteira.

Curiosamente, os brasileiros afirmam não entender essa queixa e ficam ofendidos quando seus parceiros comerciais na região expressam insatisfação e começam a buscar alternativas. Quando o Chile, no final de 2000, iniciou as negociações que levaram à assinatura de um tratado de livre-comércio com os Estados Unidos, fontes do governo brasileiro se queixaram de estar sendo "apunhaladas nas costas", e quando Tabaré Vázquez e o Uruguai começaram a falar em deixar o Mercosul e buscar uma aproximação comercial com os Estados Unidos, a imprensa brasileira também se queixou, vociferante, de traição. Era como se as ações e políticas do próprio Brasil não tivessem nada a ver com o enfraquecimento do bloco.

Como os Estados Unidos, o Brasil muitas vezes parece incapaz de se ver do ponto de vista de seus vizinhos menores e mais fracos. Como os americanos, os brasileiros estão convencidos de que suas ações no exterior são sempre altruístas e benignas, e parecem surpresos quando outros questionam suas motivações e seu comportamento. Parece que não ocorre a eles que, como um ex-ministro das Relações Exteriores paraguaio me disse uma vez, "o Brasil é para o Paraguai o que os Estados Unidos são para o México" — um vizinho grande, muito poderoso e às vezes insensível cuja mera presença incomoda e que jamais pode ser ignorada.

Assim, para os brasileiros, os cerca de 300 mil "brasiguaios" que se assentaram em terras férteis logo depois da fronteira do Paraguai são vistos como pessoas que estão levando progresso e investimento para um vizinho pobre e atrasado. Mas os paraguaios, cujas lembranças da Guerra da Tríplice Aliança nunca enfraqueceram, vêem esses mesmos colonos como uma ameaça a sua identidade e soberania nacional. Eles sabem que a maioria dos brasileiros menospreza o Paraguai, vendo-o como corrupto e uma fonte de muamba, e se ressentem disso. Querem em sua relação com o Brasil a mesma dignidade e o mesmo respeito que o Brasil quer em seu relacionamento com países maiores e mais poderosos, como os Estados Unidos, o Japão e a União Européia.

Agora, com a chegada ao poder de monsenhor Fernando Lugo, este passado complicado ameaça voltar a morder o Brasil. A reivindicação (aliás justa) de Lugo de uma renegociação do tratado de Itaipu, que foi uma negociata para o ditador Stroessner e seus amigos mas continua sendo francamente desfavorável aos interesses do povo paraguaio, e um controle maior de assentamentos brasileiros na faixa da fronteira podem complicar ainda mais a relação entre os dois vizinhos nos próximos anos.

Um dos componentes do caráter nacional brasileiro, me parece, é um desejo de não ofender, de tentar evitar o conflito e manter boas relações com todos. Essa característica é muitas vezes valiosa e admirável, e serviu bem ao Itamaraty, como também observei. Mas a política internacional envolve inevitavelmente momentos em que um país deve tomar posição ou escolher um dos lados de maneira clara e firme. Preferir a alternativa, tentando ser amigo de todos, significa correr o risco de perder a confiança e o respeito de todos.

Esse foi às vezes o caso do Brasil, embora uma amnésia histórica coletiva signifique que há pouca consciência disso aqui. Considere-se a Segunda Guerra Mundial, por exemplo. A ênfase entre os brasileiros é nos pracinhas, que lutaram valorosamente em 1945 durante a campanha para expulsar os nazistas da Itália. Mas se esquece convenientemente que Getúlio Vargas, e especialmente seu chefe de polícia, Filinto Müller, eram inicialmente simpáticos ao Eixo, que o Brasil só passou para o lado dos Aliados depois que os japoneses atacaram os Estados Unidos, e que Roosevelt teve essencialmente de comprar a cooperação de Vargas financiando a usina siderúrgica de Volta Redonda.

Na arena mundial de hoje em dia, o Brasil muitas vezes prefere sentar nas laterais e atacar aqueles que mergulham em águas turbulentas. "Essa política dos Estados Unidos está completamente errada, é desastrosa", é o que se ouve repetidas vezes dos brasileiros, tanto de especialistas em política externa como de pessoas comuns. "Os americanos não sabem o que estão fazendo, estão bagunçando tudo." Não importa qual seja o lugar onde haja problemas — Iraque, Cuba, Iugoslávia, Darfur, Afeganistão, Coréia do Norte —, sempre se pode contar que muitos brasileiros terão uma atitude de menosprezo em relação ao que outros estão fazendo, especialmente quando os Estados Unidos estão envolvidos.

Mas quando os brasileiros realmente entram na água, logo descobrem que não é tão fácil permanecer à tona como parece de fora. O Haiti, onde trabalhei alternadamente durante quase vinte anos, é um exemplo perfeito. Embora o Brasil tenha apoiado o esforço do governo Clinton para restaurar a ordem lá em 1994, com o passar dos anos, a insatisfação, ou mesmo um certo prazer com a desgraça alheia, com a incapacidade de Washington de controlar a situação se tornou notável.

Então Lula, em um arroubo de confiança ingênua de que o Brasil poderia fazer melhor, talvez por causa das afinidades raciais percebidas, talvez porque os haitianos adoram a seleção brasileira e ele achava que isso poderia se traduzir em apoio político, decidiu prestar um grande favor aos Estados Unidos e à França e ganhar credibilidade para sua campanha de conquista de um assento permanente no Conselho de Segurança. Assumiu, com o Chile, as rédeas da missão internacional no país mais pobre do hemisfério ocidental. Agora, quase cinco anos depois, pouca coisa melhorou, seja em termos de segurança pública, seja em termos de pobreza. O Brasil se envolveu, e agora não consegue sair. Felizmente para Lula, quase ninguém no Brasil está prestando atenção.

Quando eu estudava história da diplomacia na Georgetown University School of Foreign Service, em 1970, tornei-me um admirador do Itamaraty e da diplomacia brasileira assim que me familiarizei com o trabalho e a vida do barão do Rio Branco. Ele e o Itamaraty foram brilhantes em extrair a máxima vantagem do poder limitado do Brasil, eu pensava então, e em minha vida profissional, minha admiração só cresceu. Em períodos de trabalho no México, na China, na América Central, em Nova York, em Cuba e no Haiti, fiz amizade com muitos conselheiros e ministros em embaixadas brasileiras. Também tive o privilégio de conhecer diplomatas brasileiros extremamente talentosos de uma ampla variedade de estilos e personalidades, de Italo Zappa e José Guilherme Merquior àqueles que serviram nas Nações Unidas, como Rubens Ricupero e Sergio Vieira de Mello (que nunca trabalhou no Itamaraty).

O Itamaraty é, portanto, um dos maiores recursos brasileiros, e merece ser tratado como tal. Desde que Lula tomou posse em 2003, houve muito debate sobre a autonomia para o Banco Central na condução da política monetária. Mas e quanto a conceder autonomia ao Itamaraty na condução da política externa? Em vez disso, houve um aumento na politização do Itamaraty, com a nomeação de Samuel Pinheiro Guimarães como o número dois de Celso Amorim e a subseqüente implementação de uma espécie de teste ideológico, que se tornou um dos fatores nas promoções e atribuições.

E é claro que também houve uma controvérsia sobre mudar as exigências de língua para os novos recrutas do Itamaraty, com o inglês deixando de ser obrigatório. Acho que é louvável que Lula queira criar um serviço diplomático que tenha mais "a cara do Brasil", com maior participação de negros e mulheres. O Departamento de Estado americano também fez isso, e com muito sucesso. Mas seria um erro — e um insulto aos muitos negros e mulheres talentosos que são bastante capazes de se qualificarem por conta própria — fazer isso rebaixando os padrões.

O Itamaraty é um dos pouquíssimos órgãos do governo brasileiro que funcionam perfeitamente bem exatamente como são. Então por que não deixar simplesmente o Itamaraty ser o Itamaraty? A tarefa do presidente é estabelecer diretrizes amplas para a política externa, e a tarefa do Itamaraty é aconselhar sobre a viabilidade e conveniência dessas políticas e depois implementá-las. Cada entidade tem suas próprias obrigações e responsabilidades, e o Brasil não ganha nada com a microadministração da política externa pelo Palácio do Planalto, especialmente sob seu atual ocupante.

O Brasil começa a assumir um papel no cenário mundial

Data: 30 de agosto de 2000

BRASÍLIA (DF) — Quando Henry Kissinger visitou o Brasil como secretário de Estado nos meados da década de 1970, seu par brasileiro, Antônio Azeredo da Silveira, fez questão de acompanhá-lo em uma visita ao Palácio do Itamaraty, o ultramoderno edifício de vidro e mármore e sede do Ministério das Relações Exteriores brasileiro.

Mais tarde, Silveira perguntou ao seu hóspede norte-americano sobre suas impressões.

Tempos depois, sorrindo, Silveira se lembraria em uma entrevista da resposta de Kissinger: "É um prédio magnífico, Antônio. Agora você só precisa de uma política externa para acompanhá-lo."

Quase um quarto de século mais tarde, talvez seja o Brasil que esteja rindo por último. Hoje em dia, um Brasil cada vez mais confiante e seguro está emergindo tanto como um parceiro dos norte-americanos quanto como um rival deles na América Latina, ditando o seu próprio curso em assuntos econômicos e políticos. Nas palavras de Anthony Harrington, o atual embaixador dos Estados Unidos aqui, o Brasil está "subindo ao palco mundial como nunca antes havia feito".

Nas conversas da Organização Mundial do Comércio em dezembro do ano passado, foi o Brasil que encabeçou o bloco das nações em desenvolvimento na crítica à posição de Washington. E em 31 de agosto e 1º de setembro, o Brasil estará patrocinando o primeiro encontro sul-americano de presidentes aqui, o qual está sendo visto tanto como o *début* do país como líder desse bloco quanto como um esforço para forjar uma frente regional unificada para as negociações com os Estados Unidos a respeito de uma zona hemisférica de livre-comércio.

"É claramente a conclusão de que o continente está pronto para que o Brasil assuma uma liderança mais ampla e mais dinâmica nos assuntos regionais", disse Riordan Roett, diretor do programa de estudos do Hemisfério Ocidental da Universidade Johns Hopkins, ao se referir aos líderes brasileiros em um ensaio publicado este mês no site InfoBrazil.com. "E na América do Sul o consenso é de que a carta a ser jogada na região é aquela dada por Brasília."

Na condição de maior país da América Latina, mas separado de seus vizinhos falantes do espanhol pela língua portuguesa, o Brasil tradicionalmente tem conduzido uma política externa pragmática que só recentemente começou a dar ênfase às relações com a região. Por hábito, diz Hélio Jaguaribe, do Instituto de Estudos Políticos e Sociais do Rio de Janeiro, "o Brasil busca a cooperação", reconhecendo que "quer se goste dos Estados Unidos, quer não, tem que se viver com ele".

Por esta razão, os Estados Unidos saudaram a reunião de cúpula, embora um dos objetivos dela seja mitigar a estratégia de Washington nos diálogos sobre comércio de favorecer acordos bilaterais nos quais os EUA têm o mando de jogo.

"Uma América do Sul reunida em um só bloco resultaria em mais do que a soma de suas partes, e estaria, portanto, em uma posição de insistir em negociações mais equilibradas com o bloco de comércio norte-americano", diz Gilberto Dupas, do Instituto de Estudos Avançados da Universidade de São Paulo.

Se a integração regional acontecer, o Departamento de Estado obviamente preferiria ver o Brasil como líder e não o incendiário presidente da Venezuela, Hugo Chávez, cujos apelos a uma unidade sul-americana contêm elementos notadamente autoritários e antiamericanos. De fato, dado seu tamanho notável e a relativa maturidade e saúde de sua democracia, comparada a alguns de seus vizinhos mais conturbados, o Brasil parece ocupar a melhor posição para liderar tal esforço.

"Acho que o presidente Fernando Henrique Cardoso é visto meio como um tio por alguns dos outros líderes da América do Sul", diz em entrevista o embaixador Harrington. "A sua orientação e seu objetivo são conduzir ao caminho da democracia uns poucos países que talvez estejam atrasados nesse ponto."

Os Estados Unidos reconheceram os benefícios da posição de líder do Brasil desde a década de 1980, quando a diplomacia brasileira conduziu o governo de esquerda do Suriname para longe do flerte com Cuba.

Mais recentemente, o Brasil ajudou a negociar o fim da disputa de fronteira potencialmente explosiva entre o Equador e o Peru; e usou sua influência para evitar possíveis golpes militares no Paraguai.

Durante uma visita em março à Índia e ao Paquistão, ambos equipados com armas nucleares, o presidente Clinton elogiou o Brasil e a Argentina como exemplos de países que têm negociado com sucesso um fim para seus programas nucleares perigosos, e até se tornaram aliados. Rancorosos rivais militares durante a maior parte de suas histórias, nas últimas décadas o Brasil e a Argentina se tornaram parceiros no bloco comercial Mercosul, e agora falam sobre adotar uma moeda comum.

Entretanto, os Estados Unidos e o Brasil entraram em desacordo recentemente a respeito da eleição presidencial suspeita no Peru, que resultou em um terceiro mandato para Alberto Fujimori. Nos bastidores, os Estados Unidos estavam pressionando por sanções, e autoridades norte-americanas reclamaram em particular que o Brasil estava minando seus esforços de cutucar a Organização dos Estados Americanos a uma postura coletiva mais enérgica.

"Washington deveria ter antecipado esse lance", diz David Fleischer, professor de ciência política da Universidade Nacional de Brasília. "Se você quer trazer os países andinos para o Mercosul, como o Brasil aparentemente quer, você não vai querer dar um tapa na cara deles."

Porém, é a crise da Colômbia, com quem o Brasil divide uma fronteira de mais de 1.600 quilômetros, que parece ter a possibilidade de se transformar na maior fonte de discórdia com Washington. O plano do governo Clinton de fornecer 1,3 bilhão de dólares em ajuda econômica e militar para o presidente Andrés Pastrana, da Colômbia, tem sido amplamente criticado pelo Congresso e pela imprensa do Brasil, e o apoio oficial para o esforço empreendido pelos americanos parece morno, na melhor das hipóteses.

"O Brasil certamente se preocupa quanto à possibilidade de um transbordamento para o nosso lado, seja de cultivo e tráfico de coca ou de confrontos entre o Exército colombiano e as guerrilhas", diz aqui em uma entrevista Luiz Felipe Lampreia, ministro brasileiro das Relações Exteriores. O plano americano de ajuda à Colômbia, acrescenta ele, representa "um aumento do nível de conflito" que "pode gerar tal efeito".

Em uma conferência de imprensa conjunta com a secretária de Estado Madeleine Albright durante sua visita à América do Sul este mês, os comentários de Lampreia foram bem mais enfáticos. "Nós não temos o mesmo grau de compromisso", disse ele a respeito do plano na Colômbia, com Albright a seu lado. "Não temos a intenção de participar de qualquer ação internacional concertada."

Outro ponto de possível tensão são as negociações hemisféricas sobre o livre-comércio, com um acordo previsto para 2005. O Brasil e os Estados Unidos são os co-presidentes, mas depois de seis anos de negociações, é aparente que os dois países têm visões muito diferentes, e algumas autoridades em Washington descrevem a posição brasileira como "obstrucionista".

Por sua vez, o Brasil reclama das barreiras protecionistas e dos subsídios dos Estados Unidos que discriminam produtos brasileiros, desde aço e produtos têxteis a açúcar e suco de laranja.

Falando de acesso ao mercado norte-americano, Lampreia diz: "O que é essencial para nós é um acordo de livre-comércio totalmente livre de barreiras tarifárias ou não-tarifárias, de maneira que possamos ter um acesso desobstruído."

A nova configuração do comércio global: os que têm muito, os que não têm nada e os que têm um pouco

Data: 2 de novembro de 2003

RIO DE JANEIRO (RJ) — O fim da Guerra Fria deu cabo da cisão Oriente/Ocidente e pôs na moda a idéia de uma divisão Norte/Sul. Esqueçam o embate comunismo *versus* capitalismo. A disputa virou ricos *versus* pobres. Mas, ao mesmo tempo em que os negociadores tentam alinhavar um sistema de comércio global capaz de levantar as economias de ambas as categorias, a costura desta idéia parece já estar se rompendo.

Assim como as velhas alianças militares estão mudando, as conhecidas alianças e rivalidades comerciais estão se transformando ou se dissolvendo sob a pressão de forças bem mais poderosas que a ideologia: neste caso, a concorrência pelos lucros e pelos mercados.

Nesta semana em Washington e mais adiante neste mês em Miami, ministros do Comércio das Américas vão se encontrar mais uma vez na tentativa de ajustar as regras que regerão o livre-comércio no hemisfério, e as negociações têm tudo para serem inflamadas. Substituída por um panorama fragmentado no qual o ressentimento e a mordacidade dão o tom, a probabilidade de um acordo global ou mesmo de um pacto hemisférico como o projeto de estimação de Washington — a Área de Livre Comércio das Américas — parece reduzir-se.

Isto se tornou evidente em setembro, quando representantes dos 146 países que compõem a Organização Mundial do Comércio se reuniram em Cancún, no México, para as negociações voltadas para a redução das barreiras comerciais. As negociações emperraram em meio a acusações mútuas de má-fé. Um dos fatores foi um pomo de discórdia conhecido dos países que Wall Street gosta de chamar de mercados emergentes: a insistência dos Estados Unidos e de outros países industrializados no direito de continuar a subsidiar seus produtos agrícolas.

Houve, contudo, um novo e impressionante acontecimento: a emergência de uma coalizão de países não tão pobres que destoavam tanto do perfil dos abastados quanto dos necessitados. Autodenominado Grupo dos 20, o bloco foi concebido pelo Brasil e pela Índia como uma forma de agrupar grandes nações ricas em recursos e economicamente dinâmicas do sul — um rótulo que não é estritamente geográfico por incluir a China, assim como Indonésia, Tailândia, África do Sul, Nigéria, México e Argentina.

Esses países têm poder e peso suficientes para exigir um maior acesso aos mercados das nações industrializadas porque juntos respondem por mais da metade da população mundial. Além disso, também têm seus próprios e consideráveis centros de industrialização.

Os Estados Unidos e a Europa responderam com petulância ao se verem confrontados por uma oposição mais coesa e mais sonora do que aquela com a qual estavam acostumados. "A articulação improvisada capitaneada pelo Brasil é algo de outro planeta", disse Franz Fischler, o comissário para a agricultura da União Européia. "Eles têm de voltar à Terra rapidamente."

Porém, Charlene Barshefsky, a representante de comércio internacional dos Estados Unidos durante a administração Clinton, vê na coalizão encabeçada pelo Brasil uma evolução lógica, "um centro adicional de poder, muito mais bem organizado e sagaz", que está de olho em um quinhão maior do sistema mundial de comércio.

"Anos atrás, a divisão Norte/Sul era em grande parte baseada em ideologias", diz ela, com as nações pobres procurando se proteger, através do protecionismo, dos riscos do livre-comércio. Agora, diz ela, há "combinações flutuantes de países, nas quais os interesses econômicos essenciais formam a linha diretriz, e não a ideologia".

Nesse contexto, os diálogos de Cancún foram notáveis também pelo abismo que se abriu entre o Grupo dos 20 e o restante do que é conhecido como mundo em desenvolvimento. A conferência foi paralisada — em relação à questão dos subsídios agrícolas europeus e norte-americanos — não pelo Brasil e seus aliados, mas por uma coalizão maior e independente dos países menos desenvolvidos, principalmente os africanos e caribenhos, que se sentiram ignorados e privados dos seus direitos.

"Se fosse apenas pelo Grupo dos 20, o encontro teria terminado com uma decisão favorável à continuação das negociações", diz Rubens Ricupero, brasileiro que é o diretor da Comissão das Nações Unidas para o Comércio e Desenvolvimento.

Os membros do Grupo dos 20 são de fato responsáveis por uma fatia crescente do mercado mundial, e têm um espectro variado de interesses. O Brasil, antes visto como mero exportador agrícola, tem hoje como principais itens de exportação aviões, automóveis e peças de carros.

O perigo atual, especialmente para as nações mais fracas, é que as negociações sobre o comércio se tornarão o que o economista Jagdish Bhagwati chama de "tigela de espaguete" de acordos bilaterais e regionais. Já existem mais de trezentos acordos desta natureza, cada qual com suas regras ligeiramente diferentes. O dr. Bhagwati, professor da Universidade Columbia, observa que "os países pobres se encontram particularmente despreparados para lidar com um regime caótico".

Parece que a estratégia da administração atual de Bush é a de "dividir e conquistar". Em um artigo do *Financial Times* de setembro, o atual representante para o comércio internacional dos Estados Unidos, Robert B. Zoellick, alertou que "enquanto os membros da OMC refletem sobre o futuro, os EUA não vão esperar; vamos seguir adiante rumo ao livre-comércio com os países que não têm impedimentos".

Parece também que os membros do novo bloco estão adotando uma abordagem fragmentada, buscando entre si novos padrões de comércio que politicamente façam sentido, mesmo à custa da eficiência econômica. A Índia, por exemplo, preteriu a Boeing e a Airbus em favor da brasileira Embraer em sua tentativa de modernizar sua frota de aviões governamentais.

Se o Grupo dos 20 conseguirá se manter unido ou não é outra história. Apesar de a coalizão ter forçado os Estados Unidos, a Europa e o Japão a prestar atenção e repensar seus planos, o grupo não fala em uníssono a respeito de todas as questões.

"A Índia e a China não têm os mesmos interesses que nós no Brasil porque não são grandes exportadores agrícolas, e sim importadores", diz Felipe Lampreia, ex-ministro brasileiro das Relações Exteriores. "Mas isto não significa que os países em desenvolvimento não sejam capazes de se unir em relação a certos temas específicos."

AMAZÔNIA

"A Amazônia é nossa." Se eu tivesse ganhado um real a cada vez que ouvi essa frase pronunciada no Brasil, de chefes de Estado e fazendeiros ricos ao mais humilde engraxate ou posseiro, já poderia estar aposentado, vivendo em uma luxuosa mansão de frente para o mar em Angra dos Reis. OK, concordemos sobre um fato inegável: sim, a Amazônia é do Brasil. Mas o que os brasileiros vão fazer com ela? Essa é a pergunta realmente importante, e ainda não há uma resposta para ela.

Como todas as outras pessoas, brasileiras ou estrangeiras, que já puseram os pés na Amazônia, sou fascinado pelo mistério e pela grandiosidade da região. Viajei pela primeira vez à Amazônia em 1978, inicialmente para a fronteira agrícola de Rondônia, visitando povoados com nomes otimistas como Boa Esperança e Novo Paraíso, e depois seguindo para Manaus e o Pará. Desde então, fiz mais de trinta outras viagens, percorrendo milhares de quilômetros, e quando sento para calcular quanto tempo realmente passei na Amazônia, descubro que chega a mais de um ano de minha vida. Alguns de meus amigos brasileiros, especialmente no Sudeste, acham que sou excêntrico por ter dedicado tanta atenção a uma região que consideram tão remota, abafada, infestada por doenças e alternadamente poeirenta ou lamacenta. Mas eu avalio que o tempo que passei lá foi extremamente bem gasto.

Não penso assim só porque a Amazônia é intrinsecamente interessante, cheia de histórias dramáticas, mas também porque ela pode muito bem acabar sendo o mais importante campo de batalha ambiental do século XXI. Ouve-se repetidamente, nos vários cantos do Brasil, de membros da bancada ruralista em Brasília a nacionalistas em cidades do Sul, que não há nenhuma necessidade real de se preocupar com a saúde da Amazônia a longo prazo, porque "só" 20% dela foram desmatados. É verdade que os cientistas ainda não têm certeza da localização exata do "ponto de ruptura" depois do qual a Amazônia deixará de ser um sistema ecológico viável. Mas eles sabem que a cada ano a região está chegando mais perto dessa situação irreversível, e pode até alcançá-la em uma ou duas décadas. Portanto, o que o Brasil

— povo e governo — decidir nos próximos anos tem importância decisiva, não apenas para o Brasil, mas para o resto do mundo.

A Amazônia vai continuar a ser dominada por aqueles que querem explorá-la irresponsavelmente, para obter ganhos imediatos, sem pensar nas conseqüências de longo prazo? Com certeza, essa tentação é forte, e os governos brasileiros recentes, tanto os civis como os militares, muitas vezes sucumbiram a ela. Mas junto com as desanimadoras notícias a cada mês de julho de que mais cerca de 20 mil km^2 foram desmatados, tem havido alguns desenvolvimentos auspiciosos nos últimos anos, especialmente com o surgimento de novos líderes. A batalha não foi ganha, mas também não foi perdida. O resultado vai depender da capacidade dos brasileiros de lidar de forma realista não somente com a Amazônia em si, mas também com as crescentes preocupações globais a respeito dela — que são exatamente a fonte do maior problema.

Desde o início da história do Brasil, a Amazônia foi um domínio de paisagens fantásticas e grande número de fábulas e lendas, a começar pelas mulheres guerreiras com apenas um seio que deram à região seu nome. As amazonas, é claro, não existiram de fato, não passavam de uma fantasia das imaginações hiperativas dos primeiros exploradores europeus do século XVI, que achavam difícil compreender o que viam, ou achavam que viam. E hoje a Amazônia continua a gerar mitos que, por mais convincentes que possam parecer a distância, dissolvem-se num nada etéreo quando examinados de perto.

Infelizmente, muitos brasileiros preferem acreditar nesses mitos do que aceitar a realidade mais complexa, e isso complica a possibilidade de se ter uma discussão calma e arrazoada sobre a região e seu futuro. É fácil cair nessa armadilha, porque a maioria dos brasileiros não conhece realmente a Amazônia.

A Amazônia Legal, a designação oficial do governo para a vasta área que se estende ao norte de Mato Grosso e Tocantins e a oeste de São Luís do Maranhão, representa quase dois terços do território do Brasil, e, como se ensina a cada criança brasileira na escola, é maior do que a maioria dos maiores países da Europa juntos. Mas mesmo com as grandes migrações que ocorreram desde a abertura da rodovia Transamazônica, em 1970, menos de um em cada dez brasileiros vive na Amazônia. A imensa maioria do restante da população nunca pôs os pés na região, e muitos, de fato, não têm nenhum desejo de visitá-la, porque o calor, as doenças e o desconforto que fazem parte da lenda da Amazônia provocam aversão. Contudo, muitos brasileiros se imaginam especialistas na região simplesmente em virtude de sua nacionalidade e da autoridade moral conferida pelo slogan "a Amazônia é nossa". Em um clima intelectual como esse, torna-se fácil a propagação de mitos e a manipulação dessas lendas por demagogos inescrupulosos, para promover seus próprios interesses.

O maior e mais pernicioso desses mitos, me parece óbvio, é o de que estrangeiros "cobiçam" a Amazônia e tramam secretamente tomá-la do Brasil. Essa é uma idéia tão amplamente aceita e tão profundamente entranhada na psique brasileira, que questioná-la, como fiz muitas vezes em minhas reportagens, leva quase automaticamente a escárnio, ataques, ameaças, queixas de "reportagens fantasiosas" e acusações de que a pessoa está trabalhando para serviços de inteligência estrangeiros. Embora a maioria dos brasileiros não tenha conhecimento pessoal da Amazônia, muitos deles estão convencidos de que os estrangeiros — o capitalismo mundial, os militares dos Estados Unidos, o movimento ecológico internacional, as Nações Unidas, em conjunto ou separadamente, pode escolher — estão trabalhando ativamente para minar a soberania brasileira na região, de modo que possam assumir o controle.

Como essa convicção, por mais errônea que seja, está estabelecida de forma tão firme, injeções de investimento estrangeiro — ou qualquer tipo de ajuda ou envolvimento, inclusive para pesquisa científica — são automaticamente vistas com suspeita por muitos brasileiros, e se presume que sejam a confirmação dessa trama perversa. A realidade, contudo, é que, mais cedo ou mais tarde, todos os grandes projetos comerciais estrangeiros de risco que foram executados na Amazônia fracassaram. Dê uma olhada na lista: o *boom* da borracha, a Fordlândia e a Belterra, o Projeto Jari de Daniel Ludwig, a fazenda da Volkswagen. Cada um deles, sucessivamente, foi visto como ponta-de-lança de uma perigosa invasão estrangeira da Amazônia. Mas cada um deles acabou desmoronando.

Por quê? A resposta, suspeito, é que, longe de ser o Eldorado que muitos brasileiros que moram no Sul e no Sudeste do país imaginam que a Amazônia seja, a região é na verdade uma zona de alto risco, o que a torna pouco atraente ou no melhor dos casos de interesse apenas marginal para os investidores. A infra-estrutura é precária, as doenças são endêmicas e o transporte está sujeito aos caprichos do clima — o que mais brasileiros perceberiam se tivessem maior conhecimento pessoal da Amazônia. Para reduzir seu risco, os investidores querem certeza, e a única coisa certa na Amazônia é que nada jamais é certo. Então é muito mais fácil para eles enviar seu dinheiro para outro lugar e não ter de enfrentar condições tão hostis. E é exatamente isso o que têm feito os empresários, com exceção dos mais ousados.

Vale a pena observar que o Projeto Jari, o ambicioso complexo industrial, minerador e agrícola na divisa do Pará com o Amapá que se tornou tão famoso durante a ditadura militar como símbolo da cobiça estrangeira na Amazônia, era a obsessão de um bilionário americano muito excêntrico e não uma empresa. Daniel Ludwig, que fizera fortuna no ramo do transporte marítimo, não tinha conselho de diretores nem acionistas a quem responder, nem precisava apresentar balanços quadrimestrais para satisfazer Wall Street ou os órgãos governamentais de regulação nos Estados Unidos. O que ele estava apostando era seu próprio dinheiro, e ele podia gastá-lo como quisesse. Não tinha a obrigação de explicar atrasos, complicações ou fracassos a ninguém, muito menos de se preocupar com a possibilidade de perder o emprego em conseqüência desses reveses. A situação dele era uma combinação singular de circunstâncias, um exemplo de um capitalismo aventureiro e antiquado que praticamente não mais existe, e foi isso que tornou possível um empreendimento tão ousado e improvável como o Jari.

É claro que lidar com as suspeitas brasileiras a respeito de suas intenções, o que leva a uma gama limitadora de regulações e restrições que não existem em nenhum outro lugar, só complica mais as coisas, como Ludwig descobriu quando deixou de levar em conta o clima político aqui. É verdade que, à medida que a infra-estrutura da Amazônia melhora gradativamente e a demanda mundial por matérias-primas cresce, os investidores estrangeiros passam a ver a região com outros olhos. Mas não são as empresas americanas ou européias, os tradicionais vilões nesta peça moral brasileira, que estão na linha de frente desse processo. São os chineses e suas empresas estatais. Como Ludwig, essas empresas se dão ao luxo de ignorar as forças de mercado, porque as metas estratégicas delas são baseadas não em um lucro imediato, mas em uma visão de longo prazo dos interesses nacionais da China: assegurar fontes seguras de matérias-primas para suas fábricas e de alimento para sua classe média em expansão.

Como não existem evidências incontestáveis de uma trama internacional para tomar a Amazônia do Brasil, aqueles que acreditam numa conspiração desse tipo acharam necessário inventar "provas" das más intenções dos estrangeiros. O exemplo mais notório, é claro, é o mapa da Amazônia que supostamente faz parte de um livro didático de geografia usado nos Estados Unidos por estudantes do equivalente ao antigo ginásio brasileiro. No mapa e no texto que o acompanha, escrito num inglês macarrônico, os brasileiros são descritos como pessoas "pouco inteligentes e primitivas", incapazes de administrar a Amazônia. Por essa razão, é dito aos jovens americanos, ou assim afirmam os que criaram o mapa, que a soberania do Brasil deve ser substituída por um consórcio internacional que se chamaria Finraf.

Muitos brasileiros sinceros e bem-intencionados, mas ingênuos, caíram nesse embuste. Depois que Hildegard Angel publicou uma nota endossando o mapa em sua popular coluna em *O Globo* em 2001, liguei para ela, em parte para informá-la de que o mapa era falso, mas também porque fiquei perplexo e queria genuinamente entender por que ela estava disposta a acreditar que uma fantasia tão bizarra e exótica podia ser real. Ela me contou que outros leitores já a haviam alertado que o mapa era falso, e explicou assim sua aceitação inicial da falsificação: "Parece uma coisa que os americanos são capazes de fazer."

Achei essa resposta reveladora e preocupante. Sei que Hildegard sofreu muito durante a ditadura militar, perdendo o irmão e a mãe nos porões da repressão, e que ela culpa o apoio americano ao governo Médici por ajudar a criar as circunstâncias que levaram ao desaparecimento e morte deles. Respeito e reconheço a validade disso. Mas foi frustrante vê-la retratar-se alguns dias depois, e justificar a mudança citando outra inverdade, esta propagada pelo jornalista Argemiro Ferreira, na minha opinião um propagandista antiamericano de pouca credibilidade: que a Universidade de Harvard elaborou todo um plano para desmembrar o Brasil, começando pela Amazônia.

E depois há o coitado do Al Gore, que teria dito em algum momento da década de 1980 — a data e o lugar nunca são especificados — que "Ao contrário do que os brasileiros pensam, a Amazônia não é propriedade deles. Ela pertence a todos nós". Depois que ele recebeu o Prêmio Nobel da Paz, no ano passado, essa citação foi pinçada para desacreditá-lo, e até jornalistas renomados repetiram esse mantra como se fosse verdadeiro. Meu próprio jornal também caiu nesta armadilha em maio de 2008, quando meu sucessor escreveu uma matéria reproduzindo a frase e conferindo sua autoria a Gore.

Na verdade, o autor da frase injuriosa parece ser outro senador muito menos conhecido, um republicano de Wisconsin chamado Robert Kasten. Segundo meu amigo Thomas Lovejoy, ambientalista com mais de quarenta anos de experiência na Amazônia, Kasten, um conservador de pouco prestígio que já foi retratado como porco perna-de-pau num gibi em seu estado natal, fez a declaração em 1989, em Washington, numa cerimônia dedicada à memória do recém-assassinado Chico Mendes.

Acontece que Lovejoy estava sentado ao lado de Al Gore quando Kasten proferiu a frase fatal. Lovejoy me contou que a reação de Gore foi imediata: "Ih, isso vai dar problema com os brasileiros", foi o seu comentário. Suprema ironia do destino, então, que a frase continue sendo atribuída erroneamente e maliciosamente ao próprio Gore.

Descobri, às vezes por meio de experiências amargas, que é quase impossível se contrapor a essas fantasias paranóides com fatos e lógica. Depois que escrevi uma reportagem em 2002 demonstrando que o famigerado mapa Finraf era inequivocamente uma fraude, provavelmente maquinada por um falante de português por causa dos erros de sintaxe e gramática que continha, tive respostas de vários autonomeados defensores da Amazônia contra a invasão estrangeira. Eles agora admitiam que o mapa era uma fraude, mas argumentavam que a CIA o havia desenhado e divulgado para minar a credibilidade dos patriotas brasileiros que estavam tentando evitar que os Estados Unidos se apoderassem da Amazônia. De fato, alguns deles até me acusavam de ser agente da CIA e, portanto, fazer parte daquela trama porque eu escrevera que o mapa era uma falsificação!

Parece claro que essa campanha orquestrada de desinformação voltada a fomentar a xenofobia entre os brasileiros é basicamente obra de pessoas que têm laços com o aparelho militar e de informações. Embora seja extremamente difícil rastrear a propaganda encontrada na internet até suas origens, quase inevitavelmente a trilha leva ao site de algum grupo nacionalista obscuro liderado por oficiais aposentados das Forças Armadas ou do SNI. É verdade que alguns poucos sites são operados por grupos da extrema esquerda, comunistas e outros aliados eventuais do PT. Mas mesmo eles terminam ecoando a linguagem dos — e fornecendo links da internet para os — sites de seus antigos oponentes e perseguidores da extrema direita, os malucos nostálgicos dos bons tempos do governo militar.

E isso faz todo sentido: desde o fim da ditadura, em 1985, os setores militares e de informações foram desacreditados ou marginalizados, perdendo prestígio e o direito a reivindicar uma parcela generosa do orçamento. Por décadas, eles justificaram sua existência fazendo advertências agourentas sobre a ameaça de guerra com a pérfida Argentina e a necessidade de o Brasil estar preparado para esse conflito. Mas a Argentina é hoje aliada e parceira comercial do Brasil no Mercosul, de forma que o argumento não faz mais nenhum sentido. Como os militares precisam de algum tipo de inimigo ou missão para se manterem ocupados e justificarem sua existência, por que não fabricar uma ameaça imaginária à Amazônia? Depois pode-se oferecer as Forças Armadas como as salvadoras e defensoras da soberania nacional, e fazer lobby em defesa dos aumentos de orçamento que eles precisam para levar a cabo essa tarefa "urgente".

Mas além dos oficiais militares aposentados nostálgicos da época da ditadura, há outro grupo, mais poderoso hoje em dia, que também procura propagar o mito da "cobiça estrangeira". São os grileiros, que, com seus aliados implantados entre a classe "empresarial", são responsáveis pela maior parte da destruição infligida à Amazônia ao longo da última geração. Eu não gostaria de condenar todos os fazendeiros, madeireiros, empreiteiros, garimpeiros e arrozeiros, muitos deles migrantes do Sul e do Sudeste, que cultivaram e fizeram fortuna na Amazônia. Mas alguns deles se apresentam como "bandeirantes" modernos, trabalhando em benefício de um Brasil forte e próspero, quando na realidade são apenas oportunistas que usam o patriotismo como ferramenta para encher os próprios bolsos e desprestigiar toda e qualquer pessoa ou grupo que se oponha a seus planos destrutivos.

Compareci a inúmeras audiências públicas sobre projetos de barragens, por exemplo, em lugares como Altamira e Porto Velho. Há sempre alguém distribuindo panfletos argumentando que os Estados Unidos (ou a Comissão Trilateral, grupo formado por importantes empresários e banqueiros europeus e norte-americanos fundado por David Rockefeller, ou o príncipe Bernhard da Holanda, fundador e o primeiro presidente do World Wildlife Fund) têm projetos para apossar-se da Amazônia. A única forma de acabar de uma vez com essa conspiração, afirmam os panfletos, é por meio de uma maior presença brasileira na região — realizada, naturalmente, pelo desenvolvimento econômico irrestrito.

Esse é um estratagema inteligente porque apela tanto ao patriotismo da população local quanto a sua fome de empregos (que normalmente se revelam apenas temporários e em todo caso são mal remunerados). Ao mesmo tempo, ele sugere que os grupos ambientalistas e professores universitários que realizaram estudos quantificando os danos que serão infligidos à economia e ao meio ambiente locais são simplesmente entreguistas a soldo de estrangeiros que querem impedir o Brasil de cumprir seu glorioso destino.

Essa postura xenofóbica extrema de "não-interferência" se destina também, obviamente, a tentar silenciar os estrangeiros e evitar que eles critiquem ou mesmo comentem a administração imperfeita da Amazônia pelo Brasil. Isso é hipócrita. Os brasileiros sempre se sentiram livres para dizer o que quisessem sobre o conflito árabe-israelense, a guerra no Iraque ou abusos de direitos humanos em lugares como África do Sul e China, embora esses problemas ocorram longe das fronteiras de seu país e não representem nenhuma ameaça direta ao Brasil. Ninguém pelo mundo afora reclama, nem deveria. Os brasileiros têm direito de opinar, assim como os estrangeiros têm direito de expressar suas preocupações com as condições da maior floresta tropical úmida do mundo, cujo bem-estar, afinal, afeta o aquecimento global. Essas são questões que de uma forma ou de outra dizem respeito à humanidade, e não se deve permitir que prevaleça um duplo padrão, em que alguns têm direito de falar e outros não. Quando os brasileiros se queixam da situação no Oriente Médio, isso não significa que o Brasil vai mandar tropas para intervir em favor de um dos lados. Da mesma forma, quando ONGs na Europa criticam as condições da Amazônia, isso não significa que elas ou os governos de seus países "cobiçam" a Amazônia ou estão tramando tomá-la do Brasil. Significa simplesmente que querem que o Brasil adote políticas que permitam o desenvolvimento sustentável lá e ao mesmo tempo preservem a integridade física e a viabilidade da Amazônia.

Dito isso, os brasileiros também precisam se lembrar de que ao dizerem "a Amazônia é nossa" estão exagerando a realidade e minimizando os direitos de outros que também têm uma reivindicação legítima: seus vizinhos. A maior parte da Amazônia está indiscutivelmente em território brasileiro — mas não a totalidade da Amazônia, uma distinção que os brasileiros costumam esquecer. Na realidade, o Brasil tem que compartilhar a soberania na Amazônia com sete países vizinhos e uma colônia francesa. Como o Brasil assinou tratados e outros acordos com esses vizinhos, todos eles menores e mais fracos, não pode simplesmente agir como quiser. Deve também levar em conta suas obrigações e os interesses de Bolívia, Colômbia, Equador, Guiana, Peru, Suriname, Venezuela e Guiana Francesa.

A despeito da criação do Pacto Amazônico, isso nem sempre aconteceu. Por exemplo, há a recente decisão de construir barragens em Rondônia, no rio Madeira — essa, sim, uma manifestação de unilateralismo em um país que adora criticar esse tipo de comportamento em outros. Isso criou animosidade com o presidente Evo Morales e outros bolivianos, que argumentam não terem sido consultados, como era exigido por tratado, sobre uma decisão que vai afetar toda a bacia do Madeira. E todas as vezes que conversei com membros do governo na Guiana, no Suriname e na Guiana Francesa, eles sempre se queixaram dos garimpeiros brasileiros que invadem seu território, contrabandeiam ouro e diamantes sem pagar impostos, criam problemas infindáveis de manutenção da ordem com suas brigas em bares e prostíbulos, e ocasionalmente atiram nos índios e colonos *criollos*, ou até mesmo os matam, para expulsá-los de áreas de fronteira que seriam ricas em recursos. O novo presidente da França, Nicolas Sarkozy, chegou até a prometer uma campanha preventiva na Guiana Francesa contra esses garimpeiros, promessa que aumentou sua popularidade entre os moradores locais.

Curiosamente, assim como os brasileiros vêem a mão nefasta de interesses estrangeiros em todos os lugares de sua parte da Amazônia, a tendência nos países vizinhos é ver essas investidas além-fronteira como parte de uma trama deliberada dirigida pelo governo brasileiro para ampliar sua hegemonia sobre a Amazônia. Os governos vizinhos contam todos a mesma história repetidas vezes: eles se queixam ao Itamaraty, que reconhece que o problema existe, promete, com toda a boa vontade do mundo, tomar as providências necessárias — e acaba não fazendo coisa nenhuma. Resultado: tudo continua do mesmo jeito, e o ressentimento aumenta.

Mas, como os brasileiros reconhecem — e eu busquei explicar aos governantes dos países vizinhos —, esse fenômeno não reflete um desejo do Brasil de engolir ainda mais território. Na realidade, é o resultado do controle tênue que o Brasil exerce nas suas fronteiras e em outras áreas remotas da Amazônia. Mas admitir que o país não controla plenamente a Amazônia e que sua soberania em alguns lugares é muito mais nominal que real é realmente constrangedor e um golpe na auto-imagem do Brasil como potência regional. Então as autoridades brasileiras acabam fingindo que as condições na Amazônia são normais, como em qualquer outro lugar do Brasil, e que elas controlam plenamente a situação.

Acho esse contraste interessante. Os brasileiros vêem sua Amazônia sitiada por estrangeiros, sejam empresas americanas, ONGs européias ou os guerrilheiros colombianos das Farc, que cruzam a fronteira de um lado para o outro como se ela não existisse. Mas os países vizinhos, cujo controle sobre as regiões de fronteira da Amazônia é ainda mais precário que o do Brasil, consideram igualmente legítimas suas preocupações com a expansão da presença e da influência do Brasil, em detrimento deles. Tendo perdido o Acre há um século, a Bolívia, por exemplo, se preocupa quando seus seringueiros ou apanhadores de castanha em Pando e em Beni atravessam sorrateiramente a fronteira para ir a Assis Brasil ou Guajará-Mirim vender seus produtos e ganhar em reais, que são então depositados em bancos brasileiros, em vez de mandar seus bens para o sul, para La Paz ou Santa Cruz, como é exigido por lei, e ganhar em moeda nacional.

Outro exemplo: no final de 2007, o presidente da Guiana, Bharrat Jagdeo, anunciou que estava disposto a transferir a administração e o controle da selva que cobre três quartos do território de seu país para ONGs da Grã-Bretanha, ex-senhora colonial da Guiana, em troca do que ele chamava de "ajuda para o desenvolvimento" e da "assistência técnica necessária para fazer a mudança para uma economia verde". A reação no Brasil foi imediata e negativa. Houve uma breve agitação de reportagens nervosas e editoriais na imprensa brasileira, nos quais vários membros do governo em Brasília eram citados como tendo dito que uma ação desse tipo iria "lesar a soberania da Guiana" e ao mesmo tempo colocaria estrangeiros desconfortavelmente perto do Brasil, em uma posição de onde eles poderiam no futuro conseguir estender seu alcance ao território brasileiro.

Essa reação ilustrou perfeitamente o peculiar "ponto cego" que os brasileiros parecem ter sempre que a Amazônia está em jogo. Primeiro, dar palpite sobre uma decisão soberana de um governo independente é justamente o tipo de intromissão que a maioria dos brasileiros odeia quando o estrangeiro vaticina sobre o futuro da Amazônia brasileira. Segundo, a preocupação do Brasil tem a ver com uma situação hipotética num futuro imaginário, e mesmo então, só se uma visão conspiratória específica da história se mostrar verdadeira.

O governo da Guiana, por outro lado, está respondendo a uma ameaça real e imediata, a dos garimpeiros ilegais que o Brasil não pode ou não vai controlar. Como dizemos em inglês, "*any port in a storm*", ou seja, qualquer solução é melhor que nenhuma solução, o que significa que se as ONGs britânicas podem oferecer o tipo de proteção que o governo da Guiana reconhece que é incapaz de fornecer, então a Guiana tem o direito de autorizá-las a fazê-lo. Mas em vez de tomar medidas para controlar seus cidadãos e sua fronteira, atendendo assim às preocupações legítimas de um vizinho amigo, os políticos brasileiros preferem fazer barulho e dizer bobagens sobre um problema pelo qual seu governo, e não o da Guiana, é o responsável.

Não pretendo desprezar inteiramente a idéia de que o Brasil enfrenta contestações reais a sua primazia na região. Quando entrevistei Hugo Chávez pela primeira vez, no palácio presidencial em Caracas, em março de 1999, um mês depois de ele ter tomado posse, ficou claro quase de imediato que durante o tempo que passara na prisão ele se tornara um estudioso de geopolítica e que tinha algumas ambições extravagantes para um país de apenas 23 milhões de pessoas. Ele argumentava que a Venezuela — e só a Venezuela — tinha fronteiras que a tornavam simultaneamente uma nação caribenha, atlântica, andina e amazônica, e disse que pretendia projetar o poder da Venezuela de modo a torná-la "um protagonista" em todas as quatro regiões.

E ele fez precisamente isso, aumentando a presença militar e policial, por exemplo, na região em torno de Santa Elena de Uairen, logo depois da fronteira com Roraima, de modo a coibir o contrabando. Mais preocupante para o Brasil, no entanto, é o pacto de cooperação militar que Bolívia e Venezuela assinaram, o qual aparentemente permite o envio de "assessores" venezuelanos para postos alfandegários e bases militares bolivianos ao longo da fronteira com Mato Grosso, Rondônia e Acre, e também cede à Bolívia o uso de equipamento militar venezuelano.

O argumento da Bolívia é que uma demonstração de força como essa é necessária para deter o contrabando de drogas e outros produtos. Pode-se argumentar que se fosse esse o caso, faria mais sentido para a Bolívia assinar um acordo bilateral com o Brasil, em vez de trazer uma terceira parte de fora. Compreendo o desconforto do Brasil em relação a este arranjo entre Bolívia e Venezuela. Mas ao mesmo tempo vale a pena observar que a queixa da Bolívia é em muitos aspectos quase idêntica à da Guiana. O próprio Brasil provocou essas situações desagradáveis por ignorar seus vizinhos amazônicos menores ou, alternativamente, fazer promessas que não pode — ou simplesmente não pretende — cumprir.

Em qualquer discussão com brasileiros sobre sua tendência a exagerar a ameaça externa à Amazônia e a suposta "cobiça" de estrangeiros por suas riquezas, chega inevitavelmente um momento em que alguém declara triunfalmente: "Tá bom, e quanto ao Henry Wickham?" Embora praticamente desconhecido na Inglaterra, seu país natal, Wickham é um dos grandes vilões da história brasileira. Na escola, os brasileiros aprendem que ele sozinho acabou com o boom da borracha amazônica ao "contrabandear" sementes de seringueira do país para colônias britânicas no Ceilão e na Malásia.

Há só um problema com essa história: ela não é verdadeira. De fato, as evidências indicam que Wickham tinha obtido a permissão necessária dos agentes alfandegários em Santarém e Belém para transportar até 7 mil sementes de seringueira. Mas, embora ele nunca tenha "pirateado" nada, é conveniente atribuir a culpa pelo subseqüente colapso do boom da borracha a um estrangeiro inescrupuloso. Isso ajuda a alimentar o senso de paranóia que os brasileiros têm em relação à Amazônia, e ao mesmo tempo afasta a responsabilidade do que foi — como fica claro quando se lê *História Econômica da Amazônia*, de Roberto Santos — realmente a causa principal: os fazendeiros da borracha com sua ganância e seu comportamento abusivo.

E por falar nisso, acho que nunca vi um livro de história brasileiro tratar de uma das principais razões pelas quais o governo britânico encorajou Wickham a levar as sementes para uma de suas colônias. Uma parte da resposta é que haviam chegado à Grã-Bretanha relatos das condições terrivelmente desumanas em que os seringueiros brasileiros eram forçados a viver e trabalhar; em conseqüência, o movimento antiescravidão na Grã-Bretanha ameaçava boicotar produtos feitos com borracha brasileira e também tentava obter uma legislação que proibisse sua importação. Por meio de seus representantes em Manaus, as casas de comércio britânicas haviam comunicado essa preocupação a seus parceiros brasileiros locais. Mas quando esses avisos foram desconsiderados, os britânicos decidiram que, para proteger seus próprios interesses comerciais, tentariam transferir a produção de borracha para o sudeste da Ásia, onde podiam controlar as condições de trabalho e limitar os abusos contra os direitos humanos e os trabalhadores.

Tudo isso soa muito familiar, não é? Aqui estamos nós na primeira década do século XXI, e o Brasil ainda emprega trabalho escravo na Amazônia — e ainda se queixa quando os estrangeiros ficam indignados e falam em impor sanções a produtos brasileiros. Desde 2006, um movimento desse tipo nos Estados Unidos tem buscado impedir importações de ferro-gusa brasileiro por causa de vários exemplos bem documentados de uso de trabalho escravo no Pará, no Maranhão e no Tocantins para produzir o carvão necessário à fabricação de ferro-gusa.

Qual tem sido a reação do governo brasileiro — um governo liderado, cabe lembrar, por um ex-líder sindicalista que se apresenta como o protetor da classe trabalhadora? Em vez de reconhecer a gravidade da queixa e tomar medidas para eliminar os abusos, a resposta do Ministério do Trabalho foi que os estrangeiros não deveriam meter o nariz nos assuntos brasileiros. "Que o Congresso americano se preocupe com os americanos", disse Luiz Marinho, o ex-presidente da CUT que era ministro do Trabalho quando as acusações vieram à tona pela primeira vez. "Do trabalho brasileiro, nós damos conta."

Só que o Ministério do Trabalho não estava dando conta do trabalhador que vira escravo. Viajei com as equipes de inspeção móveis do ministério no Piauí, no Maranhão e no Pará e vi como eles são corajosos e comprometidos com seu trabalho. Mas os inspetores não têm dinheiro, proteção ou recursos materiais adequados. A polícia com freqüência não está disponível ou não está disposta a acompanhar os inspetores, alguns dos quais foram feridos e mortos por tiros de capangas de fazendeiros. As missões muitas vezes têm de ser adiadas ou suspensas porque os inspetores ou não têm gasolina suficiente para seus veículos, ou porque o veículo quebrou e a peça de reposição adequada não pode ser encontrada — um problema que também aflige as equipes do Ibama e da Funai que visitei em cada canto da Amazônia.

E além disso, o consumidor americano tem todo o direito de saber as origens do produto que compra. Uma pessoa de boa consciência não pode se sentir à vontade sabendo que o carro, a geladeira, a máquina de lavar roupa, o ar-condicionado ou o liquidificador que acabou de comprar contêm partes ou matérias-primas produzidas por trabalho escravo. E como foi o caso durante o boom da borracha no século XIX, as empresas também não gostam quando se revela que as matérias-primas que compram foram fabricadas com a participação de trabalho escravo. Isso as faz parecer gananciosas e irresponsáveis e as deixa vulneráveis a movimentos de boicote dos consumidores. Esses movimentos nos Estados Unidos já miram os produtos chineses. O Brasil deve ser excluído de um exame similar? Acho que não.

Para piorar ainda mais as coisas, o governo Lula procurou enfraquecer a genuína vantagem moral que os consumidores detinham argumentando que na realidade os críticos no exterior são meramente protecionistas com inveja do crescente sucesso do Brasil na exportação de ferro-gusa para os Estados Unidos e outros países industriais, e pretendem bloquear injustamente o acesso do Brasil a esses mercados. "Quanto mais competitivo for nosso país, mais entraves nos serão colocados", disse Luiz

Fernando Furlan, que era ministro do Comércio e Indústria de Lula quando a controvérsia surgiu. "Os países vão melhorando e acabam incomodando setores que estavam acomodados." Ou seja: baixar os custos de produção usando trabalho escravo é uma "melhoria", e proibir a importação do produto desse trabalho escravo é um "entrave" injusto. É um argumento muito difícil de levar a sério.

Outra tática que os brasileiros e outros latino-americanos gostam de usar quando são contestados a respeito de seus abusos do meio ambiente, seja na Amazônia, seja na Patagônia, é buscar minimizar suas próprias falhas retratando os habitantes do mundo industrializado, especialmente os americanos, como glutões de energia desavergonhados. Os Estados Unidos, sempre apontam, têm só 5% da população mundial, mas são responsáveis por 33% do consumo de energia. Talvez isso seja verdade, mas é também enganoso e não é realmente a melhor medida da situação, por várias razões.

Antes de mais nada, consome-se mais energia na produção econômica do que em qualquer outra atividade. A energia consumida na fabricação de uma debulhadora de trigo ou em um equipamento médico, por exemplo, é produtiva, não perdulária, e não deve ser comparada com uma loja que deixa o ar-condicionado ligado enquanto as portas estão abertas ou um motorista sozinho em seu carro, preso em um congestionamento com o motor ligado. Por esse índice, o desempenho dos Estados Unidos é menos sombrio. Sim, com apenas um pouco mais de 300 milhões de pessoas, os Estados Unidos constituem só 5% da população mundial. Mas respondem por 38% do comércio mundial, 26% do Produto Interno Bruto global e 13% da produção industrial mundial, que demanda especialmente energia. Portanto, com base apenas nisso, o hiato se estreita e há mais justificativa para o alto nível de consumo de energia nos Estados Unidos.

Vou ser claro. Não estou defendendo os padrões de uso de energia dos Estados Unidos, que permanecem altamente ineficientes em muitos setores e precisam ser drasticamente revisados e melhorados, e quanto antes melhor. Mas os brasileiros também não deveriam exagerar a situação de modo a se livrarem da responsabilidade. O Brasil tem apenas 3% da população mundial, mas é hoje o número quatro na lista de países que emitem mais gases-estufa, que se acredita serem o principal componente do aquecimento global. A China é hoje o número um, tendo recentemente ultrapassado os Estados Unidos, com a Indonésia vindo a seguir em terceiro lugar. Depois vem o Brasil, o qual, se o padrão atual continuar, pode em pouco tempo ultrapassar a Indonésia, um país que tem uma população maior do que a do Brasil e um padrão de vida mais baixo.

A responsabilidade por essa situação não é do consumidor brasileiro nem sequer das fábricas brasileiras — pelo menos não diretamente. Mesmo com todos os calhambeques chacoalhando nas estradas brasileiras e as deficiências que são evidentes num parque industrial que precisa ser modernizado, nem o consumidor nem o produtor industrial são os principais infratores. Na verdade, mais de três quartos das emissões de gás-estufa do Brasil resultam de desmatamento, principalmente na Amazônia. E embora algumas das árvores derrubadas sejam transformadas em madeira (para consumo basicamente no sul do país, e não para exportação, como acreditam muitos brasileiros), a maior parte delas simplesmente vira fumaça, sua energia e sua utilidade completamente desperdiçadas.

Como observou meu colega Thomas Friedman, autor de *O Mundo É Plano*, "o desmatamento atualmente responde por mais emissões de gases-estufa do que todos os carros e caminhões no mundo". E quais são os dois países maiores responsáveis por esse desmatamento? Brasil e Indonésia, não os Estados Unidos. Também digno de nota é um estudo recente citado por Andrew Revkin, o principal repórter de meio ambiente do *New York Times* e autor de *The Burning Season*, um livro sobre o desmatamento na Amazônia. "Mesmo que as potências industriais estabelecidas desativassem todas as centrais elétricas e desligassem seus carros neste momento, a menos que haja mudanças nas políticas nos países mais pobres, a concentração de dióxido de carbono na atmosfera ainda pode chegar em 2070 a atingir 450 partes por milhão", o que cientistas do Instituto Nacional de Pesquisa da Amazônia e de outros institutos de pesquisa consideram muito além do ponto de desequilíbrio.

Hoje, 80% do aumento no consumo global de energia vêm do mundo em desenvolvimento, liderado por países como China e Índia, aliados do Brasil que são magicamente excluídos de qualquer repreensão vinda de Brasília. A demanda por petróleo nos Estados Unidos é agora essencialmente estável, refletindo os esforços que os americanos fizeram nos últimos anos para reduzir o consumo e encontrar fontes alternativas de energia. É por isso que a declaração que saiu da conferência de Bali sobre mudança climática em dezembro de 2007 afirmou que doravante todas as "negociações devem ocorrer tendo em vista que o problema da mudança climática não pode ser enfrentado adequadamente por meio de compromissos de redução de emissões apenas nos países desenvolvidos. As grandes economias em desenvolvimento também devem agir".

Como eu disse, não tenho nenhum desejo de defender as políticas do governo Bush. Mas penso que vale a pena observar que o Brasil ganhou ocasionalmente o prêmio "Fóssil do Dia", concedido por ONGs em conferências mundiais sobre o clima, uma distinção dúbia que nunca vi relatada nos principais órgãos de imprensa aqui. Essa crítica é justificada pela antiga oposição do Brasil a qualquer sistema que permita a países, grupos ou indivíduos comprar e vender créditos para reduzir emissões de gases-estufa num mercado internacional aberto.

Uma das novidades mais animadoras na Amazônia ao longo da última década, no entanto, foi o surgimento de uma geração de jovens líderes com uma mentalidade esclarecida e mais aberta. O Acre oferece um dos melhores e certamente o mais antigo exemplo dessa tendência, a começar pela eleição de Jorge

Viana em 1998. Seu "governo da floresta" foi rápido não só no estabelecimento de parcerias com o movimento ambientalista internacional, mas também no cumprimento das promessas que ele fez a esses aliados. Isso lhe deu uma credibilidade e um reconhecimento no exterior substanciais — muito maiores do que o que ele desfruta aqui no Brasil. "Quero que o Acre seja a Finlândia da Amazônia", ele me disse da primeira vez que o encontrei, e deu passos significativos nessa direção, provando que as críticas dos tucanos e similares estão erradas quando argumentam que governos liderados pelo PT são sempre ineficientes e corruptos.

Mas a chegada ainda mais recente de Eduardo Braga no Amazonas é potencialmente até mais significativa. Um dos problemas que Jorge Viana e Marina Silva enfrentaram é que eles tiveram de operar em um palco muito reduzido: o Acre é um estado muito pequeno e marginalizado, tanto no sentido geográfico quanto no do papel que ocupa na consciência e no cenário nacional. Como ministra do Meio Ambiente, Marina Silva foi particularmente sufocada: Lula desfrutou da glória refletida da filiação dela a Chico Mendes e deu-lhe uma vitória de vez em quando, apenas o suficiente para impedi-la de voltar para o Acre e de ter o movimento ambientalista internacional voltado contra ele. Como Lyndon Johnson disse uma vez quando perguntado sobre um potencial desafeto que ele nomeara para um cargo sensível: "Prefiro tê-lo dentro da barraca mijando fora do que fora da barraca mijando dentro."

Em contraste com o Acre, no entanto, o estado do Amazonas não só é responsável pela maior parcela da Amazônia Legal, mas até seu nome evoca a região. Como Eduardo Braga me explicou certa vez durante uma entrevista, "Quando vou ao exterior, as pessoas até pensam que eu sou governador de toda a Amazônia". Em conseqüência da importância de seu estado, qualquer medida que ele tome tem um simbolismo especial e ressoa mais amplamente do que o que qualquer um de seus colegas em outros lugares da região possa fazer.

Felizmente, desde o momento em que foi eleito pela primeira vez em 2002, Braga provou ser um líder inteligente e inovador. Durante seu primeiro mandato, ele começou o programa Pronto Atendimento Itinerante (PAI), que pela primeira vez levou serviços públicos básicos a ribeirinhos nos cantos mais remotos de seu vasto estado. Uma reportagem que escrevi sobre essa iniciativa está incluída neste capítulo, mas também tive ocasião de escrever sobre o programa "Zona Franca Verde", cujo objetivo é apoiar atividades extrativistas no interior do estado de forma a desestimular os ribeirinhos de migrarem para Manaus e incharem a população das favelas ali.

Reeleito em 2006, e talvez de olho no cargo mais alto da nação em algum momento no futuro, Braga provou ser igualmente inovador em seu segundo mandato. Em junho de 2007, ignorando as objeções do Itamaraty e de alguns membros da equipe de Lula, ele promulgou em lei o primeiro estatuto de mudança climática do Brasil. Essa medida pioneira permite que seja atribuído um valor monetário ao que é conhecido como "desmatamento evitado", e permite que ribeirinhos, colonos e povos indígenas sejam compensados por seus "serviços ambientais". Em outras palavras, eles devem ser pagos, provavelmente pelos mesmos governos estrangeiros e ONGs que o Itamaraty sempre quis manter fora do cenário, para não destruir a floresta.

Até o magnata da soja, Blairo Maggi, governador de Mato Grosso, tem mostrado indícios nos últimos anos de estar consciente de que o velho modelo de exploração deve mudar para que a Amazônia prospere. Ele e eu tivemos um começo muito tenso e difícil: em 2003, pouco depois de ele ter sido eleito governador, escrevi uma longa reportagem, baseada em parte em uma entrevista com ele, no qual focalizava o conflito inerente de interesse entre seus objetivos pessoais como empresário e suas responsabilidades como governador do terceiro maior estado da Amazônia. As declarações que ele fazia na história causaram um alvoroço nos Estados Unidos e na Europa, onde poucos tinham ouvido falar de Maggi, e ele fez o que os políticos sempre fazem quando dizem coisas que depois lamentam: afirmou que havia sido citado erroneamente e que suas declarações haviam sido postas "fora de contexto", embora a entrevista tivesse sido gravada.

Porém, foi precisamente esse conflito de interesses, por mais impróprio que seja, que terminou tornando Maggi, como "Rei da Soja", tido como o maior produtor de soja do mundo, mais simpático às preocupações dos grupos verdes no Brasil e no exterior. Aparentemente, ele percebeu que seus interesses comerciais pessoais serão prejudicados se europeus, japoneses e americanos passarem a pensar que a soja brasileira é um produto que só pode ser produzido destruindo-se a selva, e que ambientalistas lá montem boicotes ou campanhas de publicidade negativa. Então, como empresário extremamente pragmático que é, Maggi decidiu que "se você não pode vencê-los, junte-se a eles", e construiu alianças com grupos ambientais que resultaram em ganhos concretos em seu estado.

Contudo, continua a haver motivos para preocupação. Maggi permanece um apoiador do plano para pavimentar a BR-163, que vai de Cuiabá a Santarém, o que, é claro, o beneficiaria pessoalmente.

Permita-me reiterar pela última vez algo que disse antes. Meu objetivo aqui não é de forma alguma defender os padrões de consumo de energia dos Estados Unidos, que são pródigos e precisam ser melhorados o mais rápido possível. Estou meramente buscando sublinhar o exagero em que muitos brasileiros se envolvem de modo a justificar sua própria posição e seu próprio desperdício. "Nós somos os mocinhos do filme, e eles, os gringos, os vilões" é um refrão que ouço sempre aqui, inclusive do governo brasileiro e do presidente Lula.

"Todo mundo sabe que os países ricos são responsáveis por 60% do gás e por isso têm que assumir suas responsabilidades", ele declarou ano passado na conferência do G-8. "Não aceitamos a idéia de que os países emergentes têm que fazer sacrifícios, porque a pobreza em si já é um sacrifício."

Mas não é bem assim. Todo mundo tem culpa nessa crise, alguns mais que outros, sim. Mas não tem santo ou mocinho nessa história. Os cidadãos dos países industrializados já assumiram sua parcela da culpa. Agora, eles querem que os brasileiros assumam a parcela que é deles, em vez de apenas criticar e apontar o dedo para os outros. Como vocês dizem aqui, é importante guardar as devidas proporções. As pessoas comuns no mundo industrializado não são nem tão perdulárias nem tão egoístas como alguns brasileiros gostariam de pintá-las, e os brasileiros não são as vítimas inocentes que muitos fingem ser.

No fim, então, quando se trata da preservação da Amazônia e de assumir sua responsabilidade em evitar o aquecimento global, o Brasil não é lá tão diferente dos Estados Unidos, para o bem ou para o mal. Os americanos têm de tolerar George Bush e seu bando de trogloditas dogmáticos religiosos, que negam a verdade óbvia de que o aquecimento global existe. Mas eles também têm Al Gore e centenas de ONGs e grupos cívicos que estão se esforçando para neutralizar e minar os efeitos danosos das políticas do governo Bush.

Aqui no Brasil também há visionários, pessoas como José Lutzenberger e José Goldemberg, e grupos como o Instituto Socioambiental e o Ipam em Belém. Mas o Brasil também tem Gilberto Mestrinho, Ivo Cassol e milhares de fazendeiros, grileiros, madeireiros e garimpeiros que não dão exatamente um exemplo brilhante. George Bush terá deixado o cargo em janeiro de 2009, substituído por um presidente que, devido à crescente pressão nos Estados Unidos, certamente será mais simpático e realista em relação às preocupações com o aquecimento global. Mesmo o candidato republicano, John McCain, reconheceu que a mudança climática existe e precisa ser interrompida. Mas aqueles que destroem a Amazônia continuarão atuantes, e é dever dos brasileiros, e não dos estrangeiros, fazer a balança pender em favor de seus compatriotas que preservariam e não destruiriam a Amazônia.

Eu gostaria de encerrar passando a outro argumento que ouço repetidamente quando discuto a política para a Amazônia com brasileiros, especialmente aqueles que se opõem a qualquer limitação do avanço da fronteira agrícola. "Bem, o que dá aos americanos e europeus o direito de nos dizer o que fazer quando vocês americanos destruíram florestas e vida selvagem em sua expansão para o oeste e os europeus fizeram o mesmo durante a Revolução Industrial?"

Até o próprio Lula, aliás, tem recorrido a este argumento com certa freqüência. Em maio de 2008, por exemplo, ele disse: "O que nós não admitimos é que quem não cuidou das suas florestas, quem não preservou e desmatou tudo e é responsável pela maioria dos gases de efeito estufa emitidos no ar não dê palpites no Brasil."

Esse é um argumento muito inteligente por duas razões. Em primeiro lugar, tira o foco e a culpa do comportamento atual dos brasileiros, que pode ser mudado, para as ações de outros no passado, que não podem ser desfeitas. Em segundo lugar, a situação que ele descreve é verdadeira. A história da América do Norte e da Europa está repleta de exemplos de devastação que poderiam e deveriam ter sido evitados.

Mas essa me parece uma justificativa muito frágil para o abuso em larga escala do ambiente que ocorre hoje no Brasil (e na Indonésia, no Congo etc.). Quando os espanhóis, britânicos, portugueses, franceses e holandeses começaram a aportar nas Américas há cinco séculos, não podiam ser guiados pelo vasto corpo de conhecimento científico que acumulamos hoje, porque esse conhecimento sobre o homem e sua relação com o mundo à sua volta simplesmente não existia. O conceito de "aquecimento global" estava a séculos de distância de ser articulado, e o manejo de plantas e animais não existia como ciência.

Além disso, a resposta brasileira típica de inverter o argumento e apontar o dedo contra nós do hemisfério norte também ignora os esforços que têm sido feitos para reverter o dano provocado durante a longa expansão do passado. Grandes partes da Nova Inglaterra, por exemplo, agora têm florestas onde há um século existiam fazendas, e à medida que a agricultura mecanizada se torna mais eficiente e produtiva, está se deixando partes das Grandes Planícies, o celeiro americano, voltar à natureza. À medida que os Estados Unidos se urbanizaram durante o século XX, a pressão sobre a terra foi reduzida. Em contraste, à medida que o Brasil se urbanizou — em 1940, 80% da população vivia no campo e 20% nas cidades, enquanto hoje os números são invertidos —, a situação ambiental na Amazônia só piorou.

Além disso, ninguém está "ordenando" ao Brasil o que fazer na Amazônia ou em qualquer outra parte de seu território. Mas não é mais razoável evitar cometer os mesmos erros indefinidamente? Há, é claro, um grau de alto interesse envolvido, porque ninguém, no norte ou no sul, quer ter suas ruas e casas inundadas por um nível de água ascendente ou ter de agüentar verões muito mais quentes, como já é o caso na Europa, ou invernos muito mais frios. Mas há também um desejo sincero em muitos setores da comunidade ambientalista de ajudar o Brasil a evitar ciladas e tornar-se uma referência mundial de preservação e responsabilidade ambiental. Como diz o ditado aqui, "quem avisa, amigo é".

Em atos de fé na Amazônia, a Idade Média resiste

Data: 9 de outubro de 2000

BELÉM (PA) — A carroça subia devagar a avenida carregando uma pequena imagem de madeira da Virgem Maria. Centenas de milhares de pessoas se esticavam para poder ao menos tocar a corda que criava um espaço de proteção em volta da imagem. Os que tiveram sorte o bastante para tocar a corda a agarravam firmemente, e seus rostos suados se contorciam de cansaço e fervor, à medida que a procissão serpenteava por oito horas até a basílica, a uma distância de apenas 5 quilômetros.

Há uma semana, um mar de peregrinos vem desembocando nesta cidade portuária. Eles vêm a pé, de barco, ônibus ou avião, de lugares distantes, percorrendo até 1.600 quilômetros para participar de um ritual que faz parte da vida da Amazônia por mais de duzentos anos. Hoje, quando o segundo domingo de outubro finalmente chegou, foi celebrado aqui mais uma vez o Círio de Nazaré, a maior festa religiosa do país com a maior população católica do mundo.

"Eu sonho o ano todo com este dia, que é quando eu posso agradecer à Virgem Maria pelas graças que ela me concedeu e renovar a minha fé em Deus", diz Rosilene Gouveia Aguiar, de 31 anos. Ela caminhava com seu marido e dois filhos pequenos, vestidos de anjos com asas. "É sempre uma ocasião sagrada para mim, cheia de esperança e alegria", diz ela.

Para os estrangeiros, o Brasil geralmente parece ser um baluarte ou da teologia da libertação ou do vodu. Mas talvez seja o Círio o exemplo mais notável do que Ralph Della Cava, especialista em religião no Brasil da Universidade Columbia, chama de "a força e a contínua viabilidade do catolicismo popular" nesta vasta nação de 170 milhões de habitantes. Diz ele que este catolicismo popular "é passado de pai para filho e de mãe para filha, e cria um senso de comunidade e uma pedra de toque para a tradição".

Durante cerimônias recentes do Círio, quase dobrou a população desta cidade de calor sufocante próxima da foz do rio Amazonas. As multidões, com sua energia e fôlego fazem lembrar o carnaval. Mas o Círio é um transbordamento de devoção religiosa que parece uma festa punk com seu *mosh pit*, só que o ídolo é a Virgem Maria. O ritual inclui peregrinos carregando cruzes pesadas, ou prosseguindo de joelhos como penitência ou em agradecimento por bênçãos que crêem ter sido concedidas a eles pela Virgem.

Raimundo Nonato Corrêa de Magalhães era um deles. Ele carregou uma cruz de 6 metros de sua casa, em Castanhal, até Belém, uma distância de aproximadamente 80 quilômetros. Ele executa o ritual há mais de vinte anos para "pagar uma promessa" em gratidão por ter conseguido comprar um pedaço de terra que desejara por muito tempo. Com o passar dos anos, sua jornada se tornou uma tradição na qual é acompanhado por vizinhos e amigos.

As origens do Círio, assim como muitas outras festividades religiosas latino-americanas, são uma mistura de fato e lenda. Difícil saber o que aconteceu e o que é invenção. Em outubro de 1700, um caçador e lenhador de nome Plácido de Souza, filho de um colono português e de uma índia, encontrou uma estátua de 30 centímetros de altura de Nossa Senhora de Nazaré e do Menino Jesus na margem do que era então um igarapé, e que é hoje o local da Basílica de Nazaré, ponto de convergência das celebrações.

Ele levou a imagem para casa, mas aparentemente ela voltou de modo misterioso para a margem do riacho, onde a encontrou de novo. Ele a levou outra vez para sua palhoça, e ela desapareceu uma vez mais e reapareceu na margem do riacho. Quando o governador da província ouviu falar do milagre, ordenou que a estátua fosse trazida ao seu palácio e colocada sob guarda armada. Logo ela desapareceu pela última vez, e reapareceu no mesmo local.

A adoração da estátua intensificou-se no decorrer dos anos, e, em 1793, o governador colonial autorizou a primeira celebração do Círio, cujo nome se refere a um tipo de vela devocional. A estátua levada na procissão pelas ruas é uma réplica, e a original é mantida na basílica, sendo retirada apenas em ocasiões especiais.

Contudo, um foco igualmente importante da celebração é a corda de sisal de 400 metros de comprimento e mais de 5 centímetros de diâmetro, que é atrelada à carroça onde fica a imagem. Muitos dos fiéis crêem que a corda transmite a energia divina da Virgem de Nazaré, e que ao tocá-la eles podem atingir um estado de graça ou agradecer de forma apropriada pelas graças alcançadas.

"Hoje em dia a corda é venerada tanto quanto a imagem da Virgem", diz Antonio Corrêa, pesquisador do Museu do Círio. "As pessoas querem tocar a corda a qualquer custo, ou levar um pedaço para casa se conseguirem, como se fosse um troféu."

De fato, a corda tem sido fonte de conflitos entre autoridades da Igreja e fiéis praticamente desde quando foi usada pela primeira vez, em 1855, para desatolar a carroça que carregava a imagem da Virgem. Em 1926, um bispo recém-chegado, se sentindo ofendido pelo contato físico entre homens e mulheres durante a procissão e com a esperança de modernizar a cerimônia, ordenou que a corda fosse removida. Porém, voltou atrás após distúrbios nas ruas e pressão política.

"O Círio é algo que surgiu independentemente da hierarquia da Igreja, e sempre houve uma tensão entre os objetivos das autoridades e os do povo", diz Heraldo Maués, que leciona Antropologia Social na Universidade Federal do Pará. "As autoridades religiosas e civis tentam controlar as cerimônias para seus próprios fins de evangelização e para promoção do turismo, mas o povo sempre tem suas próprias idéias e geralmente vence."

Enquanto a essência das festividades permanece em grande parte inalterada, os fiéis têm encontrado novas formas de expressão que rapidamente são incorporadas ao ritual. Desde a década de 1980, por exemplo, as celebrações oficiais começam no sábado e duram toda a manhã, com uma procissão pelo rio Amazonas que atrai dezenas de embarcações enfeitadas com balões e bandeirolas.

Quando termina a procissão de domingo, é costume também que os fiéis voltem para casa para a refeição tradicional de pato no tucupi. Parentes e amigos trocam brinquedos de madeira pintados com cores alegres, em forma de animais, barcos, casas, carros e outros objetos, que são conhecidos coletivamente como "miriti", nome da palmeira da qual são feitos.

"Isto é como o Natal para nós, e tem a mesma importância", diz Maria da Conceição Contente, de 60 anos. Ela vem aqui todos os anos, saindo de uma pequena cidade, distante um dia de viagem de barco. "Não é só uma expressão de fé e esperança pela qual você espera e trabalha o ano todo, mas também uma ocasião para as famílias se unirem."

Tais rituais e a intensidade do fervor religioso que acompanham o Círio são uma lembrança de que "a Idade Média ainda está presente em nosso meio e não desapareceu completamente", diz Maués. "Ela pode aparecer em práticas, idéias e crenças quando menos se espera, e, independentemente de quem tente conter tais manifestações, não creio que consigam, porque o povo continua a inventar e criar lendas e símbolos que considera importantes."

Cobras e escorpiões *versus* o Censo

Data: 28 de outubro de 2000

IRANDUBA (AM) — Contar os cerca de 170 milhões de habitantes de um país maior que os 48 estados contíguos dos Estados Unidos não é fácil. Porém, fazer o recenseamento na selva amazônica, um dos terrenos mais inóspitos do planeta, é bem mais difícil, como descobriu France Maria de Souza, ao partir uma manhã para entrevistar 22 famílias que vivem numa ilha isolada não muito longe deste município, distante 25 km de Manaus.

Sob um sol tropical escaldante, France, uma professora de 26 anos, subiu a bordo de um barco a motor sem cobertura, vestiu um colete salva-vidas — apreensivamente, pois não sabe nadar — e conferiu seu suprimento de formulários do censo enquanto a embarcação entrava no largo rio Solimões. Ela sabia que estava trabalhando contra o relógio, pois a estação chuvosa nesta parte do Amazonas começa em meados de novembro, e algumas comunidades podem em breve ficar inacessíveis.

"Neste serviço, nós enfrentamos todos os obstáculos imagináveis", diz France após habilmente passar por um tronco de árvore caído usado como ponte sobre um riacho. "Só espero encontrar o pessoal em casa hoje para não ter que voltar amanhã."

Uma vez a cada dez anos, o Instituto Brasileiro de Geografia e Estatística arregimenta um exército de pessoas como France, sendo um total de 180 mil este ano, em um esforço para contar a população deste vasto país. Apesar do nome insosso do órgão, seus funcionários daqui do estado do Amazonas não são burocratas de escritório, e sim uma versão moderna dos "bandeirantes", descendentes dos pioneiros do século XVI que desbravaram o interior amplo e inexplorado do Brasil.

"Há enormes áreas da Amazônia onde não mora ninguém, mas mesmo assim temos que fazer tudo o que for possível para contar todos, não importa onde eles estejam ou a dificuldade de se chegar a eles", diz César Serrato Pinnola, diretor do programa do Censo para o estado do Amazonas. "No início deste mês, nós sobrevoamos uma área por duas horas em um helicóptero para chegarmos a um local habitado e não vimos uma casa sequer no caminho."

Com uma área de mais de um milhão e meio de quilômetros quadrados, o Amazonas é o maior dos 27 estados brasileiros, ultrapassando a soma das áreas da França, Alemanha, Espanha, Portugal, Holanda e Bélgica. Contudo, é também o estado brasileiro de menor densidade demográfica, com uma população estimada em 2,6 milhões de habitantes, metade dos quais vivem na capital Manaus.

Por isso, recenseadores como Danglers da Costa Castro às vezes passam até três semanas consecutivas na selva, indo de casa em casa, de barco por entre a rede de rios, córregos e lagoas que, de forma precária, unem o Amazonas.

O barco também serve de casa durante as excursões a áreas remotas, e no final do dia o recenseador e o piloto estendem suas redes para dormir e cozinham suas refeições simples em um fogão a gás.

"Às vezes as pessoas da região são gentis e oferecem peixe, frutas ou mandioca", explica Castro, "mas é melhor a gente trazer nossas próprias provisões. A gente consome muita comida enlatada quando estamos no campo, mas esta não é a parte difícil. A pior parte é ao anoitecer, quando somos cobertos por nuvens de mosquitos. Às vezes são tantas que não dá para ver a outra ponta do barco". E ao se chegar à terra firme, as condições freqüentemente são também duras e adversas.

Pode-se demorar duas horas para caminhar de uma casa a outra, necessitando da ajuda de um guia local para não se perder. Ao longo do caminho os recenseadores precisam estar atentos ao perigo de cobras venenosas, escorpiões e formigas que picam, porcos selvagens e às vezes até mesmo onças; sem falar nas plantas com folhas cortantes como navalhas ou secreções que causam coceiras incontroláveis.

Tudo isso por um salário de cerca de duzentos dólares ao mês, ou o dobro do salário mínimo. "Tem pessoas que desistem", reconhece Pinnola. "Elas querem trabalhar, mas simplesmente não estão preparadas para uma tarefa tão árdua como esta."

Castro tem apenas 22 anos, e fazer o recenseamento é o seu primeiro emprego. Porém, tem caráter paciente e gentil, e sabe como acalmar colonos nervosos.

"Que nome lindo você tem", diz ele a Lucilene Brasil Teixeira depois que ela e seu marido, Benílio, se queixam que responder às perguntas do Censo pode fazer com que percam o barco para Manaus para visitar sua nora no hospital.

Vencer a resistência nem sempre é fácil. O governo brasileiro já gastou milhões de dólares em propagandas de rádio e televisão, mas os recenseadores ainda encontram pessoas em muitas áreas remotas que não sabem o que é o Censo, e algumas ficam indignadas com a sua presença.

Fernando de Souza Lima, um funcionário veterano do Censo, diz: "Quando as pessoas não têm nenhuma idéia do porquê de tantas perguntas e querem uma explicação, é melhor você não dizer que representa o governo federal, porque isso só cria uma barreira. Nestes casos, você se sai melhor se disser que está fazendo a contagem para que o prefeito ou o governador saibam quantas novas escolas ou clínicas precisam ser construídas."

Mesmo assim, em alguns lugares os recenseadores são recebidos com baldes de água e maridos machões que se recusam a deixar suas esposas falar com estranhos. Os problemas são diferentes mais ao sul, em cidades grandes como Rio de Janeiro e São Paulo: em edifícios em bairros de classe alta há porteiros que citam razões de segurança para impedir o acesso dos recenseadores, e nas favelas há quadrilhas de traficantes.

"Em favelas no Rio de Janeiro, várias vezes traficantes de drogas e bandidos apontaram armas para mim, querendo saber quem eu era e o que eu estava fazendo em seu pedaço", diz Pinnola. "Por isso eu prefiro trabalhar em áreas rurais como a Amazônia, onde o povo é mais educado, paciente e receptivo."

Também há críticas às perguntas dirigidas aos brasileiros. Grupos defensores de direitos dos homossexuais reclamaram, por exemplo, que embora o formulário do Censo inclua questões sobre religião e mesmo sobre a posse de eletrodomésticos, não há uma questão sequer indagando sobre a orientação sexual.

Porém, a questão da raça é claramente a mais polêmica e complicada neste país que se orgulha de ter uma população que inclui "todas as cores do arco-íris". A versão comprida do formulário do Censo pergunta sobre "raça e cor" e contém categorias para preto, branco, pardo, amarelo e indígena, deixando a critério dos entrevistados classificarem a si mesmos.

Os grupos de defesa de direitos dos negros sustentam que se uma contagem meticulosa fosse feita, o Brasil teria uma maioria negra. Porém, mais pessoas na Amazônia, tal como em outras regiões do país, se consideram pardas ou morenas, ao invés de negras, independentemente de quão escura seja a cor de sua pele ou quão profundas suas raízes africanas.

E claro que existe um pequeno grupo de brasileiros que nunca entra na contagem. Próximo à fronteira com o Peru, em algumas das partes mais remotas e densas da selva ao longo do rio Javari, há "umas poucas tribos indígenas que não querem nenhum contato com o homem branco", diz Pinnola. Eles ou batem em retirada diante da presença de estranhos, ou ameaçam atacar com lanças ou arcos e flechas.

"Infelizmente", diz ele, "não creio que vamos conseguir fazer o recenseamento lá."

As exportações valiosas do Brasil se valem de escravos e terras arrasadas

Data: 25 de março de 2002

XINGUARA (PA) — Os recrutadores se reúnem na rodoviária desta empoeirada cidade da fronteira amazônica, à espera do desembarque dos cansados e desesperados. Quando avistam um alvo, prometem a ele um emprego estável, bom salário, moradia gratuita e muita comida. Um rápido aperto de mãos sela o acordo.

Mas para milhares de camponeses esse aperto de mãos assegura cair nas garras da escravidão. Tão logo sobem nos caminhões amassados que os levam para cortar árvores e tomar conta do gado nas profundezas da selva, eles se vêem atolados em dívidas, mantidos sob a mira de guardas armados e incapazes de deixar seu novo local de trabalho.

"Foram 12 anos até eu finalmente conseguir escapar e voltar para casa", diz Bernardo Gomes da Silva, de 42 anos de idade. "Éramos forçados a começar a trabalhar às seis da manhã e continuar às vezes até as onze da noite, mas durante todos aqueles anos eu nunca fui pago pelo tempo trabalhado, porque sempre alegavam que eu devia dinheiro a eles."

Em entrevista recente em Barras, Piauí, sua cidade natal distante cerca de mil quilômetros daqui, Gomes da Silva contou que os trabalhadores mais inoportunos, especialmente os que continuamente pediam seus salários, às vezes eram simplesmente mortos.

"Não sei ler, mas talvez umas seis vezes em épocas diferentes me mandaram queimar carteiras de identidade e de trabalho de peões que eu tinha visto pela última vez caminhando pela estrada, supostamente indo embora", diz ele. "Também encontramos ossadas na mata, mas nunca nenhum de nós falou sobre isso."

O Brasil foi o último país das Américas a abolir a escravidão, em 1888, e o trabalho forçado continuou no século XX em algumas áreas rurais, tanto para negros quanto para brancos. Mas autoridades do governo admitem que apesar da campanha federal de repressão anunciada há sete anos, "formas contemporâneas de escravidão", nas quais trabalhadores são mantidos em regime de trabalho forçado e sem pagamento, continuam a vigorar. As razões vão desde fazendeiros mancomunados com autoridades políticas locais corruptas a políticas ineficientes de reforma agrária e alto índice de desemprego.

Entretanto, talvez a razão mais importante seja a pressão crescente para a exploração e o desenvolvimento da vasta fronteira agrícola da Amazônia, em parte para suprir os mercados estrangeiros de dois bens preciosos: madeira e carne bovina.

Na selva a oeste daqui, fortunas estão sendo erguidas com a derrubada da floresta e o abate de mogno e outras madeiras de lei tropicais, entre elas o jatobá e o ipê. Os Estados Unidos são o principal importador do mogno brasileiro, e, embora a extração de madeira seja permitida apenas em 13 áreas designadas, o grupo ativista Greenpeace relacionou cerca de cem empresas as quais aponta como negociantes de mogno ilegal. Elas existem para atender à demanda crescente dos fabricantes de móveis norte-americanos.

Empresas moveleiras, como a Ethan Allen e a L. & J. G. Stickley, dizem que seu mogno vem apenas de "fornecedores que nos certificam que agem em conformidade com práticas florestais responsáveis", conforme declaração da Ethan Allen Interiors Inc., da cidade de Danbury, em Connecticut. Porém, as empresas também reconhecem que não têm inspetores independentes, e que não crêem que devam ser obrigados a precisar a origem da madeira importada.

"Não podemos fazer o trabalho do governo brasileiro", diz Aminy Audi, um dos proprietários da Stickley, de Manlius, no estado de Nova York, grande compradora do mogno brasileiro para suas próprias lojas e fabricante para outras marcas. "Temos que acreditar no certificado de origem e não temos tido razões para dúvidas."

As estatísticas do governo brasileiro indicam que a Aljoma Lumber, da cidade de Medley, na Flórida, perto de Miami, foi a maior importadora norte-americana de mogno brasileiro em 2000. Ao ser perguntado sobre trabalho escravo na Amazônia, Romel Bezerra, vice-presidente da empresa para madeiras de lei, disse que "isto não existe nos dias de hoje", e reiterou que o mogno de sua empresa vinha de fontes legais.

"O Brasil tem implementado muitas e muitas regras, com licenças de exportação e selos à beça", diz ele. "Eles criaram controles rígidos para extração, corte, transporte e exportação, de forma que é impossível expedir mogno ilegalmente."

O governo brasileiro, porém, calcula que até 80% da madeira da Amazônia vêm de fontes ilegais, de acordo com um relatório confidencial de 1997. Em cidades como esta, surgidas em torno de uma indústria em franca expansão, os negociantes abertamente revendem, copiam ou simplesmente falsificam os certificados necessários à exportação de madeira.

Quando um carregamento de mogno chega ao porto de Belém para embarque para os Estados Unidos, os inspetores do governo não têm meios para determinar sua origem.

À medida que caem as árvores, expandem enormemente as fazendas pecuárias onde há o "gado verde" criado a pasto. O rebanho comercial do Brasil, o maior do mundo, geralmente não é alimentado com rações industrializadas ou suplementos sintéticos.

Isto torna a carne bovina brasileira particularmente atrativa para a Europa e o Oriente Médio, onde o temor da doença da vaca louca ainda é forte. As exportações brasileiras de carne bovina, fresca ou processada, cresceram 30% em 2001, e atingiram um bilhão de dólares, de acordo com as estatísticas do governo.

"O trabalho escravo no Brasil está diretamente ligado ao desmatamento", diz Cláudio Secchin, chefe da Divisão de Apoio à Fiscalização Móvel, grupo antiescravidão especial do Ministério do Trabalho, em entrevista concedida em Brasília. "Há cada vez mais fazendeiros que querem aumentar os seus rebanhos, e para isso precisam de mais espaço, de maneira que o desmatamento é uma constante."

Em 1995, o primeiro ano de trabalho da equipe de Secchin, 288 trabalhadores rurais foram libertados do que foi oficialmente descrito como escravidão. Em 2000, o número subiu para 583. No ano passado, o governo libertou mais de 1.400 trabalhadores escravos.

Secchin atribuiu o aumento ao "crescimento tanto do trabalho escravo como da nossa eficiência em combatê-lo". Contudo, reconhece que a maioria dos casos provavelmente não é detectada.

Uma pesquisa nacional, realizada em 2000 pela Comissão Pastoral da Terra, um grupo da Igreja católica, estimou que havia mais de 25 mil trabalhadores forçados. Há uma década, havia menos de 5 mil.

Gomes da Silva, um homem franzino e barbudo, diz que fora forçado a trabalhar em quatro fazendas ao longo de 12 anos, e que conheceu centenas de outros trabalhadores escravos. Entrevistas recentes com mais de vinte outras ex-vítimas revelaram relatos semelhantes de trabalho forçado, falta de pagamento e ameaças ou uso da violência.

A tarefa de derrubar árvores, algumas delas tão altas a ponto de bloquear a luz do sol, é um trabalho perigoso e exaustivo. O calor implacável deixa os trabalhadores banhados em suor, pondo em perigo o controle de motosserras e machados e atraindo micuim e mosquitos que picam incessantemente e transmitem doenças. A fumaça densa dos troncos incinerados fere os olhos, e predadores como onças e jaguares estão freqüentemente nas proximidades.

Mesmo assim, milhares de trabalhadores, desesperados para conseguir qualquer tipo de trabalho, viajam por centenas de quilômetros até cidades amazônicas como esta e aceitam emprego em fazendas em recantos ainda mais remotos da mata. Uma vez empregados, descobrem que seu pagamento será inferior ao prometido, seu transporte será cobrado e que serão forçados a pagar preços exagerados por alimentação, moradia, medicamentos e ferramentas.

"Nós éramos obrigados a fazer nossas compras na cantina da fazenda, já que não podíamos ir para a cidade, e o capataz obrigava todos a permanecer na área", diz Gilvan Gomes da Silva, de 22 anos. "Mas tudo na cantina custava mais que o dobro do preço da cidade."

Além disso, ex-trabalhadores escravos descrevem as condições de vida e trabalho como execráveis. Gomes da Silva recorda a época que passou numa fazenda com 48 mil cabeças de gado como particularmente difícil. Era forçado a espalhar produtos químicos para limpeza das pastagens, mas, como nem máscaras ou luvas foram fornecidas, caiu doente e se afundou ainda mais em dívidas quando um capataz lhe cobrou os medicamentos usados em seu tratamento.

"O gado era mais bem tratado que a gente, pois ao menos era engordado em instalações com piso de concreto, e nós tínhamos que dormir na mata", diz ele.

E acrescenta: "A única vez que comemos carne foi quando eles tinham carne podre e estavam desesperados para se livrar dela. Então havia gente que não comia o suficiente, e eles foram ficando cada vez mais fracos, até que adoeceram e morreram."

Os peões, como eles são chamados aqui, freqüentemente eram lembrados de que não receberiam pagamento, e também eram ameaçados com o uso de violência para que não reclamassem ou fugissem. "Quando pedi para receber meu salário, o capataz me disse: 'Rapaz, seu pagamento está bem aqui.' E apontou para seu revólver", diz Gilvan Rodrigues Freitas, de 29 anos.

Os trabalhadores caem na armadilha do trabalho escravo de maneiras diferentes. A mais comum, porém, é o recrutamento feito pelos "gatos", que vão contratar trabalhadores nas cidades mais interioranas dos dois estados mais pobres do Brasil, Piauí e Maranhão.

"Eles têm um papo bom, sabem enrolar e prometem tudo quando querem que você se comprometa com eles", diz Francisco Souza de Santos, de 54 anos, um ex-trabalhador escravo. "Mas eles mudam de linguagem assim que você cai nas garras deles."

A bordo do ônibus, começa a circular a cachaça, aguardente forte de cana-de-açúcar.

Dias depois, após viajar por estradas distantes e esburacadas, os trabalhadores chegam ao seu destino com uma atitude dócil. "Nossa viagem durou cinco dias, mas só comemos três refeições", disse Onatan Alves da Silva, de 53 anos, um dos 170 trabalhadores recrutados que viajaram em quatro ônibus até a fazenda a oeste daqui. "Dois jovens, chamados Fernando e Severino, queriam voltar, mas o empreiteiro", fortemente armado, "bateu neles e ameaçou, dizendo que poderia enchê-los de buracos se quisesse".

Ir à polícia local para pedir socorro, contudo, é geralmente inútil.

Em arquivos no escritório regional da Comissão Pastoral da Terra, há declarações juramentadas de trabalhadores fugitivos da escravidão. Segundo os incidentes relatados, estes foram à polícia em Marabá para reclamar por terem sido mantidos como escravos, e foram imediatamente levados pela polícia de volta à fazenda de onde vieram.

"Na fazenda onde fiquei preso, os tiras tinham muita intimidade com o capataz, que circulava com uma pistola 38 na cintura", diz Reinaldo Carvalho da Silva, de 23 anos. "Eles vinham até a casa do capataz para tomar café e bater papo, por isso não tinha como eu ir até eles."

Contudo, é também muito comum que fazendeiros e empreiteiros decidam que um trabalhador não é mais necessário e digam a ele que "perdoarão" sua dívida. O trabalhador pode então partir, mas precisa encontrar o caminho por entre a selva densa até um povoamento, e geralmente ficam em uma das pensões precárias ou nos chamados "hotéis peoneiros" em péssimo estado, que permitem que se hospede a crédito.

Na realidade, estas pensões são essenciais à perpetuação do sistema. Separados de suas famílias e sem ter quem os ajude, os fugitivos e os trabalhadores demitidos se encontram mais uma vez na situação de presas para os "gatos".

Em frente a um "hotel peoneiro" em São Félix do Xingu, encontrava-se Baltazar Ribeiro dos Santos. Uma das equipes móveis de fiscalização do governo o havia libertado em uma batida realizada em agosto passado; porém, poucas semanas depois ele devia cerca de 44 dólares para a dona da pensão, e assim corria o risco de ser vendido para o primeiro "gato" que se dispusesse a pagar sua conta.

"Tenho tanta vergonha", diz ele. "Levo 24 anos de peão, e isso nunca aconteceu antes comigo. Como é que eu deixei que me explorassem desse jeito? Dá vontade de me matar. Como é que vou chegar lá em casa e mostrar a cara para minha mulher e meus filhos? Saí sem nada, mas não posso voltar sem nada."

Benta Borges, a proprietária do hotel, a princípio alegou que não sabia o que era um "gato". Mais tarde, porém, admitiu que tinha ligações com os arregimentadores de trabalhadores.

"Tem corrupção no mundo inteiro", diz ela quando pressionada a falar sobre seu negócio. "Seja qual for o acordo que os fazendeiros ou os empreiteiros fazem com os peões, não é da nossa conta, é da conta deles. A gente só dá acomodação, não fazemos perguntas."

Muitos fazendeiros são empresários influentes ou políticos poderosos. No verão passado, por exemplo, após receber uma denúncia, a equipe móvel fez uma batida em uma fazenda situada a oeste de São Félix do Xingu. A fazenda é de propriedade de Francisco Nonato de Araújo, do Piauí, onde é membro da Assembléia Legislativa estadual, político proeminente do partido do governo, e até recentemente secretário estadual da Agricultura.

A batida libertou do que foi caracterizado como escravidão Baltazar Ribeiro dos Santos e mais outros 59 trabalhadores, alguns deles com malária.

Araújo não respondeu às mensagens telefônicas deixadas para ele em seus escritórios e em seu telefone celular. Entretanto, em várias ocasiões ele disse a jornais e estações de rádio locais que a fazenda pertence a seu pai e não a ele, e culpou o capataz pela retenção do pagamento dos trabalhadores. Também argumentou que "este tipo de contratação é uma prática rotineira na região".

A equipe de fiscalização não pode prender ou processar os transgressores, e tem que depender dos tribunais e procuradores públicos locais, muitos indiferentes à escravidão ou abertamente solidários com os fazendeiros. Além disso, esta unidade do Ministério do Trabalho está cronicamente carente de dinheiro e recursos.

Ao menos parte do vácuo tem sido preenchida pela Igreja católica, cuja Comissão Pastoral da Terra distribui para os possíveis recrutas um panfleto alertando-os a ficar "de olhos abertos para não virar escravo". Entretanto, muitos desses trabalhadores são analfabetos.

"Alertar os trabalhadores para o perigo não é suficiente para impedi-los", diz o padre Ricardo Rezende, que trabalha com ex-trabalhadores escravos. "Eles pensam assim: 'Já que eu estou com fome, vou correr o risco e esperar que este empreiteiro seja melhor que os outros, porque é melhor correr o risco do que deixar minha família morrer de fome.'"

Bezerra, o executivo da empresa madeireira da Flórida, refuta conversas sobre trabalho escravo como "mentiras e política" difundidas por autoridades ambiciosas que "querem se eleger com o apoio da bandeira verde".

Ele também é brasileiro, já morou na Amazônia, região para onde viaja quatro vezes por ano. Ele diz que jamais viu um traço sequer de trabalho escravo.

Diz ele também que tanto a Igreja católica quanto o movimento em defesa do meio ambiente estão cheios de "melancias, pessoas que são verdes por fora e vermelhos por dentro". "É isso mesmo", diz Bezerra. "Eles são um punhado de comunistas que acham que todas as empresas são ruins."

Porém, a ativista antiescravidão mais proeminente do Brasil, Pureza Lopes Loyola, camponesa do Maranhão, conta uma história bem diferente. Seu irmão Ataíde foi trabalhar em uma fazenda no Amazonas em 1974, e desde então nunca mais se teve notícia dele. Quando o mesmo destino caiu sobre seu filho adolescente, Abel, há oito anos, ela partiu em uma odisséia de três anos, até que ele finalmente foi encontrado.

"Em todos os lugares que passei", diz ela, "vi as mesmas cenas de trabalhadores sofrendo de malária, hepatite e outras doenças horríveis, impedidos de sair por guardas armados. Agora eu tenho um neto, e temo por ele".

"Para ele também não cair nesta armadilha terrível, rezo diariamente a Deus para o governo combater toda esta estrutura de escravidão", acrescenta.

"Mas eu acho que eles não vão."

COMENTÁRIO

Esta é uma reportagem que nunca poderia ter sido escrita se não fosse pela ajuda e pela orientação de um servidor público extraordinariamente corajoso e comprometido. Durante todo o tempo que passei no Brasil, nunca encontrei ninguém mais dedicado a seu trabalho — que ele vê não como uma tarefa, mas como uma espécie de missão — do que Paulo César Lima, delegado do Ministério do Trabalho e líder de uma Equipe Móvel de Fiscalização cuja tarefa era combater o trabalho escravo na Amazônia.

Em meados de 2001, meus editores no *New York Times* decidiram publicar uma série de reportagens sobre diferentes formas de escravidão no mundo moderno, do trabalho forçado análogo à escravidão pura e simples. Pediu-se a todas as sucursais no exterior que apresentassem exemplos dentro dos territórios que elas cobriam, o que para mim não era nenhum problema. Eu sabia, de minhas viagens pela Amazônia, que com o desmatamento e a expansão e modernização da produção de carne bovina, madeira, carvão e aço, o problema da escravidão estava se acelerando, apesar dos esforços sinceros do governo brasileiro para pôr fim a ele.

A idéia de ter cerca de um mês para viajar pela Amazônia documentando as dimensões do problema era enormemente atraente, e fiquei contente quando meus editores me disseram que eu tinha sido escolhido para escrever uma das várias matérias sobre escravidão assalariada. Outras matérias seriam sobre a indústria de cacau na

Costa do Marfim e a fabricação de bolas de futebol no Paquistão. Mas eu achava que a situação do Brasil era particularmente dramática por causa da complicada vinculação entre trabalho escravo, desmatamento, a exportação de madeira, especialmente mogno, e a chamada carne bovina "verde".

Meu ponto de partida tinha obviamente de ser o Piauí ou o Maranhão, onde camponeses pobres ingênuos são recrutados por "gatos", os agentes que contratam pessoas para fazendeiros e madeireiros. Meu plano era seguir o mesmo caminho tomado pelos próprios escravos, indo do Nordeste para o leste do Pará, que provavelmente tem a maior concentração de trabalho escravo no Brasil. Mas, ao viajar do Rio de Janeiro para o Norte, parei primeiro em Brasília para conversar com funcionários do Ministério do Trabalho, que me deram o nome de Paulo César e sua aprovação para trabalhar com ele e outros fiscais.

Quando conheci Paulo César Lima, em setembro de 2001, ele estava vivendo em Parnaíba, Piauí, e percorria os estados do Piauí e do Maranhão inteiros, coletando informações sobre trabalho escravo de sindicatos rurais e de ex-escravos que tinham voltado para suas cidades natais, castigados mas vivos, ao contrário de alguns de seus amigos, que tinham simplesmente desaparecido. Baseado nos dados que Paulo César obtinha dessas entrevistas e de outras fontes em Brasília, ele liderava periodicamente visitas de surpresa a fazendas e carvoarias, principalmente no sudeste do Pará e no norte do Mato Grosso, que se sabia que empregavam trabalho escravo.

Acompanhei Paulo César em uma de suas viagens no Piauí, visitando Esperantina, Batalha e Barras. Lá ouvi os depoimentos arrepiantes de ex-escravos, alguns dos quais o próprio Paulo César tinha libertado. Lembro em particular de entrevistar Bernardo Gomes da Silva numa tarde, no quintal dos fundos de sua casa simples em Barras, enquanto uma multidão crescente de vizinhos, amigos e familiares ouvia atentamente. Aparentemente, ele evitara contar a eles sua história, e ele tinha tanta dificuldade de contar algumas partes que chegava a gaguejar e parar de falar completamente. Quando isso acontecia, alguém dava água a ele e o encorajava: "Não tenha medo, Bernardo, não tenha medo, não. Vá em frente, cara. A gente está com você."

Acho que os brasileiros que vivem no Sudeste do país, em cidades como Rio de Janeiro ou São Paulo, não avaliam plenamente como pode ser difícil para servidores públicos cumprirem suas funções em áreas remotas do país. Muitas vezes eles não têm sequer os suprimentos básicos necessários para desempenhar adequadamente suas tarefas, são privados do pessoal de que precisam para servir o público de forma apropriada e ocasionalmente têm de agüentar meses sem receber salário. Muitos começam como idealistas, querendo ajudar o público, mas acabam desistindo em face desses obstáculos, tristemente conformados.

No caso de Paulo César Lima e seus colegas nas Equipes Móveis de Fiscalização (EMF), eles também têm ocasionalmente de arriscar a vida sem proteção adequada. A Polícia Federal faz um bom trabalho, mas às vezes não está disponível por causa de outras missões. Quanto à polícia local, muitas vezes tem medo de confrontar o proprietário de terras e seus jagunços, ou é mais leal a esse cacique do que aos funcionários de Brasília. Não é de surpreender, então, que fiscais das EMFs tenham sido mortos em tiroteios ocorridos quando eles tentavam libertar escravos de fazendas na selva.

Ao fazer a apuração para esta matéria, eu tive muito mais sorte: só uma vez alguém me ameaçou, e isso foi em São Félix do Araguaia, um lugar que todos sabem que é um verdadeiro faroeste. Eu estava tentando entrevistar trabalhadores escravos libertados que corriam o risco de voltar a ser escravizados, e um "gato" bêbado não gostou de me ver metendo o nariz em algo que ele achava que não era da minha conta. Então ele puxou sua arma e me disse para ir embora, "senão as coisas aqui vão esquentar e vai dar encrenca". Então eu educadamente deixei a varanda da pensão onde estava falando com os trabalhadores libertados e voltei ao hotel igualmente humilde onde estava hospedado.

Mas esta reportagem permanece vívida em minha memória principalmente por outra razão: eu estava trabalhando nela quando o mundo mudou em 11 de setembro de 2001. Depois de uma conferência em Xinguara patrocinada pela Comissão Pastoral da Terra, a última vez que vi Dorothy Stang, eu estava dirigindo para São Félix do Xingu naquele dia na companhia de dois padres, um brasileiro, o outro francês, quando eles sugeriram que parássemos para almoçar na casa deles em Tucumã, situada pouco à frente na estrada, não muito longe de um povoado chamado Gogó da Onça. Quando entramos, a caseira deles deu uma olhada em mim, supôs que eu fosse americano e imediatamente disse: "Está acontecendo uma coisa muito estranha em seu país. Um avião bateu em um prédio em Nova York."

Nós ligamos a televisão a cabo deles, um luxo que teria sido inimaginável quando eu comecei a viajar pela Amazônia, e quando foi apresentado um quadro mais completo do que tinha acontecido, fiquei cada vez mais alarmado. Tentei ligar para Nova York, não apenas para falar com meus editores, mas também para tentar localizar minha filha, que estudava em uma universidade lá e morava a apenas cinco quarteirões do World Trade Center. Mas não consegui completar a ligação, e só pude me comunicar com o Rio, onde minha mulher me disse que nossa filha tinha ouvido e visto tudo mas havia ligado, pouco antes de as linhas telefônicas caírem e o serviço ser cortado, para avisar que estava a salvo.

Menciono isso só porque ilustra um aspecto básico do mundo que habitamos hoje, um aspecto que esta reportagem também tenta apresentar, se bem que de uma forma diferente. Ninguém vive mais em isolamento verdadeiro. Uma ação em um lugar gera uma reação igual em algum outro lugar, como a lei de Newton. Uma cozinheira na Amazônia, de algum modo, está agora ligada a acontecimentos em Nova York, exatamente como consumidores de Minneapolis ou Toulouse estão conectados, apesar da distância, ao Brasil por algo tão simples como seus hábitos de alimentação ou seus gostos em matéria de mobília. É tarefa do repórter tentar mostrar e explicar essas ligações, por mais obscuras que pareçam. E se isso incomoda quem está no poder, como esta história fez, que seja.

Um homem de muitos nomes, mas de um só legado na Amazônia

Data: 11 de setembro de 2004

CURIONÓPOLIS (PA) — Lá em Brasília, onde tem muitos protetores poderosos gratos pelos favores que prestou a eles ao longo dos anos, Sebastião Rodrigues de Moura é conhecido por vários nomes. Vice-rei da Selva. Rei do Pará. Nos salões do Congresso, há até mesmo os que o tratam por "Kurtz da Amazônia", em referência ao personagem do livro *Coração das Trevas*, de Joseph Conrad.

"Um exagero", diz Moura, mais conhecido como major Curió, nome de uma agressiva espécie de pássaro local. Porém, não há nenhum outro na Amazônia que como ele reine sobre uma faixa de território batizado com seu próprio nome e em que, conforme asseveram seus críticos na capital, tem autorização para administrá-la como um feudo pessoal.

Por quase 35 anos, Moura, hoje com aparência de avô e de cabelo louro tingido, tem sido o homem cujo caminho as pessoas aqui do Pará, estado no leste da Amazônia, têm medo de cruzar. Guerrilheiros trotskistas, mineiros avarentos, padres estrangeiros intrometidos, camponeses taciturnos, políticos oportunistas, fazendeiros gananciosos; enfim, todos os que se meteram com o major Curió, sem exceção, perderam, contribuindo assim para a lenda de sua ferocidade e implacabilidade.

Alguns, na verdade, não viveram para contar suas histórias, e outros simplesmente não estão dispostos a falar. Desde o fim do governo militar no Brasil, em 1985, grupos defensores dos direitos humanos têm exigido que Moura seja julgado pelo assassinato de mais de sessenta guerrilheiros de esquerda, alguns dos quais foram decapitados, e pela tortura de dezenas de mateiros durante a década de 1970. Porém, se viram frustrados em todas as suas tentativas.

"Não posso negar que me envolvi em combate para evitar a implantação de uma área a serviço do comunismo mundial no coração da Amazônia", diz ele a respeito de seu papel na maior operação de contra-insurreição da história brasileira. "Era uma guerra. Lutamos contra eles nas selvas, de armas na mão, e executamos uma missão que as Forças Armadas confiaram a nós."

Os investigadores do governo sobre o destino dos que morreram ou foram torturados durante a guerra de guerrilha do Araguaia recentemente contataram Moura e o convidaram a depor. Ele se recusou, dizendo que o fará somente se receber uma ordem de seu comandante. Porém, quando perguntado se obedeceria a tal comando se o recebesse, respondeu: "Provavelmente não."

"Sei que não tenho o direito de levar para o túmulo a verdade do que vivi", diz ele. "Mas só vou contar a verdade em minhas memórias."

A história de Moura, conforme conta ele, começou em dezembro de 1934 em São Sebastião do Paraíso, uma pequena cidade comercial do interior do estado de Minas Gerais. "Minhas origens são simples", diz ele. Seu pai foi barbeiro e sua mãe tomava conta de uma pensão de estudantes.

Ele recorda que sua infância foi corriqueira até o fim da Segunda Guerra Mundial, quando um primo seu retornou do combate junto à Força Expedicionária Brasileira, que havia se unido à causa dos Aliados na Itália, e foi carregado pelas ruas de sua cidade como herói. "Foi aí que eu decidi que era isso que eu queria ser", diz ele.

Quando era cadete na Academia Militar nacional, decidiu complementar seu magro salário tornando-se boxeador, ocupação que "pagava por uma luta por semana o mesmo que eu ganhava em um mês". Seus colegas de classe, impressionados com sua ferocidade nos ringues, o apelidaram de "major Curió", o qual tem usado desde então. O curió é um pequeno pássaro preto de peito vermelho, comum no Brasil.

"O curió é um pássaro agressivo, e por causa disso as pessoas do Nordeste os colocam em gaiolas para brigar, freqüentemente até a morte", explica Moura. "Um curió é tão aguerrido que briga até com seu próprio reflexo no espelho."

Quando o Exército tomou o poder no Brasil em 1964, Moura recebeu a incumbência de trabalhar no serviço de inteligência e contra-insurgência, no que ele vagamente descreve como "a repressão dos movimentos de guerrilha urbana" nas grandes cidades do Brasil.

Ele havia se formado na primeira turma de treinamento de combate na selva, de maneira que, quando o Partido Comunista do Brasil abriu uma frente de guerrilha ao longo do rio Araguaia, aqui no leste da Amazônia, ele foi convocado. Ele se apresentou como agrônomo, de nome Carlos Alberto Lucchini, mas sua missão real era achar e matar os insurgentes que estavam conquistando o apoio dos camponeses da região.

O governo militar se voltou para ele novamente para restaurar a ordem quando uma corrida do ouro começou no Pará em 1980. Serra Pelada logo se tornou a maior mina de ouro a céu aberto do mundo, famosa pelas pepitas que chegavam a pesar até 60 quilos, e por imagens de garimpeiros trabalhando em condições violentas e subumanas.

Em Serra Pelada, hoje um distrito de Curionópolis, Moura governou com mão de ferro. Ele proibiu o álcool, jogos e prostituição; forçou os garimpeiros a entregar suas armas quando deixavam a mina de ouro, e tornou obrigatória a cerimônia de hasteamento da bandeira brasileira todas as manhãs.

"Eu tinha poderes plenos e podia fazer qualquer coisa que vinha à mente", diz ele nostalgicamente. "Ninguém podia interferir comigo, nem os habitantes, nem o Legislativo e nem os tribunais."

Contudo, os 116 mil garimpeiros que afluíram à Serra Pelada estavam dispostos a tolerar estas imposições porque Moura também lutou em favor deles. Ele expulsou os avaliadores que ofereciam pelo ouro valores bem abaixo do preço de mercado, e trouxe para o local uma rede de supermercados do estado e um banco governamental, de maneira que os garimpeiros não tinham que pagar preços exorbitantes por suprimentos ou se endividar junto aos intermediários.

Eventualmente, este seu papel o levou à política. Moura serviu no Congresso brasileiro algum tempo, mas no final da década de 1980, quando o governo criou uma nova jurisdição e a chamou de Curionópolis, ele retomou seu papel como o cacique *de facto* da região, ao qual ele acrescentou o título oficial de prefeito há quatro anos.

Em sua mesa aqui, Moura exibe um cartaz apoiando o movimento para desmembrar todo o sudeste da Amazônia, rico em ouro, platina, minério de ferro, cobre, bauxita, madeiras de lei tropicais e energia hidrelétrica, e transformá-lo no estado de Carajás. Já se falou que ele será o provável primeiro governador de tal estado, mas ele minimiza suas aspirações.

"Não tenho essa ambição, mas se o estado for criado, pode ser que meus companheiros me levem a assumir esta obrigação", diz ele. "Em política, nunca se pode dizer 'dessa água jamais beberei'."

Enquanto isso, ele está se empenhando em conseguir outro mandato como prefeito no domínio que leva seu nome, com a eleição programada para outubro. Seu principal adversário está concorrendo com o slogan que pede uma "Curionópolis sem medo", mas Moura diz que as últimas pesquisas eleitorais dão a ele mais de 60% das intenções de voto.

Devido aos caprichos da política brasileira, desde 2003 o partido ao qual Moura pertence faz parte da coalizão de governo encabeçada pelo Partido dos Trabalhadores, de esquerda. "Eu capturei o José Genoíno em abril de 1972", diz ele, referindo-se ao ex-guerrilheiro e atual presidente do partido do governo.

Ele agora aceita a idéia de que os jovens guerrilheiros idealistas que combateu todos aqueles anos atrás "eram movidos pelos mesmos objetivos, pelo mesmo espírito social do Exército, embora nossos caminhos fossem diferentes", diz ele. "Mas eles tomaram uma direção, e meu caminho foi outro."

COMENTÁRIO

Esta é outra matéria que ficou 25 anos sendo preparada e surgiu de meu fascínio pela campanha da guerrilha do Araguaia. Era impossível ir a Marabá no final da década de 1970 sem ouvir histórias — na verdade lendas — sobre figuras excepcionalmente interessantes como Raimundão, o ex-soldado negro que liderou o destacamento do PCdoB na selva, e Dina, a enfermeira guerrilheira que ganhou a confiança dos camponeses tratando de suas doenças. Mas também havia vilões que provocavam um interesse excepcional na imaginação popular. E ninguém era mais notório que o major Curió.

Naquela época, apenas quatro anos depois de o foco guerrilheiro ter sido desbaratado, ninguém sabia o verdadeiro nome de Curió, nem ousava fazer perguntas a esse respeito. Mas ele recebia o crédito pelo extermínio da guerrilha, e dizia-se que estava em todos os lugares, como o pássaro do qual recebera o nome. Quando fui a Serra Pelada pela primeira vez, em 1981, havia boatos de que ele também tinha aparecido por lá, boatos esses que acabaram se revelando verdadeiros. Mas, com a ditadura militar ainda no poder, parecia perigoso procurar por ele e fazer as perguntas difíceis sobre suas atividades no Araguaia uma década antes.

Quando voltei ao Brasil em 1999, fiquei atônito ao saber que Curió havia criado um pequeno reino para si no Pará, um reino que incluía Serra Pelada. Seu feudo tinha até sido batizado em homenagem a ele: Curionópolis. Isso me parecia algo muito difícil de entender, mais um exemplo da amnésia induzida deliberadamente que parece com freqüência afligir os brasileiros. No Chile e na Argentina, repressores como Curió tinham sido caçados e presos ou pelo menos denunciados em relatórios de direitos humanos. No Brasil, nada. Curió tinha até sido autorizado a ingressar no PMDB, o partido que se opusera à ditadura!

Foram necessários vários anos de negociações intermitentes antes que Curió permitisse que eu falasse com ele. Finalmente, em 2004, ele concordou com uma entrevista em Curionópolis, no gabinete do prefeito, e depois nas ruas da cidade, onde fazia campanha pela reeleição. Mas nessa época Elio Gaspari já tinha publicado a maioria dos livros de sua série sobre a ditadura, e eu também tinha lido outros relatos da campanha do Araguaia que falavam do papel de Curió.

A entrevista foi uma das mais peculiares que já fiz. Eu sabia que estava na presença de um monstro, mas Curió tentou me desarmar e agir da forma mais normal possível. Ele fez o melhor que pôde para passar a imagem de um avô tranqüilo, e a certa altura um de seus netos até entrou na sala para cumprimentá-lo. Mas o processo de fazer e responder perguntas era como uma partida de esgrima: eu dava uma estocada com uma pergunta difícil sobre as mortes que ele autorizou e ele aparava o golpe sendo evasivo ou vago, ou transferindo a responsabilidade para outros. Mas penso que o resultado final, embora não tenha sido tudo que eu gostaria que fosse, valeu o esforço. Mesmo as evasivas contribuíram para compor um retrato de uma figura que permanece ainda hoje tão obscura e misteriosa, atrás de sua máscara impenetrável, como era há trinta anos.

Uma língua nascida do colonialismo prospera novamente na Amazônia

Data: 28 de agosto de 2005

SÃO GABRIEL DA CACHOEIRA (AM) — Quando os portugueses chegaram ao Brasil, há cinco séculos, se depararam com um problema fundamental: os povos indígenas que conquistaram falavam mais de setecentas línguas. Fazendo frente a este desafio, os jesuítas que os acompanhavam confeccionaram uma mistura de palavras indígenas, portuguesas e africanas à qual deram o nome de "língua geral", e a impuseram aos seus súditos coloniais.

Em outras partes do Brasil, a língua geral, na condição de língua viva e falada, morreu há muito tempo. Porém, neste canto remoto e negligenciado da Amazônia, onde o Brasil, a Colômbia e a Venezuela se encontram, a língua não só conseguiu sobreviver, como reapareceu de forma notável nos anos recentes.

"Os lingüistas falam de línguas moribundas prestes a morrer, mas esta é uma das que estão sendo revitalizadas por sangue novo", afirma José Ribamar Bessa Freire, nativo da região e autor do livro "Rio Babel: a história das línguas na Amazônia". "Embora a língua geral tenha sido trazida à Amazônia para tornar viável o processo de colonização, as tribos que perderam suas próprias línguas-mães estão agora se refugiando nela, e fazendo dela um elemento de sua identidade", acrescenta ele.

De fato, o nheengatu, com é chamada a língua geral por seus cerca de 30 mil falantes, há dois anos atingiu um marco histórico. Em uma votação na câmara dos vereadores, São Gabriel da Cachoeira se tornou o único município do Brasil a reconhecer, além do português, outras línguas como oficiais. Esse status foi conferido à língua geral e a duas outras línguas indígenas locais.

Como conseqüência, o nheengatu — que significa "fala boa" — é agora uma língua cujo ensino é permitido em escolas, que é falada nos tribunais e usada em documentos do governo. Os falantes da língua geral viram seu valor no mercado de trabalho aumentar, e agora estão sendo contratados como intérpretes, professores e auxiliares de saúde pública.

Em seu apogeu colonial, a língua geral era falada não apenas ao largo de toda a Amazônia, mas até a bacia do rio Paraná, a mais de 3 mil quilômetros ao sul daqui. No filme *A Missão*, por exemplo, os padres interpretados por Jeremy Irons e Robert De Niro teriam se comunicado com seus paroquianos indígenas em uma versão dessa língua.

Mas em meados do século XVIII, o governo português ordenou a saída dos jesuítas do Brasil, e a língua iniciou seu longo declínio. Persistiu na Amazônia após o Brasil conquistar sua independência, em 1822, mas foi enfraquecida por décadas de migração de camponeses do Nordeste do Brasil que vieram trabalhar nas plantações de borracha e juta e em outros estabelecimentos comerciais.

Aqui nesta região, a sobrevivência do nheengatu foi auxiliada pela profusão de línguas, o que dificulta a comunicação entre as tribos. É costume de longa data de algumas tribos exigir que seus membros se casem com alguém de outro grupo lingüístico. De acordo com o cálculo dos lingüistas, 23 línguas pertencentes a seis famílias são faladas aqui no Alto Rio Negro.

"Esta é a região mais plurilíngüe das Américas", diz Gilvan Muller de Oliveira, diretor do Instituto de Investigação e Desenvolvimento em Política Lingüística, ONG que tem um escritório aqui. "Nem mesmo Oaxaca, no México, abriga tamanha diversidade."

Porém, a persistência e a evolução do nheengatu são marcadas por contradições. Por exemplo, nenhum dos grupos indígenas que correspondem a mais de 90% da população local pertence ao grupo tupi, que forneceu à língua geral a maior parte de seu vocabulário e gramática originais.

"O nheengatu chegou a nós como a língua do conquistador", explicou Renato da Silva Matos, líder da Federação das Organizações Indígenas do Rio Negro. "Provocou a morte das línguas originais" porque os padres e as autoridades do governo puniam quem falasse outra língua que não fosse o português ou o nheengatu.

Nos tempos modernos, porém, a língua geral revestiu-se de um significado muito diferente. À medida que o domínio do português avançava, e os que originalmente a impuseram procuravam extingui-la, o nheengatu tornou-se "um mecanismo de resistência lingüística, cultural e étnica", diz Pérsida Miki, professora de Educação da Universidade Federal do Amazonas.

Até mesmo os falantes jovens da língua geral se lembram das tentativas de eliminar a língua no tempo em que eram crianças. Até o final da década de 1980, os pais indígenas que queriam dar educação para seus filhos geralmente os enviavam aos internatos administrados por padres e freiras da Ordem Salesiana, os quais eram particularmente severos com alunos que mostrassem sinais de apego às suas línguas nativas.

"Nossos pais podiam nos visitar uma vez por mês, e se não falássemos com eles em português, éramos punidos, deixados sem almoço ou de castigo num canto", diz Edílson Kadawawari Martins, de 36 anos, líder indígena baníwa que passou oito anos em um internato. "Na sala de aula era a mesma coisa: quem falasse nheengatu apanhava de palmatória de pau-brasil ou era obrigado a ficar de joelhos de frente para a classe por 15 minutos."

Celina Menezes da Cruz, uma índia baré de 48 anos, tem memórias parecidas. Porém, nos últimos dois anos, ensina nheengatu para alunos de uma meia dúzia de tribos na escola primária local, Dom Miguel Alagna.

"Me sinto bem fazendo isso, principalmente quando eu penso no que tive de suportar quando tinha a idade dos meus alunos", diz ela. "É importante não deixar a língua de nossos pais morrer."

Para aliviar a escassez de professores qualificados de língua geral, teve início no mês passado um curso de treinamento para 54 instrutores. O Unicef está fornecendo o dinheiro para promover a discussão de outras formas de implementar a lei que torna oficial a língua geral, cujos defensores esperam em breve abrir aqui uma universidade indígena com cursos em nheengatu.

Embora a língua geral tenha sido criada por padres católicos, as denominações protestantes evangélicas modernas se apressaram em adotá-la como um meio de propagação de sua fé. Este mês, numa noite abafada de domingo no culto de uma igreja da Assembléia de Deus, índios de uma meia dúzia de tribos cantavam, oravam e pregavam em língua geral, enquanto seu pastor, que falava apenas português, olhava com aprovação e exclamava: "Aleluia!"

Contudo, há aqui uns poucos que não estão contentes com o ressurgimento da língua geral. Depois que uma estação de rádio local passou a transmitir programas na língua geral, alguns oficiais da guarnição militar local, responsável pelo patrulhamento de centenas de quilômetros de fronteira permeável, se opuseram com base numa lei que proíbe transmissões em línguas "estrangeiras".

"Os militares, com sua noção antiquada de segurança nacional, tendem a ver a língua geral como uma ameaça à segurança nacional", diz Muller de Oliveira. "A língua geral pode ser uma língua em retrocesso, mas a idéia de que ameaça de alguma forma a dominância do português e conseqüentemente a unidade da nação ainda persiste e goza de um certo respeito entre alguns segmentos das Forças Armadas."

Para muitos no Amazonas, o governo chega de barco

Data: 18 de setembro de 2005

CAAPIRANGA (AM) — Alguns chegam sós em canoas ou pequenos barcos motorizados, e, às vezes, chegam comunidades inteiras, apinhadas a bordo de barcos de dois conveses. Em uma remota curva do rio no coração da selva amazônica, seu destino encontra-se ancorado: um barco de rio que funciona como repartição pública itinerante.

Em um dos conveses, médicos e dentistas atendiam uma longa fila de pacientes, alguns dos quais jamais passaram por uma consulta médica na vida. No convés abaixo, ribeirinhos se acomodavam em cadeiras confortáveis em uma sala de espera com ar condicionado, enquanto funcionários do Instituto de Seguro Social, da polícia, do Exército e dos ministérios da Fazenda e do Trabalho emitiam carteiras de identidade e outros documentos.

Impedidos pela pobreza e pelas vastas distâncias, os moradores dos cantos mais isolados e longínquos da Amazônia jamais puderam chegar ao seu governo, e, portanto, têm sido excluídos dos direitos e benefícios a eles devidos pela sua condição de cidadãos brasileiros.

Mas agora, graças a um programa já com três anos de implementação chamado Pronto Atendimento Itinerante, o governo está finalmente indo até eles. "Talvez agora eu consiga minha aposentadoria", diz José Lourenço de Souza, de 64 anos, a bordo do barco em uma tarde de domingo de agosto. "Trabalhei a minha vida toda como peão, e já tenho idade para aposentar, mas até eu vir aqui, nunca tinha tido nenhum documento que preciso para ter direito, nem mesmo uma certidão de nascimento. Que é que eu podia fazer? Não sei onde fica o cartório mais perto, muito menos como chegar lá."

A sigla para o programa é PAI, e seu objetivo é francamente paternalista no sentido mais benevolente da palavra. Durante a viagem da embarcação até esta parada junto ao rio Solimões, uma extensão do Amazonas, 26 instituições ligadas ao governo foram representadas, incluindo o Ministério da Pesca e a Caixa Econômica Estadual. Foram oferecidos mais de cinqüenta serviços, incluindo vacinações e inscrição no serviço militar.

Severino Cavalcante, secretário de Estado do Trabalho e Cidadania do Amazonas, deu início ao programa em 2003, atendendo a determinação do governador recém-eleito, Eduardo Braga.

"As nossas estradas são os rios, e às vezes leva 17 dias para se chegar de certas partes do estado até a capital", diz Cavalcante em uma entrevista em Manaus. "Este programa faz as pessoas se sentirem mais seguras onde moram, o que significa que elas estão menos propensas a ir à cidade grande e deixar suas famílias."

Uma das pessoas mais ansiosas para receber ajuda era Solange Magalhães da Silva. Aos 38 anos, já deu à luz 18 filhos, dos quais apenas oito sobreviveram. Ela estava preocupada com a saúde de sua filha caçula, Izaele.

Aos 16 meses de idade, Izaele ainda não anda nem fala. Conseqüentemente, Solange não pode mais trabalhar no campo com seu marido, Izaías, porque tem que dedicar todo o seu tempo a cuidar do bebê. "Quando vim aqui pela primeira vez, no ano passado, eu nunca tinha feito um exame médico", diz ela. "Somos todos pobres por aqui, você sabe como é que é. Não temos dinheiro para ir para Manaus ou mesmo até Manacapuru para fazer uma consulta, e até três meses atrás ainda não tínhamos uma enfermeira no posto de saúde de nossa comunidade."

Os médicos prometeram a Solange que fariam todo o possível por Izaele, e a administração do seguro social afirmou que a família tem direito ao auxílio-doença de cerca de 125 dólares mensais.

"Só quero ter condições de comprar algo um pouco melhor para o meu bebê", diz Solange, quando lhe perguntaram sobre o que ela faria com o dinheiro. "Do jeito que as coisas andam, eu até tive que pedir gasolina emprestada para o meu barco para vir aqui."

Os brasileiros reclamam constantemente da burocracia que os cerca mesmo em lugares remotos como este. Dependendo do emprego que procura, um homem pode ter que apresentar não só sua carteira de identidade, como também declaração de imposto de renda, título de eleitor, carteira de trabalho e certificado militar.

Antes deste programa itinerante do governo chegar aqui, Jhonnes Pereira da Silva, de 39 anos, não possuía nenhum tipo de documento, nem sequer a certidão de nascimento, de modo que não existia aos olhos do Estado, assim como muitos outros habitantes ribeirinhos. Mas agora que ele, sua esposa e seus três filhos estão devidamente registrados, não só estão autorizados a receber todo o conjunto de benefícios sociais, como também vislumbram novas oportunidades.

Sem os documentos, diz Pereira da Silva, estava condenado a trabalhar pelo salário mínimo como peão, sem qualificação para outro trabalho melhor. Com a certificação adequada, ele pode agora aspirar a "trabalhar em uma fábrica ou até mesmo em uma loja", diz, contente.

"Um homem sem documentos não é nada, ninguém", acrescenta ele. "Não é mais que um animal da selva."

Todos os serviços a bordo do barco, o *Zona Franca Verde*, são gratuitos, com o governo arcando até mesmo com os gastos de plastificação de documentos. Em um ambiente tão chuvoso e úmido como a Amazônia, ninguém quer cair no rio, ficar com os documentos encharcados e ilegíveis, e ter de passar de novo por toda a burocracia para obter outros novos.

O programa PAI é resultado das duras condições geográficas que sempre complicaram o trabalho de governar a maior bacia hidrográfica do mundo.

Embora o estado do Amazonas seja maior que a França, a Alemanha, a Grã-Bretanha e a Itália juntas, possui menos de 3 milhões de habitantes, e metade deles vive em Manaus, o centro industrial e portuário. A maioria dos outros habitantes do interior do estado é extremamente pobre, geralmente ganham no máximo cem dólares por mês, e lutam para manter famílias grandes com uma mistura precária de agricultura de subsistência, caça e pesca. Eles simplesmente não têm condições de fazer a longa jornada até Manaus para conseguir a documentação exigida para sua condição de cidadãos.

"Estes são os esquecidos", diz Gilson dos Santos, responsável pelas carteiras de identidade. "Às vezes ficam muito nervosos porque é tudo novo para eles. Muitos não sabem escrever direito, não estudaram, de maneira que estragam o formulário onde têm que assinar, e aí é preciso começar tudo de novo. Então é necessário ter paciência com eles."

Atualmente, o programa PAI inclui três barcos que navegam pelo Amazonas e seus afluentes o ano todo, e há um quarto barco em construção programado para entrar em operação este ano. O barco que veio até aqui é o maior da frota; é uma imponente embarcação de quatro conveses, de 54 metros de comprimento e com acomodações para oitenta pessoas, incluindo os 16 membros da tripulação. Em seu topo, há um transmissor via satélite que permite que as informações sejam enviadas imediatamente ao registro central em Manaus.

Em lugares tão pequenos e distantes como este, a chegada do barco é um acontecimento. As mulheres sobem a bordo em suas melhores roupas, acompanhadas de homens vestidos com camisas recém-lavadas e crianças de olhos arregalados e cabelos arrumados caprichosamente. Entre elas, há algumas que não necessitam de cuidados médicos ou documentos, mas que querem apenas olhar para os visitantes de um mundo desconhecido ou assistir aos vídeos na tela grande do auditório com ar condicionado do barco.

Em algumas viagens, embora não nesta, o barco transporta também um tribunal ambulante completo, com um juiz e um defensor público para julgar os casos, desde disputas relativas à posse de gado ou terra até acusações mais graves.

Às vezes o juiz de paz também vem junto para celebrar cerimônias de casamento de até quinhentos casais simultaneamente, com o governo estadual pagando pela recepção, alianças e certidões de casamento. "Oficialize a paixão por quem você ama", instam as autoridades em cartazes distribuídos nas cidades visitadas pela embarcação.

Uma das razões da campanha pelo "casamento civil coletivo" é o desejo do governo de criar um ambiente familiar mais estável. Porém, há razões práticas para tal esforço que tem a ver com os direitos à aposentadoria e herança, conforme fica claro pelo alto número de casais idosos que respondem entusiasticamente à oportunidade de atar o nó.

Estar no barco pode se tornar uma experiência transformadora de vida para os médicos e técnicos, e não apenas para os pacientes.

O doutor George Sasaki, por exemplo, é casado e tem uma bem-sucedida clínica de cirurgia oral em São Paulo, mais de 3 mil quilômetros ao sul daqui. Mas é voluntário do programa em suas férias todos os anos, desde o início.

"Me dá prazer fazer isso, e além do mais eu gosto do desafio", diz ele. "Algumas pessoas desanimam no primeiro dia em que têm de tratar de cem pacientes, mas eu gosto de ter que tomar decisões rápidas. Aqui ninguém pode se dar ao luxo de dizer 'vou pesquisar o caso dele e pedir para voltar depois'."

Os brasileiros das cidades grandes não raro desprezam os ribeirinhos, que se beneficiam dos programas, julgando-os ignorantes e incivilizados. Porém, os membros da tripulação dos barcos dizem que o contato com o Amazonas infundiu neles um respeito para com os caboclos e seu modo de vida.

"Você vê estas pessoas de pé logo de manhãzinha para ir pescar, e eles enfrentam os animais mais selvagens e elementos da natureza extremamente hostis", diz Paulo Cabral, representante do órgão de desenvolvimento estadual a bordo. "Eles não são preguiçosos. São conformados com tudo que lhes acontece, venha o que vier. Eles estão acostumados a extrair o melhor de situações ruins porque ninguém jamais fez nada por eles."

Madeireiros zombam da lei e devastam a Amazônia

Data: 16 de outubro de 2005

UNIÃO DA FLORESTA (PA) — Tão logo a estação seca chega, os madeireiros entram em ação. Dia após dia, de junho em diante, seus caminhões-plataforma partem vazios cedo de manhã deste assentamento empoeirado na rodovia Transamazônica, para retornar apenas a partir do meio da tarde, sobrecarregados de troncos recém-cortados de ipês, jatobás e cedros.

Não importa que no ano passado o governo brasileiro tenha suspendido as licenças de exploração necessárias para abater árvores nesta parte da selva, tornando ilegal o corte de madeira para quase todos os madeireiros, exceto para uma pequena minoria. Também não importa que a maioria das valiosas madeiras de lei que estão sendo derrubadas com motosserras e tratores esteja localizada em terras públicas que, ao menos em teoria, são interditadas mesmo para os poucos madeireiros que ainda possuem licenças.

"Isso acontece durante toda a noite, e o tráfego é tão intenso algumas vezes, com trinta ou quarenta caminhões fazendo tanto barulho que as pessoas nem conseguem dormir", diz Milton Fernandes Coutinho, presidente do sindicato dos trabalhadores rurais local, que representa os posseiros que vivem ao longo das estradas usadas pelos madeireiros. "Já reclamamos repetidas vezes ao governo, mas ninguém faz nada para pará-los."

As estatísticas do governo brasileiro indicam que o desprezo generalizado pela lei também está ocorrendo em outras partes da Amazônia. Apesar de leis mais rigorosas, ao menos no papel, e das repetidas promessas do presidente Luiz Inácio Lula da Silva de punir os que estão pilhando a maior floresta tropical úmida do mundo, os carregamentos de madeira da região estão aumentando como nunca se viu antes.

Segundo números do governo, em 2004 as exportações de madeira brasileira da Amazônia aumentaram em valor quase 50% em relação ao ano anterior, chegando a quase um bilhão de dólares. Na primeira metade deste ano, quando a estação chuvosa tradicionalmente diminui as atividades, as exportações aumentaram em valor mais 20%.

No geral, quase 40% da madeira cortada na Amazônia hoje em dia está sendo enviada para o exterior, em comparação a apenas 14% em 1999. Os principais mercados do Brasil são os Estados Unidos, responsáveis por 1/3 de todos os carregamentos de madeira para o exterior, seguidos pela China, com 14% e em rápido crescimento, e os países europeus, que coletivamente representam 40%.

"O problema, no entanto, é que os próprios números do governo indicam que cerca de 60% dessas exportações são ilegais'', diz Paulo Adário, que dirige a campanha para a Amazônia do grupo ambientalista Greenpeace. "Então temos que nos perguntar: como é possível que mesmo com as licenças de corte suspensas desde julho de 2004, as exportações de madeira continuam crescendo de forma assustadora?"

Os defensores dos posseiros, dentre eles sindicatos trabalhistas e autoridades da Igreja católica, respondem apontando para a tradicional relutância do órgão federal do meio ambiente e florestas, o Ibama, em agir contra os madeireiros e donos de serrarias. O órgão é cronicamente carente de pessoal e dinheiro, seus funcionários são freqüentemente ameaçados e nem o Exército nem a polícia estão dispostos a fornecer proteção aos fiscais em missões oficiais.

"Mesmo que haja milhares de leis no papel, elas não significam nada se as autoridades não fizerem com que sejam cumpridas'', diz Erwin Krautler, bispo católico da região do Xingu. Porém, as autoridades do Ibama argumentam que agora estão impondo a lei mais agressivamente, e que já começaram a fazer progressos. Observam que as apreensões de madeira ilegal estão aumentando, o volume de madeira cortada começou a cair drasticamente e recentemente, pela primeira vez, um madeireiro foi preso por extrair madeira de terras públicas.

"Em relação às questões de monitoramento e aplicação da lei, é preciso que se olhe para a Amazônia em um contexto amplo", diz João Paulo Capobianco, diretor de florestas do órgão, em uma entrevista telefônica de Brasília. "Mesmo se fecharmos todas as saídas, ainda assim haverá alguns lugares por onde a madeira continuará a sair ilegalmente. Não há dúvida, porém, que nosso desempenho este ano melhorou infinitamente em comparação a anos anteriores."

Entretanto, nesta região da selva, os caminhões de madeira ainda percorrem livremente e desimpedidos as estradas de terra esburacadas, sem nenhum fiscal à vista. Em uma tarde em setembro, por exemplo, um caminhão carregado de toras e trabalhadores entrou ruidosamente na cidade para deixar os operários em suas casas.

"É preciso mesmo tirar todas estas fotos?", perguntou um trabalhador nervoso quando este repórter e um fotógrafo se aproximaram do caminhão. Quando perguntado se sua equipe de trabalho possuía licença para cortar madeira, ele respondeu: "Não, nós não temos nenhum plano administrativo. Ninguém aqui tem. Você não vai contar para o Ibama, vai?"

O caminhão deixou o local apressadamente, mas poucos minutos depois parou em uma serraria administrada por Nilson Samuelson, um ex-prefeito daqui. Pelo portão aberto se via outro caminhão carregado de madeira. Em 2003, Samuelson organizou aqui uma manifestação contra os fiscais do Ibama, e na ocasião afirmou: "Nós precisamos trazer o Bin Laden aqui para ensinar uma lição a essas pessoas." Em uma entrevista telefônica, reconheceu que estava infringindo a lei, e disse: "Minhas atividades não são da sua conta." Ele argumenta que a necessidade econômica justifica suas ações. "Se forem me pôr em cana, então vão ter que pôr todo mundo, porque ninguém aqui tem autorização", diz. "Nós estamos apenas tentando sobreviver. Quem é que vai me dar dinheiro para eu pagar meus funcionários e educar meus filhos? O que você quer, que o Ibama acabe comigo e deixe 250 famílias sem emprego? Quem se importa com a lei? O que é que eu vou fazer, passar fome?"

Com grandes partes dos flancos leste e sul da Amazônia já devastadas, o principal alvo dos madeireiros e donos de serrarias hoje em dia é a chamada Terra do Meio, entre os rios Xingu e Iriri. De fato, a área ao norte daqui, entre a rodovia Transamazônica e o rio Amazonas, está tão conturbada que a população local começou a chamá-la de Iraque. "Porque os madeireiros estão atacando até acabar com a vida lá", explica Coutinho, do sindicato dos trabalhadores rurais.

De acordo com evidências reunidas por um inquérito parlamentar sobre o comércio ilegal de madeira, as irregularidades em outro programa do governo também contribuíram para o recente surto madeireiro. Chamado de Safra Legal, o novo programa visava beneficiar os agricultores pobres, porém, segundo um relatório da comissão parlamentar, ele se tornou um meio para arrecadação ilícita de fundos para o Partido dos Trabalhadores, de Lula.

O programa permite que milhares de famílias de colonos possam derrubar anualmente cerca de 18,5 hectares de floresta em suas terras, e vender a madeira para serrarias. Contudo, de acordo com o depoimento do presidente do sindicato dos madeireiros do estado, Mário Rubens de Souza Rodrigues, os madeireiros simplesmente compravam com freqüência os certificados dos agricultores que já tinham desmatado seus campos, e usavam os documentos para acobertar a sua própria extração ilegal.

Em troca, madeireiros e operadores de serrarias fizeram grandes doações durante as últimas eleições municipais aos candidatos do partido do governo, o PT, que nacionalmente já está atolado no pior escândalo de corrupção da história moderna do Brasil. Entre os citados pela imprensa brasileira como tendo participado no acordo de desmatamento estão a nova prefeita local e seu marido, um deputado federal, e também uma senadora e seu ex-marido, o chefe regional do órgão ambiental.

"O programa Safra Legal foi suspenso, mas não temos nenhuma indicação de que estas alegações possam ser comprovadas", diz Capobianco, o funcionário graduado do Ibama em Brasília. "Nós achamos que o plano é a forma correta de se fazer as coisas, e é nossa intenção continuar com este mecanismo, desde que possamos assegurar condições para que não ocorram fraudes."

Representantes do Partido dos Trabalhadores também negam qualquer envolvimento nas irregularidades relacionadas ao plano. Porém, os investigadores do governo confirmam que estão examinando o programa e que encontraram irregularidades.

COMENTÁRIO

Esta matéria começou com um alerta do Greenpeace, a ONG da qual talvez os militares e a elite da Amazônia menos gostem, precisamente porque ela acompanha atentamente o que acontece e é muito eficaz. Em sua sede em Manaus, que fica atrás de um portão e é protegida por segurança, os analistas do Greenpeace tinham notado que, a despeito de uma interdição às autorizações de corte de árvores em 2004, as exportações brasileiras de madeira estavam crescendo em 2005. Eles passaram a informação aos jornalistas que julgavam que teriam mais interesse na questão, inclusive a mim.

Quando examinei as estatísticas oficiais mostrando o que estava acontecendo, eu já planejava fazer mais uma viagem à Amazônia em agosto e setembro, o auge da estação seca. Essa era obviamente uma reportagem boa, em especial porque a maior parte das exportações ilegais ia para os Estados Unidos. Comecei a ligar para meus contatos a fim de descobrir a quais lugares conseguiria ir para documentar como a lei estava sendo burlada pelos madeireiros, que em muitos casos são também os chefes políticos da área que estava sendo devastada em desafio à legislação vigente.

Escolhida uma área, a questão era simplesmente percorrer as estradas secundárias, as trilhas sem pavimentação que os colonos chamam de ramais, e esperar que aparecessem os barulhentos caminhões de transporte de madeira ilegal. Acompanhado por João Silva, um fotógrafo português que geralmente trabalha para o *New York Times* no Iraque, parei em vários povoados e bares para conversar com colonos que sabiam exatamente quais parcelas de floresta em terras públicas estavam sendo derrubadas. Mas nos avisaram para não entrarmos muito na floresta em razão do perigo de encontrarmos os guardas armados que impediam todos os forasteiros de "invadir" aquelas terras.

Seguimos vários caminhões de transporte de madeira até a cidade de União da Floresta, onde todos pareciam ir para uma serraria que sabíamos pertencer a Nilson Samuelson, que até recentemente fora prefeito do município de Medicilândia, do qual faz parte União da Floresta. Filiado ao PSDB, Samuelson ainda era o chefe político da região, e quando prefeito organizara uma revolta de madeireiros que haviam cercado e ameaçado matar fiscais do Ibama.

Mesmo assim, o fotógrafo e eu resolvemos esperar perto da serraria pela chegada dos caminhões transportando madeira vindos da mata. Era uma tarde de sexta-feira e a serraria estava operando com uma equipe muito enxuta, o que reduzia o risco de uma confrontação. Um caminhão carregado de madeira surgiu e parou perto de nós para que os trabalhadores descessem e fossem para casa. Nós nos aproximamos deles e começamos a fazer perguntas. Eles confirmaram que a madeira tinha sido cortada ilegalmente, mas logo ficaram nervosos. Então seguimos o caminhão e observamos a entrada dele na serraria que Samuelson operava em desafio à lei.

Como eu já dispunha da prova, era hora de enfrentar Samuelson. Dado seu poder irrestrito na região, seu histórico de ameaças e violência e a falta de qualquer tipo de proteção policial em União da Floresta, achei prudente não falar com ele pessoalmente, mas ligar para seu telefone celular quando eu estivesse de volta a Altamira.

Mas assim que expliquei quem eu era e por que estava ligando ele se tornou agressivo. "Isso não é da sua conta", ele gritou. "Isso aqui é o Brasil, não os Estados Unidos. Você não tem nada a ver com isso. Volte para seu país e investigue o que quiser lá. Este é meu país, não o seu."

Quanto mais eu insistia, mais irritado ele ficava e mais exaltadas eram suas respostas. Ignorei seus insultos e continuei a fazer as perguntas que queria fazer, até que ele não conseguiu mais agüentar, acabou se descontrolando e me ameaçou. "Onde você está?", perguntou. "Você precisa de uma lição. Não interessa quem você seja, é melhor não voltar aqui, porque se fizer isso, vou te matar."

Com isso, ele tinha ido longe demais. Essa era uma ameaça que eu tinha de levar a sério: Dema, líder do Movimento de Defesa da Transamazônica e do Xingu, tinha sido assassinado em casa em Altamira por pistoleiros em 2001, e a irmã Dorothy Stang, uma freira americana, tinha sido morta a tiros por seis pistoleiros de aluguel seis meses antes, a leste de Altamira. Se essas pessoas podiam assassinar uma freira estrangeira e ficar impunes, o que as impediria de matar um jornalista estrangeiro intrometido?

Em Chicago, somos educados para acreditar que a melhor defesa é um forte ataque, e que a única maneira de derrotar um valentão é fazer frente a ele. Então eu tentei aplicar essa filosofia a Samuelson. "Cala a boca, seu safado, e responda às minhas perguntas!", ordenei. "Se você quer tentar me matar, eu te dou meu endereço no Rio de Janeiro."

Samuelson ficou atônito. Sendo o cacique político e econômico do lugar, não estava acostumado a ver as pessoas lhe responderem à altura. Continuou agressivo, mas ao menos eu consegui fazê-lo responder às minhas perguntas. As partes relevantes de sua resposta foram incluídas na matéria, mas meus editores em Nova

York decidiram omitir qualquer menção à ameaça de morte que ele me fizera. Hoje, o incidente todo me faz rir, porque parece uma ópera-bufa. Mas na época eu fiquei preocupado com a possibilidade de ele estar irritado o suficiente para cometer alguma loucura.

CIÊNCIA/ECONOMIA

Para a média dos estrangeiros, o aspecto menos conhecido do Brasil é certamente sua vitalidade e habilidade nas áreas da economia e da tecnologia. Como seria de esperar, o samba, o futebol e o carnaval atraíram historicamente muito mais atenção no exterior do que a relativamente recente emergência do Brasil como potência econômica — a primeira parte do chamado grupo BRIC, ao lado de Rússia, Índia e China — que também tem uma base científica sólida e em expansão.

Em conseqüência, para qualquer correspondente estrangeiro interessado em abrir novos caminhos na cobertura do Brasil, escrever sobre esses avanços econômicos, científicos e tecnológicos oferece uma oportunidade irresistível de apresentar o país sob uma luz diferente — oportunidade esta que procurei maximizar. Ao longo dos anos escrevi, por exemplo, reportagens sobre a Embraer, a Fapesp e a Embrapa que, fico contente em dizer, ganharam destaque quando publicadas no *New York Times* ou na *Newsweek*, mas, também devo dizer lamentavelmente, foram praticamente ignoradas pela imprensa aqui no Brasil.

Escrevi pela primeira vez sobre a Embraer, por exemplo, em 1978, muito antes de ela ser privatizada e se tornar um modelo para outras empresas de alta tecnologia em países em desenvolvimento. Por volta da mesma época, escrevi minhas primeiras reportagens sobre o programa de etanol do Brasil, que hoje, trinta anos depois, oferece ao país uma oportunidade histórica de tornar-se um dos principais atores na busca global por fontes de energia renováveis e confiáveis — uma busca que só vai se intensificar à medida que o século progredir e a oferta de petróleo e gás diminuir ou se tornar proibitivamente cara.

Penso que tudo isso atrai e lisonjeia o brasileiro médio, e com toda a razão. Como argumento em uma das reportagens incluídas neste capítulo, o Brasil quer, mais que tudo, ser respeitado e levado a sério, e não ser visto como um lugar frívolo que é simplesmente a terra do futebol, do samba e das praias cheias de mulatas. Os feitos em ciência e tecnologia são portanto uma das melhores maneiras de apagar a noção ainda remanescente de que o Brasil, como De Gaulle teria dito uma vez na década de 60, "não é um país sério" e de projetá-lo no primeiro escalão da política global.

Portanto, quando o Brasil surge como um dos principais centros de seqüenciamento do genoma, para dar só um exemplo, isso não é apenas notícia, é o tipo de notícia que os brasileiros adoram ouvir. Em 2007, José Fernando Perez, ex-diretor científico da Fapesp, me contou que mesmo hoje, quando ele viaja para o exterior, cientistas com quem ele se encontra ainda se referem a uma reportagem que escrevi em 2001 sobre o trabalho pioneiro da Fapesp em seqüenciamento de genoma. É uma pena, portanto, que a imprensa brasileira, com poucas e notáveis exceções, faça um trabalho tão deficiente na cobertura de ciência e tecnologia.

A falta de atenção pública também torna difícil construir uma base de apoio dentro do próprio Brasil para um compromisso e um investimento de longo prazo em ciência e tecnologia. Eu me lembro de uma vez, por exemplo, em São Luís do Maranhão, quando voltava para o hotel depois de uma visita à base espacial da Força Aérea Brasileira em Alcântara, em que o motorista do táxi me perguntou: "Por que o governo está investindo tanto dinheiro no espaço quando o Brasil tem tantas pessoas pobres e passando fome aqui na terra?"

Era uma pergunta astuta e lógica, e expliquei a ele que o programa tinha muitos benefícios concretos, entre eles a capacidade de usar satélites para monitorar padrões climáticos e o uso da terra, e portanto aumentar a produtividade das colheitas, para produzir mais alimentos a preço mais baixo para brasileiros comuns como ele. Essa resposta pareceu satisfazê-lo. Mas a tarefa de explicar os benefícios da ciência e da tecnologia e ganhar apoio público para esses esforços deveria ser levada a cabo de forma mais adequada pelo governo e pela imprensa brasileiros, com maior empenho do que eles demonstraram no passado.

Talvez o Brasil tenha um futuro econômico e científico mais brilhante como inventor e exportador de alimentos — uma "superpotência agrícola", rivalizando com, e talvez ultrapassando, os Estados Unidos. Essa é uma expressão que o secretário de Estado americano Colin Powell usou quando visitou o Brasil no final de 2004 e que depois usei em minhas reportagens, para lembrar aos leitores nos Estados Unidos e na Europa os enormes passos dados pelo Brasil, aproveitando a vantagem competitiva que tem graças a um clima favorável e a vastas extensões de terra virgem fértil.

Ao falar da agricultura, não pretendo subestimar os avanços notáveis realizados também pela base industrial do Brasil. Quem teria imaginado, na primeira vez que vim ao Brasil, em 1972, que no final do século viajantes nos Estados Unidos, na Europa e no Japão voariam rotineiramente em jatos fabricados no Brasil ou dirigiriam automóveis com motores de combustível flexível baseados em tecnologia brasileira? Mas, embora a tecnologia industrial esteja sujeita a modas passageiras e mudanças repentinas e imprevistas — entra o iPod, desaparece a máquina de escrever, indústrias inteiras são eliminadas –, as pessoas sempre precisarão comer. Portanto, a agricultura, se for adequadamente desenvolvida, oferece a uma economia uma fundação sólida e menos caprichosa.

Nesse sentido, o Brasil tem uma vantagem clara sobre os outros membros do grupo BRIC. Com suas populações enormes e topografias variadas que incluem desertos e cadeias de montanhas, nem a China nem a Índia têm a terra que seria necessária para sustentar uma expansão agrícola maciça. A Rússia tem essas extensões vastas, mas elas estão na maioria em latitudes hostis ao cultivo. Como os Estados Unidos, que extraíram lucros de sua produção agrícola para a construção de uma base industrial, o Brasil tem a possibilidade singular de se tornar ao mesmo tempo uma potência agrícola e industrial.

Mesmo com o fardo do chamado "custo Brasil", continuo a acreditar que o país tem as condições objetivas para florescer economicamente. E embora hoje o Brasil esteja atrás da Índia e da China em termos tanto de taxas de crescimento quanto de investimento estrangeiro direto, existe a possibilidade de atingir o nível deles, se os enormes potenciais e criatividade do país forem adequadamente utilizados. A sociedade muito mais jovem do Brasil é inerentemente mais flexível — uma vantagem importante se o Brasil aprender como canalizá-la de forma construtiva.

O papel do Brasil na agricultura também foi reforçado por um esforço deliberado e de longo prazo, pouco noticiado mas que envolve tanto o setor público como o privado, para diversificar as colheitas que o país produz. Explico: no passado, o Brasil tendia a ficar prisioneiro de monoculturas ou "ciclos". O ciclo do café, no final do século XIX, por exemplo, rendeu muito dinheiro para alguns fazendeiros e grupos econômicos paulistas, mas depois entrou em colapso e deu lugar ao ciclo da borracha, que rendeu muito dinheiro para alguns donos de seringais e comerciantes em Manaus, mas depois entrou em colapso e deu lugar ao ciclo do cacau na Bahia. Em cada caso, os altos lucros criaram uma mentalidade febril que levou ao excesso de plantio e à superprodução. Esta, por sua vez, permitiu que intermediários aqui e no exterior manipulassem os preços em seu benefício e em prejuízo do Brasil.

Hoje, em contraste, o Brasil não mais depende de um único cultivo para manter sua balança comercial. Esse é um desenvolvimento muito recente: mesmo da primeira vez em que estive no Brasil, em 1972, o café era de longe o principal produto agrícola de exportação, e em grande medida a sorte econômica do país ainda dependia dos preços fixados na bolsa de café de Londres, que eram facilmente manipulados por especuladores, e das previsões do tempo para Minas Gerais todos os meses de julho e agosto, quando uma geada forte podia arrasar toda a colheita e forçar o Brasil a tomar empréstimos para cumprir suas obrigações internacionais.

Em menos de uma geração, no entanto, a produção agrícola brasileira se diversificou enormemente, ao ponto de o país ser agora um dos líderes mundiais na produção e exportação de pelo menos uma dúzia de diferentes produtos. Vale a pena dar uma olhada na lista apenas para lembrar aos brasileiros o tamanho dessa façanha. A soja, claro, virou o carro-chefe das exportações na última década, graças ao brilhante trabalho da Embrapa nos cerrados e ao surgimento de uma classe média na China que quer e pode pagar por uma dieta mais variada, rica em proteína.

Mas consideremos todos os outros itens da lista. Produtos tradicionais como cacau e açúcar ainda estão lá, assim como café. De fato, o Brasil continua a ser o maior produtor e exportador mundial de café, embora o produto tenha caído do primeiro para o sétimo lugar na lista de exportações do país. Mas o Brasil também se tornou um líder mundial na produção e/ou exportação de frango, porco, laranja, algodão, tabaco, sementes oleaginosas, milho e, acima de tudo, carne bovina. Em um posto de gasolina em Marabá, no Pará, no ano passado, por exemplo, encontrei um vaqueiro que estava levando um rebanho de gado até o Líbano, onde ele seria ritualmente abatido de acordo com o costume muçulmano, para que os fiéis de lá pudessem consumir a carne.

Essa diversidade ajuda a isolar o Brasil dos inevitáveis altos e baixos do mercado e também deu ao país maior flexibilidade e força para negociar contratos. Se o preço da soja cai, como aconteceu no começo desta década, a alta dos preços de carne de boi e de frango alimentados por pastagens, causada pelo medo da vaca louca na Europa, compensam essa queda e evitam prejuízos à balança de pagamentos total do Brasil. Se o Brasil já tivesse investido mais em instalações de armazenamento para suas colheitas, como os fazendeiros no Meio-Oeste americano, minha região natal, fizeram há muito tempo, seu poder de barganha seria ainda maior. Mas mesmo essa melhoria está sendo providenciada, à medida que cooperativas, especialmente no Centro-Oeste do país, se tornam mais prósperas e investem em seu futuro.

Neste panorama mundial altamente favorável ao Brasil, é óbvio que o etanol derivado da cana-de-açúcar ocupa um lugar de destaque especial. Uma das ironias divertidas da história é que a colheita mais antiga do Brasil, em produção continuamente há quase quinhentos anos, também acabe sendo o produto com talvez o futuro mais brilhante no século XXI — e muito claramente a chave para o Brasil se tornar uma superpotência de energia renovável. O Brasil não apenas é o único país que tem a terra arável não utilizada necessária para produzir o etanol em larga escala que o mundo precisa, mas também tem o *know-how* e a experiência necessários para transformar essa colheita tradicional na mais nova fonte de energia.

É claro que a experiência do Brasil com cana-de-açúcar da primeira vez, na época da Colônia, gerou todo tipo de abuso e exploração, a começar pela escravidão de milhões de africanos e índios. É importante que o Brasil evite erros semelhantes nesta segunda fase, contemporânea. Já há grupos ambientalistas céticos no Brasil e no exterior advertindo que uma maior produção de etanol certamente vai expandir e acelerar a destruição da Amazônia; eles também ameaçam montar campanhas internacionais contra o etanol brasileiro como um produto "ambientalmente sujo", se isso acontecer.

A preocupação deles é legítima, especialmente tendo em vista o modo como o Brasil administrou a Amazônia e lidou com os booms econômicos no passado. Mas um cenário tão sombrio, embora possível, certamente não é inevitável. Com planejamento, fiscalização e uma gestão ordenada, esses desastres previstos podem ser evitados. Tudo depende da disciplina e da capacidade administrativa do Brasil, porque existem opções ordeiras e seguras, como meu amigo José Goldemberg, um dos maiores cientistas do Brasil, nos lembra repetidamente.

Sei que membros do governo e cientistas estão constantemente minimizando a possibilidade de dano adicional à Amazônia, argumentando que a cana-de-açúcar é uma colheita que não cresce bem em solos amazônicos. Isso é verdade mas também enganoso, porque a Amazônia Legal também inclui grandes áreas de cerrado onde a cana-de-açúcar pode ser e está sendo plantada; em minha última visita a Roraima, no final de 2006, por exemplo, notei que o plantio de cana havia se expandido de repente. Como argumentou o professor Goldemberg, é muito mais sensato e eficiente recuperar terras ociosas ou degradadas no interior do estado de São Paulo. A instalação de novos equipamentos mais eficientes nas usinas paulistas, com tecnologias desenvolvidas nos centros brasileiros de pesquisa, e uma melhor utilização do bagaço como fonte de energia nas usinas e fábricas também podem resultar num rendimento mais alto e frear a investida de produtores de cana-de-açúcar na Amazônia Legal.

Permitam-me mais uma vez mencionar também a importância da Fapesp e do trabalho que foi feito sem alarde lá e em outras instituições de pesquisa do interior do estado de São Paulo, como o Centro de Tecnologia Canavieira, de Piracicaba. Há uma década, por exemplo, cientistas da Fapesp mapearam o genoma da cana-de-açúcar. Isso significa que o Brasil tem agora a capacidade de modificar geneticamente a cana-de-açúcar, desligando alguns genes e modificando outros, para produzir rendimentos mais altos de um açúcar que é mais doce e, portanto, que pode produzir mais eficientemente o álcool.

Penso que a esta altura deste livro já está claro que não tenho nenhuma afeição pela ditadura militar que governou o Brasil até 1985. De fato, muitas vezes entrei em choque com os governos daquele período, especialmente sobre questões de direitos humanos. Mas deve-se dar crédito quando ele é devido. Um dos poucos méritos da ditadura militar foi que ela teve uma visão estratégica para o Brasil e, diferentemente de alguns governos pós-1985, sabia pensar a longo prazo.

Às vezes, deve-se reconhecer, essa visão estratégica era falha, como na decisão de levar adiante um programa nuclear. Isso levou não apenas ao projeto inútil, custoso e corrupto em Angra dos Reis, mas também criou tensões desnecessárias nas relações do Brasil com vizinhos como Argentina e aliados como os Estados

Unidos, que suspeitavam, ambos, que os ambiciosos planos de gerar energia por meio de reatores nucleares também serviam de escudo para um programa militar secreto de desenvolvimento de uma bomba atômica. E eles tinham razão, como ficou comprovado anos mais tarde, quando o governo Collor, com José Goldemberg chefiando o Ministério de Ciência e Tecnologia, achou e enterrou aquele grande buraco no Pará construído pelos militares para testar uma bomba atômica.

Mas o Proálcool, que começou em 1975, foi um golpe de gênio. Foi preciso muita visão e mesmo coragem para criar um programa de incentivos à produção de álcool, investir em pesquisa e estimular o desenvolvimento de uma indústria que pudesse fabricar equipamentos para transformar de forma eficiente cana-de-açúcar em álcool. Aquela era, afinal, uma época em que os céticos, que eram numerosos, zombavam da idéia de energia renovável derivada de cana-de-açúcar, e poderosas facções entre os militares tinham corretamente identificado o esforço do álcool como rival do programa nuclear, que eles preferiam. Naquela época, a cana-de-açúcar parecia um símbolo do atraso do Brasil, não uma das chaves para sua futura prosperidade e independência energética.

Um ano antes, tinha sido criada a Embrapa, e isso também trouxe enormes benefícios para o Brasil. Não seria correto dizer que a Embrapa é a única responsável pela expansão da fronteira agrícola e pela prosperidade que é cada vez mais visível em lugares como o oeste da Bahia, Mato Grosso e Goiás. Mas seria impossível imaginar esses avanços sem a Embrapa e o nicho que ela desenvolveu para si mesma na hoje em moda área da "tecnologia tropical" para agricultura. Não admira, então, que o livro de visitas da Embrapa em sua sede em Planaltina, DF, esteja cheio de comentários elogiosos que registram as visitas de delegações não apenas da África e da Ásia, mas também do mundo desenvolvido. Contudo, poucos brasileiros que não moram no interior têm consciência de como a Embrapa se tornou uma referência importante no cenário global.

A Embraer, hoje a terceira maior fabricante de aeronaves do mundo, é outro exemplo dessa visão estratégica dando certo. Embora os administradores privados da Embraer tenham todo o crédito pelo sucesso da empresa na última década, a verdade é que nada disso teria sido possível sem o compromisso, a paciência e a determinação que o governo brasileiro mostrou em todos aqueles anos antes de permitir que a empresa fosse privatizada.

O que essas e outras empresas brasileiras bem-sucedidas têm em comum é que conseguiram identificar com competência nichos para si. O Brasil simplesmente não tem o capital e a base de conhecimento que permitiriam que ele montasse um esforço geral e abrangente em ciência e tecnologia. Mas a Petrobras se tornou a líder mundial em tecnologia de perfuração em águas profundas, a Embraer domina o mercado de jatos de passageiros de média distância, a Embrapa se tornou a líder mundial em tecnologia agrícola tropical e a Fapesp com seus esforços conquistou um lugar de destaque na genômica. Essa é uma estratégia inteligente, focada e engenhosa que provou ser muito bem-sucedida para o Brasil.

Mas há também um lado negativo no desejo do Brasil de se estabelecer como potência científica e tecnológica, e também tive ocasião de escrever sobre isso.

O programa espacial brasileiro, por exemplo, é uma manifestação do desejo do Brasil de se afirmar como potência científica e tecnológica. Com excessiva freqüência, no entanto, o Brasil tentou dar passos maiores que as pernas. Ou, para dizer de outra forma, as ambições do Brasil estiveram muito além dos recursos que ele está disposto a comprometer, e o resultado é o pior de dois mundos: põe-se em prática um programa com muito pouco dinheiro que se esforça em apresentar uma fachada imponente, que talvez impressione o público, mas que os cientistas e outros especialistas vêem com ceticismo.

Tudo que havia de negativo e falho no programa espacial — e, por extensão, no modo como as pesquisas científicas e técnicas são às vezes conduzidas no Brasil — se expressou, é claro, no desastre de Alcântara de 2003. Anos de mentiras, segredos e desvios resultaram em uma desnecessária perda de vidas, e, em vez de admitir a culpa, os responsáveis chegaram ao ponto de sugerir que eram vítimas de sabotagem e de uma conspiração para tolher as aspirações espaciais do Brasil.

Depois da tragédia de Alcântara, fiquei surpreso com o fato de a imprensa brasileira ter feito relativamente pouco para investigar o desastre em si ou mesmo para relatar as deliberações da comissão montada para determinar a responsabilidade pelas causas da explosão e pelas mortes de 21 cientistas e técnicos. Nos Estados Unidos, repórteres de jornal e de televisão tinham investigado agressivamente desastres da NASA que haviam matado muito menos pessoas, e também haviam dedicado muito espaço e tempo à cobertura dos inquéritos oficiais sobre os desastres da Challenger e da Columbia, respectivamente, em 1986 e 2003.

Decidi eu mesmo investigar o assunto, e fiquei chocado com o que descobri. Antes de mais nada, encarregar a Força Aérea, que administrava tanto o programa de foguetes como a base de Alcântara, pela investigação do desastre ia contra todos os princípios legais estabelecidos. Quando conversei com as esposas, filhos, filhas, pais e colegas dos mortos, também ficou claro para mim que eles estavam sofrendo pressão para não cooperar com a investigação e não divulgar nenhuma informação que pudesse ter um reflexo negativo sobre a Força Aérea Brasileira.

Porém, quanto mais fundo eu ia na investigação, mais claro ficava que o papel da Força Aérea no programa espacial era um castelo de cartas. Pelo menos parte da tecnologia que a Força Aérea apresentara ao mundo como tendo sido desenvolvida no Brasil tinha de fato sido adquirida da Rússia depois do colapso da União Soviética, e cientistas russos tinham sido trazidos para o Brasil para trabalhar secretamente no projeto. Nunca vou me esquecer de estar sentado em uma casa em São José dos Campos e me mostrarem fotografias de equipamento feito na Rússia que havia sido mandado secretamente para o Brasil.

Pensando hoje no que aconteceu, vejo o desastre de Alcântara e o subseqüente inquérito abafado como um prelúdio para a crise da aviação que irrompeu depois do desastre do vôo 1907 da Gol em setembro de 2006, aumentou em julho de 2007, com o desastre do vôo 3054 da TAM, e continua de certa forma até hoje. Nos dois casos, a Força Aérea Brasileira foi encarregada de programas muito importantes e teve um desempenho ruim. Nos dois casos, ela resistiu ao escrutínio público de suas ações e políticas, preferindo trabalhar nas sombras, como se o país ainda vivesse sob uma ditadura militar, e mentiu sobre suas políticas e ações. Em ambos os casos, perderam-se vidas desnecessariamente, e a Força Aérea tentou ocultar suas responsabilidades. Em ambos os casos, o governo do Partido dos Trabalhadores, talvez por causa de suas relações tensas com os militares no passado, não teve coragem de defender as vítimas e punir os culpados.

E nos dois casos a solução é a mesma. A aviação comercial brasileira só funcionará adequadamente quando for retirada do controle militar e administrada por civis, como é o caso em quase todos os outros países do mundo. O programa espacial brasileiro só pode esperar alcançar a Índia e a China quando o papel da Força Aérea for reduzido e posto sob supervisão e controle civil. Há um lugar para a Força Aérea no programa espacial, mas só sob a supervisão do Ministério de Ciência e Tecnologia.

A cobertura que fiz do programa nuclear do Brasil foi mais uma área de constante atrito. Toda vez que escrevi sobre questões nucleares, fui acusado de ter preconceito contra o Brasil simplesmente porque minhas reportagens registram as dúvidas levantadas no exterior, por entidades que vão da Agência Internacional de Energia Atômica (AIEA) a grupos privados de controle de armas nos Estados Unidos, sobre os esforços do Brasil para adquirir o ciclo nuclear completo. Isso é besteira. É verdade que minha posição pessoal é semelhante àquela enunciada separadamente por Fernando Gabeira e José Goldemberg. Eles acreditam que dar ênfase à energia nuclear num país como o Brasil, que tem tantas outras alternativas, da energia solar e da energia eólica às hidrelétricas e ao etanol, é um desperdício. Compartilho essa opinião, mas penso que a verdadeira fonte dos ataques aos que entre nós questionaram o programa nuclear brasileiro está em outro lugar.

Na verdade, me parece que o problema fundamental na questão nuclear é um profundo desencontro de percepções entre brasileiros e estrangeiros. A atitude brasileira, despida da linguagem grandiloqüente que o Itamaraty sempre emprega, é que, "Puxa, somos um povo amistoso e generoso, que nunca foi à guerra com ninguém, a não ser o Paraguai no século XIX, então por que devemos ser tratados da mesma forma que os iranianos e os norte-coreanos? É um insulto vocês duvidarem de nossas garantias de que não estamos fazendo nada ilegal".

Essa posição, contudo, ignora o passado ambivalente que levantou pela primeira vez dúvidas sobre as intenções do Brasil. Ela ignora, por exemplo, os acordos nucleares clandestinos do Brasil com o Iraque de Saddam Hussein durante o governo Figueiredo e a indisposição deste, até 1997, para assinar o Tratado de Não-Proliferação de Armas Nucleares. Ignora o papel do brigadeiro Hugo Piva — de novo a Força Aérea, sempre a Força Aérea! — e dos 21 cientistas de foguetes brasileiros que ele levou para o Iraque no que se dizia ser um "esforço privado" para ajudar Saddam Hussein. Ignora a existência do sítio para testes nucleares construído secretamente em Cachimbo, no Pará, e que só foi desmantelado em 1990, depois que foi exposta a existência de quatro programas nucleares clandestinos separados, cada um deles operado por um ramo das Forças Armadas e empregando uma tecnologia diferente. Ignora também a cultura de segredo e desobrigação de prestar contas que ainda prevalece hoje em alguns setores das Forças Armadas, como é evidenciado pela crise da aviação e pelo desastre de Alcântara.

Nesse contexto, achei interessante ler os comentários de Luis Fernando Verissimo depois que Sergio Vieira de Mello foi morto em um ataque terrorista na sede da ONU em Bagdá, em agosto de 2003. Verissimo, refletindo as visões de muitos brasileiros, lamentou a morte de Vieira de Mello, um dos diplomatas mais capazes que já conheci e certamente um futuro secretário-geral das Nações Unidas, dizendo que foi "uma suprema ironia do destino" e particularmente trágica porque o Brasil "não teve nada a ver com a história".

Será mesmo? E os tanques Cascavel que Whitaker Ribeiro vendeu ao Iraque na década de 1980 para que Saddam Hussein pudesse fazer sua guerra contra o Irã e invadir o Kuwait? E todos os contratos de construção que a Mendes Júnior ganhou ao mesmo tempo, com o apoio do governo brasileiro, para construir estações de metrô e ministérios do governo em Bagdá que também podiam servir como abrigos antibombas? Alguns desses prédios não foram usados também como prisões? Isso sem mencionar o flertezinho nuclear com Saddam Hussein. Então o Brasil não tem sequer a mínima parcela de responsabilidade pelo que aconteceu no Iraque durante a ditadura de Saddam Hussein? Tudo isso pode ter acontecido muito antes da mal projetada invasão americana em 2003 e da subseqüente ocupação desastrosa, mas ainda assim é relevante.

Porque a lembrança é tão constrangedora e contradiz sua auto-imagem, os brasileiros esqueceram convenientemente a duplicidade e as atividades clandestinas em que seu governo se envolveu no passado, e portanto esperam que os estrangeiros façam o mesmo. Mas o mundo real não funciona assim. No mundo real, o padrão é aquele que Ronald Reagan enunciou quando ele e Mikhail Gorbachev começaram a negociar acordos de redução de armas: "Confie, mas verifique."

Gostando ou não, o Brasil vai ter de se acomodar a esse padrão se quiser permanecer um membro com boa reputação na comunidade internacional. Ninguém jamais contestou a imparcialidade da AIEA, que teve a coragem de enfrentar George Bush no Iraque. Portanto, negar o acesso de inspetores da AIEA às centrífugas nas instalações de enriquecimento de urânio em Resende porque há ali supostamente tecnologia pertencente ao Brasil que os inspetores poderiam ser tentados a transferir para outros, que é precisamente a posição que a Marinha adotou e que o Itamaraty papagueou, insulta a AIEA e faz o Brasil parecer ridículo.

Em novembro de 2007, o presidente Lula anunciou um ambicioso novo programa para investir US$ 41,2 bilhões em ciência e tecnologia até 2010, destinado a capacitar o Brasil a acelerar seus avanços nesses campos e se tornar mais competitivo. Essa iniciativa era devida havia muito tempo e merece elogio. Mas, como é hábito de Lula sempre que ele discute o passado, seu anúncio foi acompanhado de uma reescrita particular da história que distorcia os fatos e buscava absolver seu partido de qualquer responsabilidade pelo atraso do Brasil.

"É compreensível que o Estado brasileiro não tenha cumprido com as obrigações na ciência e tecnologia", ele declarou numa cerimônia em Brasília. "Porque o país teve pelo menos duas décadas e meia funcionando como um centro de emergência, um pronto-socorro municipal de uma grande cidade na periferia. Nunca tivemos tempo de sentar e planejar como cuidar do paciente adequadamente, sempre trabalhávamos na emergência." E queixou-se: "Nunca tinha dinheiro. É como uma cama com cobertor que cobre a cabeça e descobre os pés."

A realidade, no entanto, não é bem assim. Não é verdade que não havia nenhum planejamento nas áreas de ciência e tecnologia nos governos anteriores. Havia, sim, e não somente nos programas durante a ditadura militar que resultaram na Embraer e no Proálcool. Eu me lembro, por exemplo, de entrevistas que fiz em Brasília em 2001 com Ronaldo Sardenberg, ministro de Ciência e Tecnologia no governo FHC, e Gilvan Meira, o então diretor da

Agência Espacial Brasileira, em que eles falaram detalhadamente de cronogramas de longo prazo para promover pesquisa e desenvolvimento.

Só que aqueles planos dependiam de dinheiro, muito dinheiro, na forma de apropriações do Congresso, royalties ou fundos de outras fontes. Mas a atitude do PT enquanto ainda estava na oposição era muito diferente daquela que Lula adotou depois que se tornou presidente — e sobre a qual ele convenientemente evitou falar. Algumas pessoas do PT, por exemplo, não queriam fornecer os fundos necessários porque consideravam que alguns tipos de pesquisa favorecidos pelo governo FHC eram "elitistas" e preferiam que o dinheiro apoiasse a agricultura de subsistência.

Além disso, em alguns setores políticos, entre eles o PT, havia, e ainda há, uma suspeita em relação aos estrangeiros e suas motivações que levou ao desperdício de algumas oportunidades únicas. Naquela época, o ministro Sardenberg tinha grandes esperanças de que o Brasil logo gerasse centenas de milhões de dólares para pesquisa alugando a base espacial de Alcântara a empresas que queriam lançar satélites comerciais. Ao escrever sobre a base espacial de Alcântara em 2001, por exemplo, terminei entrevistando Waldir Pires, que era então membro do Congresso e tinha preparado um relatório para a Comissão de Relações Exteriores e Defesa Nacional recomendando a rejeição de um acordo que permitiria a empresas americanas lançarem satélites de Alcântara.

Durante a entrevista, Pires disse repetidas vezes que o acordo transformaria Alcântara "numa base militar do governo americano". A cada vez, eu lembrava a ele que o acordo não faria nada desse tipo, que ele meramente contemplava o lançamento de satélites de comunicações civis por empresas privadas que não faziam parte do governo dos Estados Unidos. Mas ele me ignorava, e continuava a falar sobre a "base do governo americano" que seria estabelecida em Alcântara e o dano que isso traria para a soberania do Brasil.

Cansado dessas deturpações, perguntei por fim por que ele continuava a misturar alhos com bugalhos. Ele respondeu com uma explicação longa e divagante sobre como os Estados Unidos tinham sido responsáveis pela derrubada de João Goulart em 1964. Ele parecia completamente incapaz — ou pelo menos indisposto a isso — de distinguir entre empresas americanas privadas e o governo americano, e falava como se os dois fossem a mesma coisa.

Obviamente, com esse tipo de mentalidade, não havia nenhuma forma de Pires e outros como ele julgarem conveniente assinar o acordo que o governo FHC desejava tão ardentemente. Em vez disso, o Brasil acabou assinando um acordo com a Ucrânia cujos termos eram virtualmente idênticos. Mas como a Ucrânia não tem uma indústria de satélites comerciais ansiosa para colocá-los em órbita de uma plataforma de lançamento perto do equador, esse acordo não gerou nenhuma receita real para o Brasil, só um acordo de transferência de uma tecnologia que está cada vez mais antiquada. E no meio-tempo as empresas americanas continuaram a lançar seus satélites da base européia em Kouru, Guiana Francesa, onde não têm de se preocupar com a paranóia de seus anfitriões.

Por essa razão, entre outras, fiquei estarrecido quando Lula nomeou Waldir Pires para ministro da Defesa em 2006. O que estava Lula pensando? Pires era claramente limitado, desqualificado para um cargo tão delicado e exigente, especialmente se comparado a José Viegas, o astuto diplomata do Itamaraty que o antecedera, mas renunciara por questão de princípio depois de Lula se recusar a apoiá-lo em um conflito com os militares sobre direitos humanos. Meu breve contato com Pires me levara a acreditar que sua gestão estava fadada a se tornar "a crônica de uma tragédia anunciada", e é claro que o tempo provou que essa impressão era correta. Deu no que deu, e os brasileiros tiveram de pagar o preço pela rigidez, pela obstinação e pela incapacidade do ministro para reconhecer e resolver problemas.

O desastroso envolvimento do Brasil na Estação Espacial Internacional (EEI), que tem relação com a trapalhada do acordo da base espacial, oferece um exemplo do que tenho em mente quando falo sobre o Brasil dar passos maiores que as pernas e tentar fazer coisas usando muito pouco dinheiro. Em 1997, o Brasil foi convidado a ser um de apenas 16 países que participariam da construção da EEI, e prometeu separar US$ 120 milhões para construir seis partes da estação. Em troca, seria autorizado a usar a EEI para fazer experimentos científicos e teria direito a mandar um astronauta para se reunir à equipe lá.

O convite veio especificamente a pedido dos Estados Unidos, que queriam estimular a pesquisa científica no Brasil e reforçar as trocas científicas e tecnológicas com o que Washington via corretamente como uma força nova e emergente. Mas o dinheiro que o Brasil prometeu nunca se materializou, em parte porque o acordo de Alcântara nunca foi ratificado. Em conseqüência, o país deixou de cumprir o acordo que tinha assinado, e em 2003, depois de negociações com a Nasa, optou por um papel muito mais modesto, que exigia um gasto de apenas US$ 8 milhões. Mas também esse dinheiro nunca foi apropriado. O Brasil perdeu outro prazo, e por fim foi obrigado a se retirar do consórcio da EEI, com sua credibilidade e sua reputação gravemente danificadas na comunidade de exploração espacial.

A cobertura do episódio na imprensa nacional, que raramente perde uma chance de ser ufanista, foi quase inexistente, como se a ocorrência fosse vergonhosa demais para ser mencionada. Estranhamente, o governo de Lula de alguma forma conseguiu encontrar US$ 10,5 milhões para pagar à Rússia em 2006 para que Marcos Pontes, o astronauta originalmente treinado para o vôo à EEI, pudesse passar algum tempo na base espacial russa como um cliente pagante. Pontes foi ridicularizado como um "turista espacial" e um "carona", mas Lula conseguiu o que queria: a aparência de que o Brasil era um membro bem posicionado da elite científica mundial, muito embora a realidade fosse exatamente o oposto disso. Foi um exemplo clássico de "uma coisa para inglês ver", só que dessa vez quem estava sendo enganado era o povo brasileiro.

São exatamente esse tipo de ziguezague político e esse padrão de promessas extravagantes que são depois quebradas que deixam os estrangeiros perplexos. Por um lado, o Brasil é perfeitamente capaz de projetar e produzir aeronaves que as empresas aéreas em todo o mundo anseiam por comprar, de decifrar o código genético ou desenvolver linhagens de gado e grãos singularmente adequadas a climas tropicais. Mas, ao mesmo tempo, é igualmente capaz de descumprir um acordo internacional ou, em um espasmo de nacionalismo, encerrar abruptamente um projeto de pesquisa multilateral como o LBA, o programa de grande escala da biosfera-atmosfera na Amazônia, talvez a mais importante e duradoura experiência científica que tem a ver com mudanças climáticas na Amazônia. Qual é o Brasil real? A resposta é, infelizmente, os dois, mas os estrangeiros têm de ser desculpados por nunca saberem qual deles vão encontrar.

No comecinho deste texto, observei que o Brasil é com freqüência agrupado junto com a Rússia, a Índia e a China como parte do grupo BRIC. Claro que aqui no Brasil, como em outros lugares, o foco primário é muito apropriadamente a China, a potência mundial emergente de crescimento mais rápido e o país cujo impacto no Brasil no próximo século tem mais probabilidade de crescer. Em outro lugar deste livro, já discuti as dimensões políticas do relacionamento do Brasil com a China. Mas eu gostaria também de tratar de alguns aspectos puramente econômicos das relações Brasil–China, que muitas vezes tendem a passar despercebidos.

Embora o governo de Lula e o PT tendam a ver a China principalmente como um parceiro e um aliado, talvez por causa de um certo vestígio de romantismo de sua época como partido marxista, a classe empresarial, especialmente em São Paulo, considera claramente a China como rival, e, aliás, um rival perigoso. Qual visão é a mais realista? Penso que a resposta correta é que a China é ao mesmo tempo um parceiro e um rival, e que o Brasil deve aprender como distinguir mais hábil e mais rapidamente quando cada classificação se aplica e quando não. Não fazer isso pode ser desastroso para as chances de o próprio Brasil tornar-se uma potência mundial.

Mas uma pergunta ainda mais importante a ser feita é se a China vê o Brasil como um parceiro e aliado, e a resposta, acho, é não. A China vê o Brasil mais do que qualquer outra coisa como uma fonte de matérias-primas para suas fábricas, e secundariamente como mercado para seus produtos acabados. Os riscos para o Brasil numa situação como essa são óbvios: se a atual situação não for controlada, a China vai se servir das enormes reservas brasileiras de ferro, alumínio, cobre e madeira, sem oferecer nenhum valor agregado e deixando para trás a poluição como sua única contribuição.

Discuti muitas vezes esse fenômeno crescente com meu amigo Lucio Flávio Pinto, de Belém, que considero o analista brasileiro mais sensato de todas as coisas amazônicas, e concordo com sua tese. No século XVI, ele argumenta, o Brasil forneceu as matérias-primas que possibilitaram que as casas reais de Portugal e Espanha se tornassem enormemente ricas, mas teve ele próprio poucos benefícios. No século XIX, o Brasil forneceu muitas das matérias-primas essenciais que capacitaram a Grã-Bretanha e os Estados Unidos a se industrializarem rapidamente e se tornarem potências mundiais, mas só se beneficiou marginal e tardiamente por ter cumprido esse papel.

Agora estamos no século XXI, e desta vez é a China, observa Lucio Flávio, que tem um apetite insaciável pelos recursos do Brasil e de outros países latino-americanos. Seria de pensar que os brasileiros tivessem aprendido a amarga lição de suas duas experiências anteriores como fornecedores de matérias-primas, mas talvez não tenham. O essencial é o seguinte: o Brasil simplesmente não pode se dar ao luxo de cometer o mesmo erro pela terceira vez. Para seu próprio bem, ele deve fazer uso do poder de barganha que ainda tem e insistir em que a China receba em seus portos não somente matérias-primas enviadas do Brasil, mas também produtos acabados, feitos no Brasil, que propiciem empregos e lucros aos brasileiros.

Se os chineses se mostrarem indispostos a fazer isso, bem, então o Brasil tem outras opções — inclusive a Índia. Apesar do fascínio de Lula com a China — e ninguém explicou ainda por que um ex-líder dos trabalhadores estaria tão enamorado por uma sociedade que não tem sindicato e obriga dezenas de milhões de pessoas a trabalhar por salários de escravidão –, o Brasil tem mais afinidades naturais com a Índia, embora estas tenham sido muito pouco desenvolvidas além da venda de alguns aviões da Embraer para empresas aéreas indianas. Os dois países, por exemplo, são democracias de dimensões continentais, diferentemente da China e da Rússia. Além disso, tanto o Brasil quanto a Índia têm populações profundamente religiosas, que não estão interessadas apenas em ganhos materiais, mas que também percebem uma dimensão moral no comércio e na política internacionais e têm um compromisso de erradicar a injustiça econômica.

Talvez eu esteja completamente errado. Talvez todos estes anos no Brasil tenham distorcido minha visão a ponto de agora eu ver as coisas com o otimismo típico dos brasileiros e ser insuficientemente cético. Talvez a velha piada que diz "o Brasil é o país do futuro, e sempre será" esteja correta. Mas as políticas macroeconômicas que o Brasil adotou desde que pôs em prática o Plano Real, em 1994, primeiro com FHC e agora, com apenas variações menores, com Lula, combinadas com a base científica e tecnológica que tem construído gradativamente, criaram uma oportunidade única nos quinhentos anos de história do Brasil. Só podemos torcer para que a sociedade brasileira consiga aproveitar esta conjuntura tão favorável. Um Brasil próspero e confiante só pode ser um fator positivo em um mundo dividido pelo ódio, pela pobreza e pela desigualdade.

Os investidores entraram em pânico, mas o Brasil não

Data: 23 de maio de 1999

RIO DE JANEIRO (RJ) — O presidente Fernando Henrique Cardoso viajou aos Estados Unidos no início deste mês. Por todos os lugares que passou, as mesmas pessoas que há apenas quatro meses se preocupavam com a implosão da economia do Brasil ao estilo asiático, o elogiaram por sua liderança astuta. Na Casa Branca, o presidente Clinton puxou o coro, expressando alívio com o "progresso substancial" que o Brasil conseguiu ao se recuperar da crise fiscal, que levou a uma desvalorização de 40% de sua moeda em janeiro.

Durante sua viagem, Fernando Henrique fez uma parada também em Nova York, onde foi metralhado com perguntas sobre a implementação pelo Brasil de um pacote de resgate fiscal de 41 bilhões e meio de dólares garantido pelo Fundo Monetário Internacional. Entretanto, foi deixada de lado uma questão bem mais fundamental: a crise refletiu as deficiências reais da economia brasileira ou se tratou de uma profecia auto-realizável, produzida pelo pânico e pela miopia no próprio mercado global de capital?

Nesta altura, ninguém nega que a moeda brasileira, o real, tinha se supervalorizado em relação ao dólar, e que necessitava de ajustes. Durante seu primeiro mandato, o principal objetivo da política de Fernando Henrique foi controlar a inflação, tradicionalmente o maior bicho-papão do país; e isso o deixou determinado a evitar qualquer desvalorização súbita e brusca e o surto de preços mais altos que viriam a reboque.

Porém, os brasileiros, desde autoridades do governo até o cidadão comum, estão cada vez mais convencidos de que uma série de "comparações simplistas" e "generalizações indevidas", como disse o ministro da Fazenda, Pedro Malan, em uma entrevista recente, tornou a situação em janeiro pior do que poderia ter sido, e ignorou os pontos fortes essenciais do país.

Agora que a oitava economia do mundo começou a se endireitar, por exemplo, tudo o que se falou sobre "contágio mundial" parece demasiadamente exagerado. A não ser nos cálculos de alguns analistas de mercado no estrangeiro, o Brasil nunca foi comparável à Indonésia, onde uma dinastia familiar se enriqueceu à custa do país. Nem equivalente à Rússia, onde o colapso do Estado comunista permitiu que uma máfia tomasse conta da economia, ou mesmo o México, onde um partido político corrupto e inflexível tem mantido o poder por setenta anos.

"Wall Street precisa de uma aula de geografia", diz Marcus Vinícius Pratini de Moraes, ex-ministro do governo e hoje presidente da Associação Brasileira de Exportadores. "Um banco russo quebra em Moscou e eles vendem suas ações do Brasil? Eles deveriam voltar para a escola."

Tarde demais para o Brasil e seus 165 milhões de habitantes, que tiveram que enfrentar a perda de empregos e recessão desde janeiro. Somente este mês, as bolsas de valores mundo afora parecem reconhecer o erro.

De fato, a pressão especulativa sobre a Argentina e sua moeda na semana passada geraram certa turbulência aqui e em outros países latino-americanos. Porém, a demissão do primeiro-ministro Yevgeny Primakov por Boris Yeltsin sequer causou um murmúrio. Ao mesmo tempo em que o anúncio foi feito em Moscou, a Bolsa de Valores de São Paulo teve a maior alta dos últimos 18 meses, impulsionada em grande parte pelo retorno de investimentos estrangeiros, e o governo brasileiro pôde então anunciar o sexto corte nas taxas de juros nos últimos dois meses.

Outras mostras dos pontos fortes do Brasil são ainda mais reveladoras, por assim dizer. Ao contrário dos traumas que têm tumultuado a Rússia e os tigres asiáticos recentemente, o maior país da América Latina empreendeu com sucesso, sem violência nem trauma social, a transição da ditadura militar para a democracia em apenas 15 anos. Sua democracia é muitas vezes barulhenta, como tem sido demonstrado num inquérito parlamentar sobre vendas de informações privilegiadas que teriam acontecido na ocasião da desvalorização de janeiro. Mas apesar de Fernando Henrique ter de trabalhar num sistema de freios e contrapesos mais restritivo que os de seus pares asiáticos, russos e mexicanos, ele tem repetidamente cumprido com as promessas de reestruturar o Estado brasileiro e sua economia.

Depois de assinar o acordo com o FMI em novembro passado, os investidores e autoridades estrangeiras imediatamente começaram a ver a redução dos generosos benefícios da seguridade social brasileira como um teste à determinação de Fernando Henrique. Embora o Congresso brasileiro tenha relutado por dois meses, acabou por aprovar a legislação, a qual exige uma emenda constitucional. Como os líderes políticos daqui observaram, nenhum dos países que têm importunado o Brasil a respeito deste assunto — nem a Alemanha, nem a França, a Itália, e certamente nem os Estados Unidos — sequer começaram a tratar desta mesma questão em casa.

Na verdade, os passos que o Brasil havia tomado para modernizar sua economia mesmo antes da crise de janeiro foram significativos, mais do que muitos outros países têm feito em décadas. Quando assumiu o cargo em 1995, Fernando Henrique herdou uma economia altamente protecionista. Porém, rapidamente reduziu as tarifas, e desta maneira propiciou o surto do comércio e da competição. Também vendeu ineficientes monopólios estatais, um após o outro: dos portos, da eletricidade, mineração, telecomunicações, ferrovias, bancos e outros mais.

Fernando Henrique seguiu nesse curso, mostrando uma rara coragem política, mesmo quando uma forte recessão começou após a erupção da crise asiática em 1997, ameaçando tanto sua reeleição quanto seus esforços de estabilização dos preços e do real. E os eleitores brasileiros tiveram maturidade suficiente para resistir às adulações oposicionistas de um alívio de curto prazo em favor do que acreditavam ser um retorno a longo prazo que faria de seu país uma potência econômica: estabilidade e crescimento.

O falecido Carroll Quigley, acadêmico da Universidade Georgetown que Clinton dizia ter sido seu professor mais influente, costumava definir o capitalismo como "um sistema de contabilidade que ignora os custos sociais". A julgar pela experiência recente do Brasil, o contrário também é verdadeiro: filosofias guiadas pelo mercado não estão dispostas a dar crédito para ganhos sociais que não podem ser prontamente medidos.

Para Riordan Roett, especialista no hemisfério ocidental da Universidade Johns Hopkins, a realização mais importante de Fernando Henrique pode ser o fato de que durante o seu primeiro mandato "mais brasileiros foram tirados da pobreza do que nos últimos cinqüenta anos". Este feito, resultado do mesmo controle da inflação e do programa de estabilização da moeda que sofreram a pressão especulativa em janeiro, tem transformado milhões de brasileiros pobres em consumidores, e torna o país mais atraente para os investidores estrangeiros à procura de novos mercados.

No pico da crise, surgiu aqui um novo estudo mostrando que, entre 1994 e 1998, as matrículas em colégios de ensino médio no Brasil cresceram em 37%, pois os pais perceberam que não tinham mais de tirar os filhos das salas de aula e pô-los para trabalhar. "Estes números são extraordinários para um período tão curto", um "passo gigantesco", escreveu na revista *Veja* Cláudio de Moura Castro, economista e co-autor do estudo. Em um longo prazo, claro, eles também representam um investimento social que beneficiará as empresas estrangeiras na forma de trabalhadores com mais instrução, que, conseqüentemente, ganharão salários mais altos e terão condições de gastar mais dinheiro.

Uma geração atrás, Charles de Gaulle veio aqui e deu um veredicto sobre a sociedade brasileira tão mordaz que até hoje é lembrado com freqüência, e sempre com desgosto. "Este não é um país sério", disse o líder francês. Em 1999, o Brasil pode ainda ser associado principalmente ao futebol e ao samba, mas de um modo perverso a crise de janeiro foi uma medida da distância que o país já caminhou. Trinta anos atrás, mesmo um colapso econômico aqui teria pouco impacto em outros lugares. Atualmente, para melhor ou para pior, o Brasil tem importância.

Em uma conferência em Chicago no início deste mês, Alan Greenspan, o presidente do banco central norte-americano, o Federal Reserve, alertou que o Brasil "ainda não está fora de perigo", um aviso de que um mercado subitamente eufórico parece estar agora preparado para ignorar. Os investidores abocanharam mais de 2 bilhões de dólares em títulos brasileiros no mês passado, e tanto investimento estrangeiro está retornando ao país que o governo teve que ajustar sua previsão, elevando-a para 20 bilhões de dólares para o ano.

Entretanto, o próprio Fernando Henrique, sempre realista, aparentemente está tão inalterado pela súbita recuperação da confiança no Brasil quanto esteve pelo nervosismo de janeiro. "A situação do Brasil nunca esteve tão ruim quanto se dizia na época, e não está tão boa quanto se diz agora", disse ele em uma entrevista recente. Que o mercado, então, fique alerta.

A mercadoria mais valiosa do Brasil? Não é nem o café nem o futebol

Data: 31 de dezembro de 2000

SÃO JOSÉ DOS CAMPOS (SP) — Quando Thabo Mbeki, presidente da África do Sul, visitou o Brasil no início de dezembro, seus anfitriões fizeram questão de trazê-lo aqui na esperança de deixá-lo deslumbrado, como tantos outros visitantes já ficaram, diante do poderio militar e tecnológico crescente do país. O programa espacial brasileiro nasceu nessa arrumada e tranqüila cidade de 500 mil habitantes, assim como empresas especializadas na produção de veículos blindados, foguetes e munições.

Mas foi a sede da Embraer, que está a ponto de tomar da Bombardier, do Canadá, a posição de terceira maior fabricante de aeronaves comerciais, que impressionou mais a Mbeki. E onde o maior negócio foi feito. Ao mesmo tempo em que os 10.161 funcionários da empresa estavam se desdobrando para dar conta da encomenda de novecentas aeronaves, a delegação de Mbeki adicionou ao seu agradável fardo um contrato no valor de 900 milhões de dólares para a compra de setenta jatos para empresas aéreas de seu país.

Há apenas seis anos, a Embraer, fundada pela Força Aérea Brasileira em 1969 como uma fabricante de aviões simples de patrulha e de treinamento militar, estava se afundando em dívidas e a ponto de ir à bancarrota. Seus administradores militares procuravam desesperadamente um comprador.

Agora, completamente em mãos privadas, e com suas ações negociadas nas bolsas de São Paulo e também em Nova York, a empresa está encerrando este ano com o melhor desempenho de sua história.

Com mais de 23 bilhões de dólares em pedidos contabilizados, a Embraer prevê resultados bem mais altos que os ganhos recordes do ano passado, quando embolsou 230 milhões de dólares e bateu a marca de um bilhão e 930 milhões de dólares em vendas. A empresa também ganhou uma reputação de sobrevivente audacioso, arrojado e perspicaz, tanto é que agora pretende desafiar o mercado de jatos comerciais de menor porte, atualmente dominado pelas gigantes Boeing e Airbus.

A razão da reviravolta jaz no que o presidente da Embraer, Maurício Botelho, chama de Projeto Redenção. Ao prever acertadamente o surto de crescimento da aviação regional em anos recentes, e depois construir uma linha de jatos econômicos de 37, 44, 50 e 70 lugares para atender a esta crescente demanda, a Embraer não só se protegeu das incertezas da economia brasileira, como também assegurou um mercado para seus principais produtos por muitos anos.

"A Embraer lançou o modelo de 50 assentos ERJ-145 exatamente na hora certa", diz Robert Booth, diretor da Aviation Management Services, firma de consultoria em Miami. "Os Estados Unidos já começaram a substituir quase todas as suas aeronaves de motor turboélice por jatos regionais. A Europa está seguindo o mesmo rumo e as possibilidades de mercado na América Latina e na Ásia ainda nem foram abertas."

Conseqüentemente, a Embraer é hoje a maior exportadora do Brasil, com quase 95% de suas vendas para clientes estrangeiros, equivalente a 3,5% do total das exportações brasileiras. Mais do que qualquer outra empresa, a Embraer passou a ser símbolo da transformação do Brasil durante os últimos 25 anos, de um exportador de matérias-primas como café e laranja para uma potência industrial em ascensão com uma crescente maestria em tecnologia avançada.

"Talvez em algumas partes do mundo onde a imagem do Brasil ainda é ligada ao futebol e às praias, associar o Brasil com aviação seja considerado estranho", diz Botelho, presidente e principal executivo da Embraer desde pouco tempo depois da privatização da empresa em dezembro de 1994. "Mas no meio industrial, acho que somos considerados hoje um competidor forte, com uma linha de produtos sólida."

De fato, os dois maiores clientes da Embraer são empresas aéreas dos Estados Unidos, a American Eagle e a Continental Express. Estas transportadoras já usam mais de 175 jatos em rotas regionais, como as de Nova York a Cleveland, de Boston a Toronto, e de Chicago a Indianápolis. Elas estão esperando a entrega de mais 325 aviões e têm a opção de comprar mais 150.

"Tivemos algumas ressalvas quanto a assumir compromissos com uma empresa que não havia sido ainda muito testada", diz Thomas Bacon, vice-presidente sênior de marketing e planejamento da American Eagle.

Mas Bacon disse que os representantes da Embraer conquistaram a empresa aérea com seu pacote.

"Estamos muito satisfeitos", diz ele, "especialmente com a flexibilidade que eles demonstraram no suporte a serviços. E nossos clientes simplesmente estão eufóricos por causa do conforto do avião e da redução de ruído e da turbulência".

Bacon acrescentou que "não tínhamos como prever de forma alguma como seria o tipo de suporte a serviços ao consumidor que a Embraer nos tem fornecido". A empresa tem "se desdobrado para nos ajudar", diz ele. Por exemplo, a Embraer fez melhorias para adaptação às necessidades do cliente em aviões em fase de produção, colocou instrutores para trabalhar lado a lado com os mecânicos da American Eagle e concordou em atualizar aviões já em serviço através da reposição de peças novas.

Muito do sucesso da Embraer é atribuído a Botelho, engenheiro mecânico de 58 anos. Embora sem nenhuma experiência com aviação, ele foi trazido em 1995 à Embraer para administrá-la por causa de sua reputação de ser um pensador estratégico de longo prazo bem acima da média do executivo brasileiro.

O *Jornal do Brasil* descreveu Botelho como "metódico e ponderado". Creditou a ele a "implantação de políticas que valorizam o elemento humano" e a "reorganização da empresa nos moldes de uma parceria entre acionistas, executivos e funcionários".

Animada por seus sucessos com os jatos regionais, a Embraer está agora se preparando para entrar no mercado de jatos de porte médio. Num passo que a colocará pela primeira vez em concorrência direta com a Boeing e a Airbus, as duas gigantes da indústria, a Embraer está desenvolvendo versões de seu jato regional de 98 e 108 assentos. Empresas aéreas da França e da Suíça já fizeram pedidos desses jatos maiores, os quais devem competir com o novo modelo 717 da Boeing, de 106 assentos.

"A Embraer tem a vantagem de estar começando de baixo para cima, enquanto a Boeing e a Airbus estão vindo de cima para baixo, com uma fuselagem provavelmente maior e mais pesada que a da Embraer", diz Roberto Bernardes, autor do livro *Embraer: Elos entre Estado e Mercado* e um graduado analista de política industrial do governo do estado de São

Paulo. "O avião da Embraer vai ser mais leve e mais fácil de operar, e os clientes gostam disso."

Booth previu que, à medida que muitos países desregulamentam o transporte aéreo e permitem mais competição entre as empresas do setor, a demanda por aeronaves aumentará, para o bem da Embraer. Mesmo sem a desregulamentação, diz ele, o crescimento potencial da Embraer é particularmente forte, especialmente na América Latina, onde é bem conhecida.

"Apesar de eu não saber se a Boeing e a Airbus estão perdendo o sono por causa da Embraer, acho que deveriam, à medida que os brasileiros entrarem no mercado dos jatos de mais de cem assentos", diz ele.

No que Botelho chama de "um passo lógico na evolução desta empresa", a Embraer começou também a entrar no mercado dos jatos corporativos, onde por um longo tempo foi eclipsada por empresas norte-americanas.

Assim como seus jatos regionais comerciais, que em média são 15% mais baratos que os de seus concorrentes, a Embraer está enfatizando as vantagens de preço de seu lançamento de estréia neste novo mercado, um avião chamado Legacy. Com preço de 19 milhões e meio de dólares, o Legacy oferece o que a Embraer chama de "um vôo a jato ao preço de um turboélice". Mais de cinqüenta já foram vendidos.

Como a Embraer teve início como fabricante de aeronaves militares, ela está tentando retornar às suas origens e revitalizar a sua divisão militar. A empresa está investindo 150 milhões de dólares em uma nova montadora a cerca de 320 quilômetros daqui, onde aeronaves militares de alto desempenho podem ser testadas. Além disso, também está projetando novos aviões para suceder o avião de treinamento Tucano e o caça Xavante que vendeu a países do Terceiro Mundo à procura de bons preços nas décadas de 1970 e 1980.

Em um encontro com analistas de ações no início de dezembro, representantes da empresa disseram que mesmo com seu sucesso assombroso com a venda de pequenos jatos, a Embraer prevê que a produção militar será seu segmento de maior crescimento nos próximos cinco anos. Eles calculam que o segmento pode atingir aproximadamente 20% do total de vendas em 2005, comparado com os 7,6% deste ano.

A Bélgica, a Grécia, o México e a Venezuela já fizeram pedidos de aeronaves militares da Embraer, e as forças da OTAN usaram o caça AMX da empresa no Kosovo no ano passado com bons resultados. Isto desencadeou um interesse em países do Terceiro Mundo que procuram por aeronaves baratas.

Muitos dos rivais da Embraer "estão construindo encouraçados, e com isso quero dizer sistemas que podem ser dominantes, mas que custam muito dinheiro", diz Byron Callan, analista que de Nova York acompanha a Embraer para a Merrill Lynch. "Mas não é necessariamente isso o que muitas partes do mundo precisam. A ameaça que a maioria dos países enfrenta agora não são esquadrões de aviões avançados, mas sim a segurança nas fronteiras, o narcotráfico e grupos de guerrilheiros. Uma aeronave do tipo que a Embraer produz pode ser perfeita para isso."

Com o objetivo de se fortalecer no mercado militar, no ano passado a Embraer obteve do governo brasileiro a aprovação para vender 20% da participação a um consórcio de quatro empresas francesas: a Dassault Aviation, a Aerospatiale Matra, a Thales (antes conhecida como Thompson-CSF) e a Snecma. Esta mudança gerou controvérsias aqui, e recebeu críticas tão ásperas do bloco nacionalista dos militares brasileiros que o chefe da Força Aérea renunciou.

Mas unir-se aos franceses também foi visto como um passo astuto. "Implica uma transferência de tecnologia e também o desenvolvimento de novos produtos no segmento aeroespacial", diz José Carlos Miranda, professor de Economia da Universidade Federal do Rio de Janeiro e especialista no setor de exportações do Brasil. Sozinha, a Embraer não tem capacidade para desenvolver um caça supersônico como o Mirage 2000/5 produzido pelos franceses, reconhece Botelho.

Com a aliança, a Embraer se encontra agora em boa posição para fornecer aeronaves militares para os países de Terceiro Mundo que dentro em breve terão de substituir suas frotas velhas de F-5, MIG-21 e Mirage III. Contudo, a cereja do sundae deve ser o próprio plano de modernização de oito anos da Força Aérea Brasileira. Anunciado seis meses atrás, é um pacote de 3,5 bilhões de dólares que prevê a compra ou a reforma de mais de cem aeronaves, incluindo novos aviões caça e de transporte.

"Nós com certeza vamos competir com força e determinação para ser um dos ganhadores da licitação que o governo brasileiro vai abrir para substituir sua frota de aviões caça supersônicos", diz Botelho. "Seria uma tolice desenvolver este tipo de avião sem um contrato, mas se nós ganharmos, estaremos em posição de fornecer o Mirage 2000/5, pela nossa aliança com a Dassault."

Entretanto, a agressividade da Embraer provocou algumas tensões com a Bombardier, a fabricante de aviões com sede em Montreal, e de quem a Embraer quase tomou o terceiro posto entre os produtores de aeronaves. Desde 1996 as duas empresas estão se engalfinhando em uma disputa áspera que as levou até a Organização Mundial do Comércio. No início de dezembro, a OMC puniu o Brasil, determinando que pagasse 1,4 bilhão ao Canadá, por meio de tarifas mais baixas para os produtos canadenses ou danos compensatórios. O Canadá e a Bombardier há muito têm argumentado que a Embraer concede empréstimos aos clientes a taxas de juros abaixo das praticadas pelo mercado, por meio de crédito fornecido pelo governo brasileiro. De acordo com as regras da OMC, dizem os canadenses, isto constitui um subsídio ilegal que dá à Embraer uma vantagem injusta.

A Embraer e muitos analistas industriais independentes, entretanto, sustentam que a Bombardier adota práticas semelhantes. Botelho descreveu a decisão da OMC como uma aplicação "absolutamente injusta" de um princípio de duas medidas, "uma para os países em desenvolvimento e outra para os países avançados". Ele também acusou a Bombardier de tentar esmagar a concorrência.

Yvan Allaire, vice-presidente executivo da Bombardier e presidente do conselho administrativo da Bombardier Capital, classificou essas alegações de absurdas.

Em uma entrevista telefônica de Montreal, ele diz que os contribuintes brasileiros "estão transferindo seu dinheiro para empresas aéreas norte-americanas e européias" com "subsídios que são absolutamente únicos e sem paralelo na história da aviação comercial".

A própria Embraer foi pouco afetada pela decisão da OMC. Como Botelho argumenta, "continuamos a aumentar as vendas em tempo recorde", mesmo depois de o governo brasileiro ter modificado sua ajuda de crédito ano passado. Em vez disso, as compensações por danos que a OMC concedeu ao Canadá serão pagas pelo Brasil de uma maneira a ser determinada pelos governos dos dois países, e é mais provável que afetem produtos como açúcar, tabaco, aço e têxteis.

"Não é mais problema da Embraer", diz José Antônio Paiva, analista da consultoria de investimentos Lopes Filho & Associados, do Rio de Janeiro. "O choque está sendo absorvido pelo governo brasileiro, que quer proteger seu principal exportador, e que prometeu honrar todos os contratos existentes conforme foram assinados."

Botelho disse que estava confiante que, mesmo com a decisão da OMC, a posição da Embraer no mercado de jatos regionais cresceria porque "nosso avião custa 2 milhões de dólares a menos que o do nosso concorrente, e é duas toneladas mais leve".

Os executivos da Bombardier reconhecem que a Embraer está com vantagem em termos de custo e peso, que significam custos operacionais mais baixos, e expressam um certo respeito relutante por seu rival emergente.

"Em igualdade de condições, a Embraer será um concorrente duro", diz Allaire.

A disputa com o Canadá parece não ter afetado as ações da Embraer, seja no Brasil, seja em Wall Street, onde a empresa começou a oferecer Certificados de Depósito Americanos em julho com grande sucesso. Com um preço inicial de 18 dólares por ação, elas fecharam a 39 dólares e 75 centavos na semana passada, uma nova alta. Cada CDA representa quatro ações ordinárias.

Os investidores têm sido atraídos para a Embraer porque ela é considerada talvez o melhor exemplo na América Latina de como a privatização pode transformar uma empresa estatal combalida em uma potência industrial. Desde que caiu em mãos privadas, as vendas anuais da Embraer por funcionário aumentaram de 40 mil para 290 mil dólares, e a empresa anunciou planos de investir um bilhão de dólares em desenvolvimento de produtos até 2004.

"Esta empresa me deixou pasmado, e de muitas maneiras", diz, de Nova York, em uma entrevista telefônica, Callan, analista da Merrill Lynch. "Dou crédito a eles não apenas por pensarem de três a cinco anos à frente e desenvolverem uma linha de produtos que as empresas norte-americanas e européias ignoraram em grande parte, mas também por pegar o que era antes um paciente bem enfermo e botá-lo de pé."

Porém, os economistas e analistas brasileiros que estudaram a Embraer dão a entender que só a privatização não explica o sucesso atual da empresa. Eles observam que a decisão original de se concentrar nos jatos regionais foi tomada sob a administração do Estado. E eles argumentam que a ascensão mundial da Embraer é também o resultado de décadas de investimento por parte do governo brasileiro em infra-estrutura e treinamento de funcionários, e a disposição da Força Aérea Brasileira em suportar o longo período inicial e as perdas que vieram com ele.

"Em nenhum lugar do mundo pode-se construir uma empresa como esta ou obter sucesso sem encomendas do governo ou dos militares", diz Ozires Silva, primeiro presidente da Embraer que hoje é presidente da Varig Linhas Aéreas. "Os militares sempre querem estar na vanguarda em tecnologia, então eles cobrem os custos, e no fim o setor civil se torna o grande beneficiário. Foi assim com o desenvolvimento da internet, e a nossa situação não foi diferente."

De fato, o governo brasileiro primeiro começou a estimular o desenvolvimento de um complexo aeronáutico e militar em São José dos Campos no final da década de 1940, época em que foi fundado um instituto técnico para engenheiros. Além disso, as primeiras investidas com sucesso da Embraer no mercado internacional, com seus modelos turboélice Bandeirante e Brasília, se deram quando a empresa estava nas mãos dos militares.

Contudo, uma série de crises econômicas e cambiais há uma década tornou o custo de administração da Embraer tão oneroso que os militares foram forçados a cortar gastos. "Na qualidade de empresa controlada pelo Estado e imbuída de uma perspectiva primariamente tecnológica e estratégica, estava sujeita a uma série de regras, normas e exigências que a colocaram em uma camisa-de-força", diz Botelho.

Porém, Botelho e o governo brasileiro estão agora tão confiantes no futuro da Embraer que estão estimulando alguns de seus fornecedores norte-americanos, japoneses e europeus a abrirem fábricas aqui em São José dos Campos, no que têm tido algum sucesso. Em dezembro, uma empresa belga que contribui com fuselagens para a Embraer abriu uma fábrica aqui. Cinco empresas norte-americanas, francesas e israelenses também já assumiram compromissos semelhantes.

"Não vamos desviar da visão que nos trouxe até aqui", diz Botelho. "Estamos desenvolvendo dez programas diferentes simultaneamente, e o nosso prato está cheio. Mas sabemos que nosso produto é bom, que nossos clientes estão satisfeitos, e é desse jeito que vamos continuar crescendo."

O Brasil está se tornando uma potência em genômica

Data: 1º de maio de 2001

SÃO PAULO (SP) — Lá não há equipes de pesquisadores nem laboratórios próprios, apenas um modesto corpo administrativo trabalhando em um edifício ordinário em um bairro residencial da cidade. Entretanto, por meio de uma gestão sagaz e escolhas criteriosas, a Fundação de Amparo à Pesquisa de São Paulo está rapidamente se tornando uma potência em genômica e um modelo de investigação científica no Terceiro Mundo.

Em julho passado, um consórcio brasileiro organizado e financiado pela fundação, tornou-se o primeiro, em todo o mundo, a decodificar o genoma de um agente patogênico de plantas, a *Xylella fastidiosa*, uma bactéria transmitida por insetos que infesta a laranja. Poucos meses depois, a fundação, conhecida pela sigla Fapesp, anunciou que o consórcio completara o seqüenciamento genético de outra praga que empesta a próspera indústria de exportação de frutas do país, a *Xanthomonas citri*, ou o cancro cítrico.

"Desde o momento em que começamos, nosso objetivo foi sempre o mesmo: trabalhar nas fronteiras da ciência, e ao mesmo tempo tratar de questões de relevância social e econômica", afirma José Fernando Perez, diretor científico da fundação. "O projeto genoma serviu a esse propósito e criou uma imagem de liderança para nós."

De fato, o sucesso duplo da Fapesp não só estabeleceu sua reputação internacional, como também levou a importantes colaborações, como o projeto para seqüenciar os genes do câncer humano, financiado em parte pelo Instituto Ludwig, da Suíça. Recentemente, em outra decisão pouco comum, o Departamento de Agricultura dos Estados Unidos contratou a Fapesp para seqüenciar o gene de uma bactéria que assola os vinhedos da Califórnia.

"O que eles estão fazendo é ciência da mais alta qualidade, comparável a qualquer coisa que esteja sendo feita nos maiores centros de seqüenciamento nos Estados Unidos ou na Europa", diz a dra. Claire Fraser, presidente do Instituto de Pesquisa Genômica em Rockville, Maryland, em entrevista por telefone. "Como resultado, eles de fato se tornaram reconhecidos como peça importante neste campo, fazendo uma grande contribuição ao esforço internacional de mapear genomas."

Cada vez mais, as realizações da Fapesp a estão tornando o padrão de pesquisa científica no Terceiro Mundo. Em um editorial do ano passado, a revista *Nature* chamou o trabalho genômico daqui de "uma conquista científica e também política", que refuta "a concepção errônea comum segundo a qual somente países industrializados e avançados têm os meios e os recursos humanos qualificados necessários para fazer ciência de ponta".

A ascensão da fundação à proeminência é apenas um dos vários sinais recentes de avanço da ciência brasileira, na qual começaram a investir o governo, por meio do Ministério da Ciência e Tecnologia, e o setor privado.

Em março, por exemplo, o Brasil se tornou o primeiro país do mundo em desenvolvimento a clonar um animal, uma bezerra chamada Vitória.

O Brasil tem o maior rebanho bovino comercial do mundo, com mais de 160 milhões de cabeças de gado. Marcus Vinícius Pratini de Moraes, ministro da Agricultura, diz que a pesquisa brasileira em clonagem teve como objetivo "melhorar a tecnologia e a saúde animal e vegetal", incluindo o posterior desenvolvimento de gado resistente à febre aftosa e à doença da vaca louca. "Este é o primeiro passo para conquistar a maestria total nessa tecnologia", diz ele.

O progresso brasileiro também pode ser medido pelo aumento no número e na variedade de trabalhos publicados por cientistas brasileiros em publicações especializadas. O Brasil é hoje responsável por 1,2% dos trabalhos científicos produzidos no mundo, três vezes mais que apenas 15 anos atrás, segundo o Instituto de Informação Científica, que acompanha o número de trabalhos produzidos em todo o mundo.

Fato ainda mais notável, desde 1996, "o número de citações de cientistas brasileiros cresceu três vezes mais rápido do que o nível mundial". Ronaldo Sardenberg, ministro da Ciência e Tecnologia, disse em entrevista em Brasília no ano passado. "Estamos decididos a fazer o que pudermos para estimular a continuação desse processo, porque entendemos que a pesquisa é um bom negócio."

Entretanto, uma grande parte do sucesso do Brasil pode ser atribuída diretamente à Fapesp, que tem um grau de autonomia institucional raro nesta parte do mundo.

Desde que a fundação iniciou suas operações, em 1962, leis estaduais garantem a ela uma cota fixa, agora de 1%, de toda receita tributária coletada em São Paulo, o estado mais rico e populoso do país, com 37 milhões de habitantes. Juntamente com contribuições federais, isto permite à Fapesp injetar por ano 270 milhões de dólares em projetos de pesquisa tão diversos quanto um catálogo de biodiversidade e um software de correção sintática, usado na versão do Microsoft Word em português.

O estatuto da Fapesp estabelece que a fundação não pode gastar mais que 5% de seu orçamento em administração, prevenindo assim os excessos de contratação, tão comuns em agências governamentais de países em desenvolvimento.

O mesmo estatuto também proíbe a Fapesp de reunir seu próprio corpo científico, e exige que trabalhe por meio de cerca de cinqüenta laboratórios de universidades e departamentos de pesquisa em todo o estado.

"Acho que poderíamos ser chamados de instituto virtual, porque não temos nossas próprias instalações ou programas de pesquisa", diz Perez. "Procuramos identificar sistematicamente os nichos de interesse estratégico para o país, e então encorajar outros a desenvolvê-los."

Embora os projetos genômicos tenham levado a Fapesp a solicitar diversas patentes e abrir um banco de clones, a pesquisa ainda não está gerando lucros. Se e quando isso acontecer, Perez diz esperar que os ganhos sejam divididos de acordo com a fórmula habitual da Fapesp: 1/3 para a Fapesp, 1/3 para as instituições que participaram e 1/3 dividido entre os pesquisadores individuais.

Logo no início, a Fapesp começou a investir no treinamento de jovens cientistas, oferecendo a eles bolsas de estudo no exterior. Porém, evitou em grande parte o problema de fuga de cérebros ao exigir que os beneficiários voltassem ao Brasil por ao menos quatro anos, e garantindo-lhes vaga como professores universitários mesmo antes de partirem.

"Esse programa foi extremamente importante para o Brasil na época, porque nos propiciou treinamento em áreas nas quais não tínhamos competência", diz Glaucius Oliva, diretor do Centro de Biotecnologia Molecular Estrutural da Universidade de São Carlos, afiliado à Fapesp. "Mas havia também um contrato assinado que estabelecia um vínculo, e tornava os pesquisadores funcionários da universidade, de maneira que eram obrigados a pagar de volta os salários recebidos caso não voltassem."

Contando com apenas 80 mil pesquisadores, comparados a mais de um milhão nos EUA, o Brasil ainda luta para desenvolver uma massa crítica de cientistas. "Temos qualidade, mas não quantidade, porque carecemos de recursos financeiros para formar mais pesquisadores e criar mais institutos de pesquisa", diz Francisco Romeu Landi, diretor-presidente da Fapesp.

Porém, a Fapesp tenta diminuir essa desvantagem com programas de "pesquisa induzida", por meio dos quais estimula cientistas a trabalhar em áreas que identifica como mais promissoras ou importantes. A instituição também prioriza a cooperação ao invés da competição.

"Se há dezenas de grupos com dezenas de pesquisadores, pode-se aceitar um modelo competitivo, no qual os que conseguem resultados melhores e mais rápidos recebem o financiamento", diz Oliva. "Mas para países em desenvolvimento, com recursos limitados como o nosso, isso é suicídio."

Quase sempre, a ciência brasileira dá ênfase a projetos que produzam resultados práticos, como os programas aeronáuticos que levaram à formação da Embraer, hoje a quarta maior fabricante de aeronaves do mundo. De fato, foi essa a motivação da Fapesp quando iniciou seu esforço genômico em 1997.

"Estávamos nos perguntando o que poderíamos fazer para estimular a formação de uma indústria biotecnológica neste país", recorda Perez. "A resposta tradicional seria enviar um grupo de pesquisadores ao exterior para ser treinado. Esse processo, porém, é demorado e caro, e não é garantia de sucesso. Decidimos então criar não só um projeto genômico, mas nos mobilizar em torno de uma série de esforços."

O sucesso inicial e a experiência conquistados por meio dos projetos de patógenos de plantas têm levado a esforços mais ambiciosos. Cientistas financiados pela Fapesp e cooperativas de açúcar locais, por exemplo, acabaram de seqüenciar o genoma da cana-de-açúcar, um dos produtos de exportação mais tradicionais do Brasil.

"Esses esforços de pesquisa são de grande importância econômica, porque o Brasil é o líder mundial em exportação desses produtos", diz Landi. "Se pudermos identificar os genes da cana-de-açúcar e ativar aqueles que aumentam o índice de dulçor e a taxa de crescimento, aumentaremos a produtividade do campo."

Este ano, 25 laboratórios associados à Fapesp começarão a seqüenciar o genoma do eucalipto, cultivado aqui pela indústria de papel e celulose por crescer mais rápido que as árvores nativas. O setor privado pagará parte dos custos.

Em março, a Fapesp anunciou um plano para seqüenciamento dos genes do verme causador da esquistossomose, infecção parasítica que aflige milhões de pessoas. Autoridades da Fapesp esperam também que outros projetos genômicos levem ao desenvolvimento de drogas de combate a doenças tropicais endêmicas como a malária, a leishmaniose e a doença de Chagas.

"Acho brilhante o que o Brasil tem feito. Eles selecionaram projetos de pesquisa importantes para eles e para o resto do mundo em desenvolvimento, mas que são de baixa prioridade para grupos de financiamento" dos Estados Unidos e da Europa, diz a dra. Fraser. "Eles conquistaram um nicho único para si, dando uma contribuição importante em termos de sua própria economia, e em certo sentido reconquistando o controle de seu próprio destino."

Tenha pena do burro, um animal de carga que se tornou um fardo

Data: 26 de maio de 2001

CURRAIS NOVOS (RN) — Pense no humilde jumento. Trabalhador, confiável, dócil, durante séculos ele sempre foi valorizado no infecundo e ressecado Nordeste do Brasil, tanto como um animal de carga quanto como companheiro leal.

Mas já não é mais. De repente, o animal, que já foi celebrado em canções e até mesmo homenageado com estátuas em praças, se tornou uma presença indesejável; repelido, repudiado e desprezado pelos mesmos agricultores sertanejos que até pouco tempo não tinham condições de se sustentarem sem o "carro dos pobres".

O jumento tem mais de uma centena de apelidos carinhosos em português, entre eles "agüentador de seca", "construtor de açudes" e "aplainador de terra". Mas a agricultura mecanizada chegou com força total tardiamente no Nordeste, uma área maior que o Alasca que abriga 50 milhões de pessoas, tornando o animal uma de suas maiores vítimas.

"Hoje em dia as pessoas acham que têm de ser modernas e só querem saber ouvir de tratores", diz Fernando Viana Nobre, presidente da Associação Brasileira dos Criadores de Jumento Nordestino. "Um trator faz o serviço, mas não substitui o jumento, porque ele não precisa de gasolina a R$ 2,50 o litro, de peças de reposição, nem te coloca em dívida junto ao banco."

No passado, famílias inteiras em todo o Nordeste iam até as cidades montadas em jumentos, levando até o mercado lenha para fogueira, mel, colheitas de feijão, algodão e mandioca, e voltando com sal e aguardente. Mas mesmo no desempenho desta função os serviços dos jumentos são cada vez menos exigidos.

"Desde os tempos coloniais, toda a economia comercial do Nordeste tem sido baseada no uso do jumento como meio de transporte pelos terrenos, freqüentemente hostis", diz Geraldo Mozar de Macedo, o secretário municipal da Agricultura local. "Mas agora as estradas são melhores, e mais e mais pessoas estão comprando motocicletas e caminhonetes."

No início da década de 90, quando um censo nacional apontou o número de animais como sendo 1,3 milhão, um jumento alcançava o preço de até cem dólares nos agitados mercados de gado como o que existe aqui em Currais Novos. Agora, em contraste, machos jovens e fortes podem ser adquiridos por menos de um dólar a cabeça, comparados aos três dólares pagos pelas galinhas.

"Uma vaca dá leite e uma galinha põe ovos", explica José Mata, um agricultor de subsistência daqui. "Mas o que um jumento faz hoje em dia a não ser comer e reproduzir?"

As coisas pioraram tanto na região que em algumas cidades se tornou ilegal levar jumentos para as áreas urbanas. Em Guamaré, ao norte daqui, as autoridades locais construíram um "ponto de controle de jumentos", com guardas, para impedir a entrada dos animais.

"Há apenas um caminho para entrar e sair daqui, então, depois que entravam, eles ficavam por aqui e comiam a grama dos parques e as flores das janelas das pessoas", diz em tom de reclamação José de Souza Alves, o secretário da Agricultura de Guamaré. "Tivemos que fazer algo para nos proteger, e esta pareceu ser a melhor maneira de impedir que fôssemos invadidos."

Esperando combater um fluxo indesejável em Currais Novos, um centro comercial de 42 mil pessoas, o governo local nomeou recentemente um recolhedor de jumentos oficial.

O recolhedor de animais, que tem o nome oportuno de Francisco de Assis Amaral, diz que captura em média uma dezena de animais por semana. Ele os mantém em um curral de sua propriedade e depois, se os donos não aparecem, os leva até o estado vizinho da Paraíba e os vende pelo preço que conseguir.

"Simplesmente não consigo ter coragem de matá-los", diz Amaral, que tem 50 anos. Ele lembra que, quando era criança e trabalhava na roça, tinha que transportar sacos de feijão da fazenda de seus pais até o mercado, sempre "com os jumentos como única companhia" durante dias seguidos.

Nos trechos rurais da rodovia, a Polícia Rodoviária Federal implementou uma patrulha especial para prender jumentos, e não lhes falta trabalho. Desde o começo de 1999, a unidade baseada aqui capturou mais de 1.600 animais, tanto jegues solitários quanto rebanhos inteiros vagando pelas estradas.

"Ninguém quer estes animais, então um município prende um punhado e solta no município vizinho, sabendo que nós iremos levá-los em custódia", diz Gilbene Nunes de Queiroz, inspetor da polícia rodoviária, "Está se tornando um problema sério para todos."

Há tantos destes animais vagando sem dono hoje em dia que as colisões nas estradas se tornaram rotina, e o número de motoristas mortos ou feridos está aumentando. Os motoristas de caminhão são os mais exaltados em reclamar que os jumentos se tornaram uma praga e uma ameaça depois que as pessoas deixaram de usá-los.

Durante as décadas de 1970 e 1980, a população de jumentos do Brasil era estabilizada pelas exportações de carne, principalmente para o Japão e a França, onde a carne magra era especialmente apreciada.

Porém, nesses mercados os países africanos desbancaram o Brasil, contando com a ajuda de grupos brasileiros defensores dos direitos dos animais que se opõem ao comércio de carne, e forçaram o fechamento de mais de uma dezena de matadouros.

Pelo fato de o jumento ser tradicionalmente valorizado como trabalhador e amigo, o consumo de sua carne ainda permanece um tabu cultural por aqui. Promotores estaduais recentemente abriram um inquérito com o objetivo de reprimir boatos generalizados de que a carne do jumento estava sendo usada clandestinamente para se fazer lingüiça e charque, a iguaria regional.

"O jumento é mencionado 220 vezes na Bíblia, e tanto Nosso Senhor quanto a Virgem Maria sempre andaram de jumento", diz Antônio Vieira, padre católico autor de um livro chamado *O Jumento, Nosso Irmão*.

"Este animal merece todo o nosso respeito e estima", diz ele, "e temos que evitar que sofra abusos".

Sem inimigos naturais e com sua carne não sendo mais exportada, "os jumentos estão se reproduzindo como coelhos", alerta Viana Nobre, chefe da associação dos criadores e professor aposentado de Pecuária da Universidade Federal do Rio Grande do Norte.

Ele calcula a população nacional de jumentos em mais de 2 milhões, e argumenta que a única maneira de se inverter esta crescente rejeição pública pelo animal é se a crise de energia do Brasil piorar e causar um renascimento do interesse pelo jumento.

"O tempo em que o jumento era usado para fazer tudo, de buscar água até construir estradas, já se foi para nunca mais voltar", admite ele. "Mas esta é uma região pobre que está se recusando a usar um animal que é perfeitamente adaptado ao clima e ao terreno, e isto não faz nenhum sentido."

COMENTÁRIO

Em maio de 2000, eu estava dirigindo de Caruaru para Petrolina, no coração do sertão de Pernambuco, indo fazer entrevistas para um par de matérias que tinha planejado. A primeira parte da viagem foi fácil. Mas depois que passei por Arcoverde, meu progresso foi mais lento porque o tráfego tinha de parar constantemente para esperar a passagem de jegues que perambulavam pela estrada ou mesmo, ocasionalmente, manadas inteiras bloqueando a estrada, sem ninguém para tomar conta delas.

No começo fiquei apenas irritado. Eu estava preocupado com a possibilidade de o ritmo inesperadamente lento me fazer perder as entrevistas que tinha marcado em Petrolina e Juazeiro. Porém, quanto mais o problema ocorria e quanto mais eu pensava nele, mais intrigante ele parecia. Dada a importância do jegue para o sertanejo, por que tantos animais abandonados estavam de repente enchendo os campos e as estradas? Eu tinha viajado muito pelo Nordeste durante minha primeira temporada como correspondente no Brasil, de 1977 a 1982, e na época nunca vira nada como aquilo. O que tinha mudado? Nos postos de gasolina onde parei para reabastecer e nas paradas de caminhão onde estacionei para comer ou beber, minhas impressões iniciais se confirmaram. Todos os motoristas de caminhão e frentistas se queixavam dos jegues soltos, mas nenhum deles parecia capaz de explicar o fenômeno.

Depois que voltei ao Rio de Janeiro, ainda intrigado, fiz algumas ligações para especialistas no Nordeste e descobri, para minha surpresa, que o nobre jegue tinha infelizmente se tornado uma vítima do progresso: a estabilidade econômica que acompanhou o Plano Real depois de 1995 tinha permitido que muitos sertanejos comprassem tratores e motocicletas, deixando o animal de lado. Em outras palavras, eu tinha tropeçado em uma história fascinante — ou antes, quase trombado com ela —, que tinha coisas importantes e interessantes a dizer sobre o impacto da mudança econômica e social em um ícone da identidade nordestina.

Mas, devido a viagens freqüentes à Colômbia e à Venezuela e a acontecimentos no Sudeste do Brasil que exigiam cobertura, passou-se quase um ano até que eu pudesse voltar ao Nordeste, que sempre foi minha parte favorita do Brasil. Eu tinha planejado uma viagem a Natal para escrever outra matéria, sobre planos de transformar em shopping center uma base militar que os Estados Unidos tinham usado lá durante a Segunda Guerra Mundial, onde Getúlio Vargas e Franklin D. Roosevelt tinham se encontrado. Como eu já sabia que os principais centros de pesquisa acadêmica e científica sobre o jegue ficavam no Rio Grande do Norte, simplesmente acrescentei a história do jegue a meu itinerário.

Baseado no que ouvi dos especialistas que consultei em Natal, eu poderia ter ido a praticamente qualquer lugar do estado para fazer reportagem sobre jegues abandonados. Mas escolhi Currais Novos, em parte por causa de seu belo nome, e quando cheguei lá tive o que só pode ser chamado de boa sorte. De que outra forma se poderia descrever a experiência de encontrar um cuidador de jegues municipal cujo nome é Francisco de Assis, e que fica triste de ter de abrir mão de um animal que foi um amigo e companheiro em sua juventude?

Pelo que sei, a imprensa nacional brasileira não tinha relatado essa história antes que eu escrevesse sobre ela. Mais ou menos um ano depois, no entanto, me diverti muito quando uma revista publicou uma versão da história quase idêntica à minha — sem, é claro, mencionar que o assunto já tinha sido tratado no *New York Times*.

As ascendentes ambições brasileiras à Era Espacial são solapadas pela calamidade e por um orçamento tímido

Data: 23 de janeiro de 2004

SÃO JOSÉ DOS CAMPOS (SP) — Quando um foguete lançador de satélite explodiu, no final de agosto, na plataforma de lançamento na base militar de Alcântara, na fronteira leste da Amazônia, 21 dos cientistas e técnicos de ponta do Brasil foram incinerados instantaneamente.

Para o Brasil, o desastre representou a terceira falha na tentativa de lançamento de seu próprio foguete, e o pior da história de seu programa espacial.

Porém, mais do que colocar o futuro do programa em xeque, a catástrofe também lançou um alerta claro a outros países em desenvolvimento que estejam tentados a buscar grandes ambições espaciais com orçamentos minguados por causa de necessidades terrestres.

Os críticos chamam estes programas espaciais de projetos de vaidade, pois estamos tratando de países pobres que ainda lutam para conseguir se alimentar. Porém, as autoridades brasileiras, como as da Índia e as da China, descrevem seus esforços espaciais em franca expansão como uma necessidade comercial e estratégica, e também como uma questão de prestígio nacional.

Há mais de trinta anos, o programa aeroespacial brasileiro, com base nesta cidade industrial, nasceu como parte de um esforço da ditadura militar para criar um "Brasil Grande". Mas enquanto os sucessivos governos abraçavam esta visão, eles falharam ao não casar ambição com dinheiro.

Numa cerimônia que homenageou os técnicos espaciais mortos, o presidente Luiz Inácio Lula da Silva chorou copiosamente e jurou que o Brasil lançaria o seu primeiro foguete ao espaço ainda antes do fim de seu mandato, em 2006.

Também prometeu uma indenização de 35 mil dólares e bolsas de estudo para as famílias das vítimas. Mas o orçamento que propôs ao Congresso fica muito abaixo das dezenas de milhões de dólares que os especialistas dizem ser necessários para a reconstrução do espaçoporto em Alcântara e para atingir o objetivo prometido.

Este problema do orçamento apertado, dizem críticos como o Sindicato dos Engenheiros de São Paulo, tomando emprestado o título de um dos romances de Gabriel García Márquez, fez da calamidade de agosto uma "Crônica de uma tragédia anunciada".

Opiniões semelhantes foram expressas durante uma investigação de quatro meses do *New York Times*, a qual incluiu entrevistas com ex-autoridades do governo brasileiro, cientistas e parentes das vítimas.

Tomados em conjunto, os relatos mostram um programa com um orçamento perigosamente baixo, que forçava os pesquisadores a depender de materiais fora do padrão ou inferiores e seguir procedimentos questionáveis, operava com quase nenhuma prestação pública de contas e tinha uma cadeia de comando pouco transparente e dividida. Uma comissão especial governamental de inquérito ainda está por dar seu parecer.

"Os militares estavam sem dinheiro, e mesmo assim não tiveram a humildade de admitir a verdade e dizer que deveríamos parar", diz Luiz Cláudio Almeida, irmão de uma das vítimas e presidente da associação de parentes. "Em vez disso, eles forçavam a barra cada vez mais, pressionando os civis a continuar, mesmo sabendo que não existiam condições de trabalho apropriadas."

As autoridades do governo prometem que o programa não será abandonado. Contudo, analistas e especialistas independentes pedem a retificação completa do programa, e expressaram sua surpresa por um acidente de grandes dimensões não ter acontecido antes do desastre de 22 de agosto.

Dos mais de vinte programas espaciais do mundo, o do Brasil é o único a não estar sob o controle de só uma agência governamental. Seu programa de satélites é administrado pelo Instituto Nacional de Pesquisa Espacial, com base em São José dos Campos.

É um corpo civil, que tem tido sucesso em aproveitar a crescente demanda global pelo uso comercial de imagens de satélite. Parceiros estrangeiros são em parte atraídos a cooperar por causa da vantagem brasileira de ter a plataforma de lançamento mais próxima do equador, o que permite aos satélites entrarem em órbita mais facilmente e utilizarem menos combustível.

Por outro lado, o programa de foguetes do Brasil, que usa os mesmos tipos de tecnologia empregados em mísseis balísticos, é controlado pela Força Aérea Brasileira.

O programa de foguetes atrasou-se em relação ao de satélites. As causas, dizem os críticos, são o sigilo excessivo, a suspeita de colaboração externa e também esforços dos Estados Unidos e de outros países avançados em não deixar que as tecnologias importantes de mísseis sejam disseminadas.

O descompasso forçou o Brasil a usar foguetes de outros países para colocar em órbita os satélites que já vinha desenvolvendo, um empreendimento custoso e de difícil negociação. Também aumentou a pressão sobre as pessoas que trabalhavam no programa de foguetes, no sentido de acelerar os esforços para superar a defasagem.

Os parentes dos que morreram disseram que as vítimas reclamavam com freqüência de serem espicaçados por autoridades militares de carreira com pouco conhecimento de problemas técnicos. Alguns também alegaram que os administradores militares forçavam os técnicos civis a economizar mesmo em relação a equipamentos essenciais.

"Meu marido foi até eles mais de uma vez e disse que estavam usando peças obsoletas", diz a viúva de uma das vítimas, que falou sob a condição de não ter seu nome revelado. "A resposta que recebeu foi de que o estoque de peças disponíveis tinha que ser usado primeiro, porque eles não tinham dinheiro para comprar peças de substituição adequadas."

Em entrevistas, Almeida e outros parentes de vítimas, os quais pediram para não ser identificados porque muitos ainda trabalham no programa espacial e temem perder seus empregos, disseram que as vítimas haviam reclamado terem recebido choques elétricos ao tocarem o foguete. Alguns também se lembram de terem falado ao telefone celular com as vítimas quando estas estavam na plataforma de lançamento, o que aparentemente transgride as regras de segurança.

As autoridades da Força Aérea não responderam aos pedidos de entrevistas com os encarregados do programa de foguetes, e o sigilo em volta do programa tem ajudado a manter tais problemas fora do alcance do público.

"O assunto está sendo exaustivamente estudado pelas comissões a cargo de investigar a ocorrência, então seria inoportuno fazer qualquer declaração a respeito dos eventos", disse a Força Aérea em um comunicado aos repórteres em setembro.

Os críticos desta investigação dizem que a comissão nomeada pelo governo inclui membros das mesmas agências que administram o programa espacial, e expressaram preocupação quanto a um conflito de interesses.

"Quando há um acidente de avião, não se nomeia o piloto da aeronave para o conselho de investigação do acidente", diz Jayme Boscov, diretor do programa de foguetes de 1980 a 1992.

Em uma entrevista em Brasília, Roberto Amaral, ministro da Ciência e Tecnologia do governo com viés de esquerda que assumiu o poder em janeiro de 2003, taxou estas preocupações de "ridículas".

Representantes do programa de foguetes integram a comissão em parte porque o Brasil não conta com uma abundância de especialistas, disse ele. Porém, "estas pessoas são competentes e têm nossa inteira confiança". Os parentes das vítimas disseram que pressionaram por um inquérito independente e expressaram seu medo de que o relatório da comissão fosse abafar o caso e transferir a responsabilidade dos administradores às vítimas.

"Os mortos não podem se defender, então é mais fácil culpá-los pela catástrofe", diz Almeida, que acusou a Força Aérea de ocultar informações vitais. "Há interesses demais em jogo para a verdade ser dita, especialmente em uma comissão como esta."

Desde o desastre, aumentam os pedidos para que o programa de foguetes seja tirado do controle militar e passado para o civil. Antigos e atuais funcionários dizem que a cultura militar, que valoriza a hierarquia e o sigilo, debilita a investigação livre e irrestrita necessária ao florescimento da pesquisa científica.

"O modelo adotado para o programa espacial ainda está subordinado a um alto grau de controle militar, e este sistema não tem permitido o desenvolvimento almejado", diz Ennio Candotti, presidente da Sociedade Brasileira para o Progresso da Ciência.

Ele e outros apontam o sucesso relativo do programa de satélites como um caminho em direção a um programa espacial mais produtivo e mais lucrativo para o Brasil no futuro.

Além de colocar satélites de comunicação no espaço, o Brasil também já lançou dois satélites multiuso em parceria com a China. Em outubro os dois países assinaram um acordo para lançar mais dois. Esses dois satélites deverão ter órbitas polares, o que permitirá ao Brasil e à China monitorar mais detalhadamente grande parte do hemisfério ocidental.

Para o Brasil, isto significa mais informações em relação às colheitas de seus maiores concorrentes agrícolas, incluindo os Estados Unidos. Outros satélites são usados para monitorar o desflorestamento amazônico e as atividades pesqueiras marítimas. Pode ser que haja também aplicações militares e de coleta de informações para serviços de inteligência, embora o Brasil afirme que seus esforços são exclusivamente para fins pacíficos. A posição da China é ambígua.

"O nosso país tem 8 milhões e meio de quilômetros quadrados, com um dos litorais mais longos do mundo e extensas fronteiras terrestres", disse Amaral, ministro da Ciência e Tecnologia. "Precisamos conhecer melhor o nosso território e as fronteiras e também sermos capazes de programar nossas colheitas."

[Amaral renunciou em meados de janeiro, e seu sucessor, Eduardo Campos, tem posse programada para antes do final do mês. A renúncia não teve relação direta com os problemas do programa espacial.]

Dizem os especialistas que tirar o controle da mão dos militares poderá também abrir o programa espacial brasileiro para uma maior cooperação internacional. Até o momento, os Estados Unidos têm bloqueado repetidamente os esforços brasileiros de adquirir certas tecnologias, e de acordo com autoridades envolvidas no programa brasileiro, têm pressionado seus aliados a fazer o mesmo.

"Isto não é segredo", diz Luiz Bevilacqua, diretor da Agência Espacial Brasileira, em uma entrevista em Brasília. "Eles dizem isso abertamente, e têm suas razões. Eles não querem que um foguete vá cair nas mãos de terroristas."

O bloqueio tecnológico fez o país se valer de jogadas elaboradas, como a aproximação discreta entre a Força Aérea Brasileira e os cientistas russos, após a queda da União Soviética em 1989.

Vários especialistas russos foram trazidos ao Brasil para ensinar em universidades ou para assessorar o programa espacial, uma cooperação que continua ainda hoje. Além disso, nos meados da década de 90, em diversas ocasiões a Força Aérea adquiriu componentes essenciais para foguetes na Rússia e os despachou clandestinamente para o Brasil.

Em um destes casos, no final de 1994, o equipamento russo foi escondido em um carregamento de óculos de visão noturna, e depois secretamente trazido até aqui a bordo de um avião da Força Aérea Brasileira, de acordo com três pessoas com conhecimento direto da transação.

O ministro da Defesa, José Viegas, diz em entrevista que estava "interessado em retomar as negociações" com os Estados Unidos a respeito de um acordo para permitir às empresas norte-americanas o uso da base de Alcântara, destruída em agosto, para lançar satélites.

Em outubro, o Brasil assinou um acordo semelhante que permite à Ucrânia usar a base para lançar satélites acoplados aos seus foguetes Cyclone. Porém, o acordo requer que o Brasil invista 80 milhões de dólares nos próximos quatro anos na reconstrução da base e em infra-estrutura.

Se tudo der certo, as autoridades brasileiras dizem que há até mesmo a chance de uso de um foguete conjunto brasileiro e ucraniano para lançar o quarto satélite sino-brasileiro. Isto economizaria o dinheiro que de outra forma o Brasil teria que gastar para lançar seus satélites em foguetes feitos por outros países, e ajudaria a recuperar o prestígio do programa espacial.

"Estamos decididos a persistir", diz Viegas, o ministro da Defesa. Perguntado de onde viria o dinheiro, ele encolheu os ombros. "Bem, o problema é esse", diz.

Rastreando a venda de um rim por um caminho de pobreza e esperança em um mercado negro global*

Data: 23 de maio de 2004

RECIFE (PE) — Quando Alberty José da Silva descobriu que se vendesse seu rim poderia ganhar dinheiro, muito dinheiro, achou que esta seria a oportunidade de sua vida. Era exatamente o que isto também significava para uma mulher de 48 anos do Brooklyn, em Nova York, desesperadamente enferma, e cujos médicos a haviam aconselhado conseguir um rim de qualquer maneira.

Silva, hoje com 38 anos, é um dos 23 filhos de uma prostituta, e mora em uma favela próxima ao aeroporto daqui, em um barraco frágil de dois cômodos que divide com uma irmã e mais nove pessoas. "Quando eu era criança, eu me lembro de sete de nós dividindo um ovo, ou passando muitos dias só comendo um pouco de farofa com sal", diz Silva em uma entrevista em sua casa.

Da sua mãe, lembra-se de que era uma mulher que "vendia seu corpo" para sobreviver. No ano passado, ele decidiu fazer o mesmo. Agora, uma grande cicatriz na lateral do abdome marca o local onde um rim e uma costela foram retirados, em troca de 6 mil dólares, pagos por intermediários de uma quadrilha internacional de tráfico de órgãos.

A notícia de um mercado de compra e venda de órgãos se espalhou rapidamente entre pobres como Silva e outros que se mudaram para as favelas locais, vindos do sertão calcinado do Nordeste brasileiro. Alguns que venderam órgãos já estão comprando casas, carros, refrigeradores e abrindo negócios.

As quantias oferecidas parecem uma fortuna, pois o salário mínimo pago aqui mal chega a oitenta dólares, e é difícil encontrar trabalho. Muitos homens lutam para sobreviver fazendo bicos que pagam pouco mais de um dólar por dia. Quando este comércio teve início, os corretores de órgãos pagavam até 10 mil dólares por um rim, ou seja, mais de dez anos de salários.

Os doadores e os receptores não eram aparentados, o que contraria a preferência usual prevista por razões médicas e legais. Na verdade, eles nem mesmo se conheciam. Porém, eram ligados por uma quadrilha de tráfico de órgãos que, segundo dizem agora as autoridades, explorava dois tipos diferentes de necessidades — a de dinheiro e a de vida — nos extremos opostos de uma cadeia emaranhada que se estende por milhares de quilômetros.

Seguir a pista do rim de Silva por esta cadeia, que passou por quatro continentes e teve fim em um apartamento de um dormitório do Brooklyn, revela o funcionamento interno de uma rede que os grupos ativistas dos direitos humanos afirmam não ser única. Ao contrário, dizem eles, é apenas um exemplo de um mercado negro global de órgãos, que inclui fígados, rins e pulmões, e que afeta dezenas de países e gera milhões de dólares ao ano.

No caso de Alberty da Silva, as autoridades locais dizem que a odisséia do órgão começou com dois intermediários residentes nesta cidade portuária agitada de um milhão e meio de habitantes: Gedalya Tauber, ex-policial israelense, e seu parceiro Ivan Bonifácio da Silva, policial militar brasileiro aposentado.

Os dois, atualmente presos sob a acusação de tráfico de órgãos, não apenas faziam os pagamentos em dinheiro, como também providenciavam os exames médicos para descartar doadores incompatíveis. Após os exames, conseguiam passaportes e passagens aéreas para os doadores irem à África do Sul, onde os transplantes eram feitos. Tanto o Brasil quanto a África do Sul têm leis contra o comércio de órgãos.

"Seis mil paus é muito dinheiro, especialmente quando você não tem nada", diz Silva, quando perguntado sobre por que doara seu rim. "Ninguém nos avisou que o que estávamos fazendo era ilegal."

A norte-americana que recebeu o rim de Silva se preocupou inicialmente sobre se o que estava fazendo era ilegal. Ela se descreve como uma pessoa profundamente religiosa e preocupada com a questão ética dos transplantes.

Porém, durante uma entrevista em abril, se lembrou também dos longos anos de sofrimento que a levaram a correr o risco de procurar um órgão no mercado internacional. A decisão de viajar para o exterior para conseguir um rim não foi fácil, mas era necessária, disse ela em seu apartamento no terceiro andar de um prédio sem elevadores.

"Fiz hemodiálise por 15 anos, e fiquei em duas listas de espera de transplantes por sete anos", diz a mulher, que pediu para não ser identificada, por medo de perder sua pensão, vital para a manutenção da saúde de seu órgão transplantado. "Não estava acontecendo nada, e a minha saúde estava ficando cada vez pior." Por último, diz ela, "meus médicos me disseram para conseguir um rim de qualquer maneira" ou esperar a morte.

Ela levou o alerta a sério. Os anos de hemodiálise a deixaram com um coração enfraquecido e problemas pulmonares, e também sofria de osteoporose grave. "Vi morrer quatro senhoras que eu conhecia" enquanto elas esperavam por doadores de rins, diz ela.

Mais de 3.300 norte-americanos morreram no ano passado à espera de transplantes de rins, e a mulher do Brooklyn era uma entre as 85 mil pessoas nas listas de espera dos Estados Unidos, dentre as quais 60 mil necessitavam de um rim. A espera dura em média cinco anos, segundo a United Network for Organ Sharing, uma agência sem fins lucrativos informativa e reguladora dos centros de transplantes, situada em Richmond, no estado de Virgínia.

Nos Estados Unidos, é ilegal pagar a um doador por um órgão. Porém, Nancy Scheper-Hughes, da Organs Watch, um grupo ativista dos direitos humanos de Berkeley, na Califórnia, que há muito acompanha o comércio ilegal de órgãos e denuncia os abusos, diz que ainda acontecem irregularidades.

"Fazer publicidade do turismo de transplantes na internet é uma prática comum de muitas clínicas grandes, por isso estamos implicados nisso até o pescoço", disse Scheper-Hughes. Ela afirma que os médicos de transplante desenvolveram uma política de "boca e ouvidos fechados".

No caso da mulher do Brooklyn, seu marido tinha parentes em Israel que ouviram falar de uma organização que intermediava transplantes, e entraram em contato com eles. A mulher e seu marido disseram que os parentes e os corretores garantiram que a operação no estrangeiro seria totalmente legal.

"Eu estava me sentindo impotente porque ela ia morrer", disse o marido da norte-americana, ele também com uma saúde tão frágil que recebe pensão por invalidez. "Ajudá-la a conseguir um rim foi a melhor coisa que eu fiz por outro ser humano em toda a minha vida."

Segundo as autoridades, a organização que planejou o transplante da norte-americana também providenciou as substituições de rins de pelo menos cem israelenses. Dizem as autoridades que a organização era dirigida por Ilan Peri, corretor de órgãos israelense de 52 anos.

"Ele é o 'chefão', a pessoa que começou toda a coisa", disse em entrevista em Durban, África do Sul, Johan Wessels, investigador forense que trabalha para a Secretaria de Saúde da província de KwaZulu-Natal e tem acesso aos arquivos do hospital local.

Peri trabalha em um subúrbio de Tel Aviv através de uma empresa chamada TechCom. Em Israel, está sob acusação de evasão fiscal, declaração indevida de cerca de 4 milhões de dólares, os quais dizem ter ganho como corretor de órgãos. Ele também está sendo investigado sob suspeita de ter superfaturado as notas que enviou aos planos de saúde israelenses.

Quando contatado por telefone em Tel Aviv para comentário referente às acusações, Peri afirmou: "Nunca estive envolvido com transplantes de rins. Você está falando com o cara errado." Logo depois ele desligou o telefone, mas não sem antes fazer um acréscimo à sua declaração, dizendo: "Eu já não tenho mais nenhum envolvimento nisso, por isso não posso te ajudar."

Em meados da década de 1990, muitos dos corretores de órgãos israelenses levavam seus pacientes à Turquia. Eles viajavam com equipes de cirurgiões israelenses e contavam com doadores da Moldávia, da Romênia e da Rússia. Porém, depois que alguns pacientes morreram e a doutora Scheper-Hughes e a imprensa turca e européia levantaram questões éticas, foram forçados a procurar outros locais.

Tanto pelo nível médico quanto pelos custos baixos, a África do Sul revelou-se uma alternativa lógica.

Foi para a África do Sul, segundo as autoridades, que o bando de Peri levou Silva e a mulher que posteriormente receberia seu rim.

Embora a motivação inicial de Silva para vender seu rim fosse econômica, ele disse que também chegou a se comover com a oportunidade de ajudar um desconhecido. Afirmou que a mudança aconteceu depois de chegar à África do Sul, sua primeira viagem para o exterior, a qual via como uma aventura que lhe permitiria ver leões, girafas e elefantes.

Em vez disso, após dez horas de vôo em agosto passado, Silva se viu em Durban, um balneário de 1,4 milhão de habitantes no oceano Índico, de onde foi levado para um esconderijo. Depois, no Hospital Saint Augustine, se encontrou com a norte-americana e ficou sabendo de seu longo sofrimento.

"É difícil imaginar como se sente uma pessoa quando alguém da família vai morrer, por isso eu não condeno ninguém por tentar qualquer coisa para conseguir um rim novo", diz Silva.

Ele diz também que fez amizade com os atendentes e com uma enfermeira chamada Mama Tchuka. Silva contou que os funcionários do hospital faziam brincadeiras abertamente sobre a natureza ilegal dos transplantes e sobre o fato de ele e a mulher receptora de seu rim serem de etnias diferentes e não falarem a mesma língua.

"Eu só percebi que alguma coisa estava errada quando cheguei à África do Sul e me disseram para assinar um documento que dizia que a receptora do meu rim era minha prima", diz Silva. "Mas já era tarde demais para voltar atrás."

Em entrevistas, Silva e vários outros brasileiros que doaram órgãos disseram que foram bem tratados na África do Sul. Contudo, os investigadores afirmam que os doadores não tiveram o mesmo nível de tratamento dos israelenses receptores dos órgãos.

Os israelenses, por exemplo, assim como a norte-americana, foram acomodados em hotéis de frente para o mar antes da operação, e depois foram mantidos sob observação permanente, além de receber documentos detalhados a serem entregues aos seus médicos quando voltassem para casa. Os doadores, ao contrário, foram monitorados "por no máximo três dias", segundo afirma Wessels, o investigador sul-africano. Durante parte deste tempo, não ficaram nem mesmo no hospital, mas no esconderijo que a organização alugou.

"Depois eram colocados em um avião sem mais cerimônias", diz ele.

Atualmente, Silva trabalha 44 horas por semana como segurança, mas ainda ganha menos que 175 dólares por mês, dinheiro que é a única fonte de sustento para as dez pessoas com quem mora. Ele correu o risco de perder até mesmo esta renda, quando juntamente com outros doadores de rins, foi detido e preso por um breve período no começo do ano, sob a suspeita de violação das leis brasileiras contra o comércio de órgãos humanos. Ele e mais de vinte outros doadores ainda respondem a processos criminais.

Nos 18 meses anteriores a novembro último, quando as autoridades desbarataram a quadrilha, havia tantos moradores das favelas de Recife oferecendo rins que os intermediários passaram a oferecer apenas 3 mil dólares por um rim sadio.

No total, a polícia brasileira calcula que cerca de cem homens, quase todos pobres ou desempregados, com idades entre 20 e 40 anos, concordaram em vender seus rins. Embora alguns tenham sido posteriormente rejeitados por causa do tipo sangüíneo incomum, saúde frágil ou sinais de uso de drogas, acredita-se que mais de sessenta homens viajaram daqui para a África do Sul.

De fato, Recife e suas favelas se tornaram uma fonte tão abundante de órgãos que os investigadores brasileiros crêem que, no final de 2003, os corretores israelenses, em uma tentativa de aumentar seus ganhos ainda mais, estavam considerando a possibilidade de transferir suas operações para hospitais locais e de outras cidades vizinhas.

Como a pobreza oferece uma fonte inesgotável de voluntários, as autoridades locais afirmam que a quadrilha havia começado também a pesquisar a possibilidade de compra de outros órgãos vitais, como pulmões, fígados e córneas.

"Mesmo depois de toda esta confusão, eu faria de novo", diz Orley de Santana, trabalhador de 26 anos. Ele viajou à África do Sul, mas não conseguiu vender seu rim por 6 mil dólares porque a polícia desbaratou a quadrilha. "Para não ter que roubar ou matar, achei melhor vender meu rim."

Entre os homens que doaram um rim, alguns alegam ter tido problemas de saúde sobre os quais ninguém os alertou.

"Para mim, as complicações começaram quase imediatamente", diz José Carlos da Conceição da Silva, de 24 anos, que trabalha como carregador de produtos agrícolas. Ele afirma que precisou de uma segunda operação no pulmão, na África do Sul, três dias após seu rim ser retirado. Ele disse que desde que voltou ao Brasil sua saúde tem piorado.

"Estou sempre cansado e não consigo levantar nada pesado, mas é isso que tenho de fazer se quiser que as pessoas me contratem", afirma. "Minha pressão arterial sobe e desce, e sinto dor e dormência na parte onde está a cicatriz da operação."

Porém, algo ainda bem pior foi o que aconteceu com ele depois de voar de volta ao Brasil. Silva, que não é parente de Alberty da Silva, conta que roubaram quase todos os 6 mil dólares pagos por seu rim quando foi a São Paulo durante uma escala do vôo para sua casa. "Eu roguei e implorei para eles não levarem o dinheiro, disse que eu tinha vendido meu rim no exterior e mostrei minha cicatriz para eles", recorda-se ele, quase em prantos.

Um outro doador, Rogério Bezerra da Silva, não aparentado dos outros, também perdeu seu rim e seu dinheiro, confiscado pelas autoridades sul-africanas após o bando ser descoberto no final do ano passado. Hoje em dia, é objeto de zombaria na favela onde mora.

Alberty da Silva conta que, às vezes, mostra as fotografias de sua viagem à África do Sul para as crianças da vizinhança. Durante a entrevista, ele as mostrou também para este repórter, incluindo algumas dele em Durban com a receptora de seu rim. Ele também mostrou uma carta escrita por ela, na qual agradece a ele pelo "presente da vida".

A norte-americana continua a se corresponder com Silva, e embora não seja uma pessoa rica, diz que pretende enviar dinheiro a ele todos os anos, no Natal e em seu aniversário. "Eles nunca te deixam ver o doador", diz ela a respeito dos traficantes. "Mas eu insisti para que nos conhecêssemos porque eu sei que ele agora é parte do meu ser. Eu tenho uma parte dele dentro de mim, então quem não iria querer este laço?"

---

* Versão reduzida da reportagem.

Segredos nucleares: se o Brasil quer assustar o mundo, está conseguindo

Data: 31 de outubro de 2004

RIO DE JANEIRO (RJ) — Por todo o mundo e há muito tempo, a imagem que se tem do Brasil é a da terra do futebol e do samba, habitada por um povo tranqüilo e cordial. Então por que será que o país engalfinhou-se em uma disputa com a Agência Internacional de Energia Atômica, sendo acusado por norte-americanos e outros especialistas nucleares de ser um desrespeitador de tratados sobre energia nuclear, cujas ações ajudaram países suspeitos como a Coréia do Norte e o Irã?

Desde quando passou a cumprir as determinações do Tratado de Não-Proliferação de Armas Nucleares, em 1997, o Brasil resiste em conceder acesso total aos inspetores internacionais a uma usina de entrada extremamente restrita de enriquecimento de urânio, a 160 quilômetros daqui. Neste mês, a revista *Science* aprofundou a controvérsia com um artigo dizendo que a usina garantirá ao Brasil uma capacidade avançada de produzir material fissionável para seis ogivas nucleares por ano, uma alegação que o governo do Brasil refutou como fantasiosa.

Embora a ditadura militar que comandou o país até 1985 tenha tido um programa de armas nucleares clandestino, ninguém está dizendo que o Brasil está tentando construir uma bomba atômica hoje. Na verdade, a preocupação é quanto à possibilidade de se exportar tecnologia ou urânio enriquecido, e que tais exportações possam parar nas mãos de países suspeitos ou de terroristas. Especialistas internacionais se preocupam com os controles de exportação do Brasil e com sua história. Na década de 80, o país enviou secretamente urânio e assistência técnica ao Iraque.

Para os estrangeiros, a resistência do Brasil às inspeções não faz sentido. O mundo está inundado de urânio processado, o programa nuclear daqui já consumiu mais de um bilhão de dólares, que poderia ter sido usado para sanar a ampla pobreza, e o sigilo do Brasil somente aumentou as suspeitas sobre sua confiabilidade e reais intenções.

"Eu não entendo como isso possa ser uma das maiores ambições deles", afirma James Goodby, negociador-chefe da administração Clinton para assuntos de proliferação nuclear. "Eles não se preocupam nem ao menos com o que o resto da América Latina pensa disso, especialmente a Argentina?"

Entre os brasileiros, contudo, a autoconfiança perseverante do governo, como o próprio programa nuclear, se provou muito popular. Apesar de um embaixador americano ter certa vez descrito o Brasil como um boxeador que "luta numa categoria abaixo da sua", a questão nuclear parece ter despertado a combatividade latente, e também as inseguranças.

Na década de 1950, o dramaturgo Nelson Rodrigues enxergava em seus compatriotas um senso de inferioridade que os afligia, e em seus escritos cunhou a expressão que os brasileiros hoje usam para descrevê-lo: "o complexo de vira-lata". O Brasil sempre desejou ser levado a sério como uma potência mundial pelos pesos pesados, e dói nos brasileiros saber que os líderes mundiais possam confundir seu país com a Bolívia, como fez certa vez Ronald Reagan; ou fazer pouco de uma nação tão grande — o país tem 180 milhões de pessoas — como "um país que não é sério", como fez Charles de Gaulle.

Coincidência ou não, o governo de Luiz Inácio Lula da Silva lançou uma campanha publicitária para elevar a auto-estima nacional ao mesmo tempo em que mantém firme sua posição na questão nuclear. Ele também intensificou a campanha brasileira por um assento permanente no Conselho de Segurança das Nações Unidas, levando o jornal *O Estado de S. Paulo* a relatar que o Brasil quer usar sua destreza nuclear para elevar seu perfil em assuntos mundiais.

"O que estamos vendo são as mesmas idéias de um nacionalismo exagerado que já tivemos muitas vezes por aqui, a crença de que nós seremos uma grande potência, e tudo o mais", afirma José Goldemberg, físico que, quando ministro da Ciência e Tecnologia no início da década de 1990, forçou o fim do programa secreto de armas nucleares dos militares brasileiros. Esta convicção firmemente enraizada, acrescenta ele, "leva a uma resposta desproporcional" e o que ele chamou de "atitude chauvinista segundo a qual ninguém pode entrar aqui".

A resistência às inspeções também pode estar ligada a uma crença generalizada no país de que uma conspiração internacional é a única coisa que impede o Brasil de se tornar uma grande potência. Uma vasta literatura sobre o assunto levou alguns brasileiros a argumentar que a Agência Internacional de Energia Atômica, apesar de seu histórico de imparcialidade, tem a intenção de roubar do Brasil um valioso segredo tecnológico.

"Por que os brasileiros escondem as armações e os rotores de suas centrífugas?", especula Henry Sokolski, ex-membro do Departamento de Defesa e hoje diretor executivo do Centro de Educação para Política de Não-Proliferação, sediado em Washington. "O motivo declarado deles, a idéia de que não se pode confiar na AIEA, é incrivelmente ofensiva e absolutamente doidona."

Não obstante toda a preocupação do Brasil em ser considerado um peso leve, o país já realizou alguns feitos tecnológicos e científicos notáveis. A Embraer é a terceira maior fabricante de aeronaves do mundo, um consórcio universitário em São Paulo se tornou um dos principais centros em pesquisa genômica do planeta e pesquisadores agrícolas desenvolveram variedades novas e impressionantes de culturas.

Porém, para um país tão faminto de respeito, isso não é suficiente. A usina de enriquecimento de urânio em Resende tem sido vendida ao público como um triunfo da "tecnologia 100% brasileira", nas palavras de Eduardo Campos, ministro da Ciência e Tecnologia.

Especialistas estrangeiros afirmam que essa alegação não é verdadeira. No passado, o Brasil fez declarações similares sobre seu programa espacial, tentando esconder o papel de tecnologias francesa e russa obtidas por meio de programas de intercâmbio ou no mercado negro internacional.

"Há assistência estrangeira, e eles engenhosamente enganam as pessoas ou distorcem os fatos de tal forma a parecer que tudo foi feito no Brasil", diz David Albright, físico e ex-inspetor de armas nucleares que é presidente do Instituto de Ciência e Segurança Internacional. "Sabemos que os alemães os ajudaram a fabricar um dos primeiros modelos de centrífuga, e acreditamos que os alemães forneceram a eles a tecnologia de como trabalhar com as centrífugas de fibra de carbono."

Dúvidas também foram levantadas quanto ao grau de inovação do processo de centrifugação do Brasil. Essas dúvidas se concentram em um tipo de bobina magnética que supostamente torna as centrífugas brasileiras mais eficientes e duráveis do que as de outros países. Em relação a isso, o governo insiste em bloquear o acesso aos inspetores.

Porém, "essas alegações de uma necessidade de proteção de segredos industriais são exageradas, já que essa tecnologia é usada rotineiramente em outras aplicações em outras partes do mundo", diz Goldemberg. "O que está em jogo aqui é o orgulho nacional, mas eu não sei se vale a pena levantar a suspeita do resto do mundo em função disso."

A situação é complicada pelo aparente desejo do Brasil em lidar com o mundo externo sob os princípios que rotineiramente governam as relações aqui. Colocado de maneira mais simples, o Brasil está argumentando que merece uma isenção da inspeção geral do tipo "deixa passar", só porque os brasileiros são um povo amistoso, ao contrário dos malvistos norte-coreanos e iranianos.

A sociedade brasileira funciona na base do que chamam aqui de "jeitinho", um conceito segundo o qual todas as leis e normas oficiais podem ser contornadas se a pessoa for suficientemente astuta ou charmosa. Depois que os inspetores finalmente obtiveram acesso parcial à usina de Resende neste mês, previu-se que o jeitinho iria prevalecer sobre o impasse. É muito provável que isso ocorra. Mesmo assim, os especialistas estrangeiros esperam outro confronto no tocante às inspeções nos próximos anos, dessa vez envolvendo a campanha de décadas da Marinha para construir um submarino nuclear.

"Os submarinos não estão sujeitos ao regime de salvaguardas, é assim que vejo as coisas", diz Roberto Abdenur, que se tornou embaixador do Brasil nos Estados Unidos no início deste ano depois de ter sido representante do país na Agência Internacional de Energia Atômica. "O Brasil sempre irá respeitar as suas obrigações; porém, como qualquer outro Estado-membro, nós também insistimos em nosso direito de proteger nossos segredos tecnológicos."

A América do Sul pretende encher a mesa do mundo de comida

Data: 12 de dezembro de 2004

LUCAS DO RIO VERDE (MT) — Quase da noite para o dia, a América do Sul conduziu uma mudança global histórica na indústria alimentícia, transformando o coração do continente, em grande parte inexplorado, no novo celeiro do mundo.

Um dos últimos lugares no planeta onde ainda se encontram vastas extensões de terra disponíveis para a agricultura, a região, liderada pelo Brasil, foi palco de uma explosão de exportações de produtos agrícolas na última década. O crescimento foi impulsionado por uma combinação de políticas econômicas pró-mercado e avanços na agronomia que tornaram produtivas terras tropicais anteriormente inutilizáveis e elevaram os níveis de produtividade acima dos da Europa e dos Estados Unidos, pondo em xeque o tradicional domínio destes no mercado agrícola global.

Em algum momento dos próximos dez a 12 anos, o Brasil, que o secretário de Estado Colin Powell descreveu como "uma superpotência agrícola" durante sua visita em outubro, espera passar os Estados Unidos como o maior produtor agrícola do mundo. Porém, este movimento é bem mais amplo, e pode ser observado também em partes da Argentina, da Bolívia, do Paraguai e do Uruguai, e tem um impacto profundo na economia e no meio ambiente da região. Também instigou um debate direcionado principalmente à expansão em áreas onde se acredita que a Floresta Amazônica esteja ameaçada.

"Há uma revolução silenciosa em andamento no campo" desde a década de 1990, diz o ministro brasileiro da Agricultura, Roberto Rodrigues, em uma entrevista em Brasília. Os últimos quatro ou cinco anos, diz ele, têm sido particularmente "caracterizados por um crescimento espetacular e por um enorme aumento na demanda" do exterior por alimentos, o que tem dado ao Brasil "a capacidade para competir com qualquer um".

O efeito global tem sido poderoso. Em junho, os Estados Unidos importaram mais produtos agrícolas do que venderam para o exterior, uma evidência de sua posição de declínio. Atenta a este desafio, a Federação do Departamento de Agricultura de Iowa chegou até mesmo a fazer para seus associados uma apresentação em Power Point chamada "Should Brazil Give You Heartburn?" ("Será que o Brasil vai te dar indigestão?"). A resposta é um "sim" com algumas poucas ressalvas.

A concorrência é personificada por produtores como Otaviano Pivetta, de 45 anos, e Helmute Lawisch, de 39. Há menos de vinte anos, os dois amigos deixaram suas casas no estado mais ao sul do Brasil e se revezaram ao volante numa viagem de 2.400 quilômetros por estradas esburacadas, tendo como objetivo conseguir uma porção de terra nesta região do Mato Grosso, então selva em sua maior parte, e que contava com pouca eletricidade, ou quase nada de saneamento básico ou outros serviços públicos.

Em retrospecto, vê-se claramente que eles estavam na vanguarda de uma transformação fundamental na agricultura global. Atualmente, as terras cultivadas se estendem até o horizonte. Com um clima que pouco varia durante o ano, não é raro se ter duas ou mesmo três colheitas no período, e se ver as colheitadeiras limpando os campos enquanto atrás delas os plantadores semeiam outros grãos.

Os dois homens estão agora entre os produtores mais bem-sucedidos da região, e Pivetta já se elegeu prefeito de Lucas do Rio Verde em duas ocasiões. Atualmente, cada um deles cultiva mais de 40 mil hectares, e enviam soja, algodão e carne de porco para mercados distantes como a China, a Rússia e o Paquistão. Com o fim da estação de plantio da primavera no hemisfério sul, os dois fazendeiros e legiões de outros como eles no estado do Mato Grosso estão na expectativa de mais um ano de colheitas fartas.

"Com o clima fantástico e o solo fértil que temos aqui, não consigo imaginar nenhum outro lugar tão produtivo quanto o nosso", diz Pivetta, cuja família hoje administra meia dúzia de fazendas no estado. "Nem no Brasil nem em nenhum outro lugar se tem uma colheita de mais de 7 toneladas por hectare."

A agricultura é hoje um negócio que rende ao Brasil 150 bilhões de dólares por ano. Representa mais de 40% das exportações do país, criando o que os brasileiros chamam de "âncora verde" de sua economia.

O Brasil já é o maior exportador mundial de frango, suco de laranja, açúcar, café e tabaco, de acordo com as estatísticas do Ministério da Agricultura, e espera dentro em breve acrescentar a soja à lista, dependendo do que acontecer neste mercado volátil.

Com o maior rebanho, de 175 milhões de cabeças de gado criado a pasto, ultrapassou os Estados Unidos como o maior produtor mundial de carne bovina no ano passado. Durante os primeiros nove meses de 2004, as vendas de carne bovina do Brasil para o exterior subiram 77% em relação ao mesmo período no ano anterior, o que levou o governo a estimar em 2,5 bilhões de dólares os ganhos com exportações de carne bovina para este ano.

No geral, a bonança agrícola, auxiliada em grande parte pela doença da vaca louca na Europa e pela gripe aviária na Ásia, provavelmente dará ao Brasil um superávit comercial recorde de mais de 30 bilhões de dólares.

As vantagens brasileiras começam com a disponibilidade de grandes porções de terra barata, especialmente aqui nesta região de savana tropical bem drenada conhecida como cerrado. Maior que o Cinturão dos Grãos americano, cuja extensão vai de Ohio a Nebraska e de Missouri a Dakota do Norte, mas rejeitado como inútil para o plantio até cerca de um quarto de século atrás, o cerrado atravessa o coração do Brasil. Sua vastidão permite economias de escala que provocam inveja em produtores de outros lugares.

"O que está de fato impulsionando esta revolução é que os brasileiros descobriram como usar os solos tropicais e de savanas que sempre foram considerados pobres", diz G. Edward Schuh, diretor do Centro de Economia Política Internacional da Universidade de Minnesota. "Eles aprenderam que com modestas aplicações de fósforo e cal podem quadruplicar ou quintuplicar suas produções, não apenas de soja, mas também de milho, algodão e outras culturas."

A descoberta de como enriquecer o solo e torná-lo altamente produtivo se deu pela pesquisa da Empresa Brasileira de Pesquisa Agropecuária, uma agência do governo conhecida pela sigla Embrapa. Os maiores sucessos da agência, entretanto, têm sido em relação ao desenvolvimento de culturas modificadas para cultivo nestes solos alterados.

Até recentemente, por exemplo, não se acreditava que a soja pudesse crescer em solos e climas tropicais. Mas pesquisadores da Embrapa e outros institutos estatais e privados semelhantes desenvolveram mais de quarenta variedades de soja adaptadas especialmente para o cerrado. A soja hoje responde por quase metade das exportações agrícolas do Brasil e é a maior cultura da região.

Os pesquisadores da Embrapa também desenvolveram raças de gado para os trópicos, usando uma variedade originária da Índia, assim como um "porco tropical" com menos gordura e colesterol do que seus pares norte-americanos, e com mais produção de presunto e lombo. Talvez mais surpreendente ainda seja o fato de os brasileiros estarem também trabalhando com variedades de trigo tropical.

"Uma das maiores razões pelas quais acreditamos que o Brasil tem grandes chances de prosperar ainda mais é o fato de que eles têm uma fundamentação científica muito sólida", diz Daniel Lederman, economista do Banco Mundial especialista em agricultura. "O conceito de tecnologia tropical é muito atraente, e nós estamos aprendendo muito com nossos estudos da Embrapa, que está na vanguarda da pesquisa agrícola aplicada."

As mudanças nas políticas econômicas também impulsionaram o surto de progresso. No começo da década de 1990, por exemplo, o Brasil suspendeu restrições duradouras às importações, o que levou a um aumento rápido das compras de tratores, colheitadeiras, fertilizantes, pesticidas e sementes.

Um salto nas exportações veio em 1999, quando o governo desvalorizou a moeda e permitiu que o real, até então cotado quase ao par com o dólar, flutuasse no mercado de câmbio. Hoje em dia, o real é cotado a três por dólar, o que significa que as rendas dos produtores agrícolas quase triplicaram.

A bonança brasileira foi saudada efusivamente pelas principais empresas de comércio agrícola internacionais, as quais logo trataram de tirar proveito das novas oportunidades. Nesta cidade de 30 mil habitantes, as empresas Archer Daniels Midland, Bunge e Cargill não só construíram enormes armazéns e silos ao longo da estrada principal, como também forneceram créditos bem acima dos recursos do governo brasileiro.

"É um bom negócio para eles, mas temos que admitir que devemos muito às empresas mercantis internacionais", diz Lawisch, cuja família, de modestos empresários de seu estado natal, Rio Grande do Sul, mudou-se para cá. "Quando precisávamos deles, eles nos apoiavam, e agora que estamos progredindo, nossa relação comercial continua a expandir a cada ano que passa."

Para barrar os avanços da América do Sul, os Estados Unidos e a Europa aumentaram os subsídios dos seus fazendeiros, que estão em apuros. Porém, em um par de decisões históricas, a Organização Mundial do Comércio determinou que tais subsídios para o algodão e para o açúcar são ilegais e devem ser suspensos.

A administração de Bush está apelando da decisão sobre o algodão, mas a expectativa maior é de derrota, e muitos economistas dizem que o princípio pode ser aplicado para outras culturas.

Tudo isso claramente terá um impacto crescente na agricultura nos Estados Unidos. Especialistas dizem que algumas áreas que não são páreo para competir com a América do Sul terão que trocar de cultura, ao passo que outros sofrerão pressão para sair de vez do ramo da agricultura.

Alguns fazendeiros norte-americanos e europeus já o fizeram, e estão começando a comprar fazendas aqui. Wolfgang Hudepohl, um corretor imobiliário de Cuiabá, capital do estado do Mato Grosso, calcula que já vendeu sessenta fazendas a estrangeiros nos últimos anos. "Os estrangeiros não gostam apenas dos preços baixos, eles gostam também dos custos baixos de produção e do fato de não estarem amarrados a regulamentações", diz ele.

Nas margens da fronteira agrícola, em estados como o Maranhão e o Piauí, a centenas de quilômetros daqui, a terra é extraordinariamente barata, chegando a custar no máximo cinqüenta dólares por hectare em algumas das áreas mais remotas. Mas em lugares onde o surto de crescimento está a todo o vapor, como aqui, os preços das terras estão aumentando rapidamente.

"Sete anos atrás, eu comprei 2,5 mil hectares e paguei 125 mil dólares", diz José Luiz Lorenzi, fazendeiro e gerente da agência da John Deere aqui, a mais movimentada do Brasil. "Acabo de receber uma oferta de um milhão e meio pela mesma terra. Mas não vou vender. Quero comprar mais propriedades porque não existe investimento melhor no mundo do que comprar terras no Mato Grosso."

O surto de crescimento imobiliário não tem ocorrido sem tensões sociais e outros custos, particularmente em relação ao meio ambiente, à medida que a expansão da agricultura e das terras para pasto acelera o desflorestamento da Amazônia. O procedimento usual tem sido derrubar a selva para conversão primeiro em campo de pastagem para o gado, e depois em campos para o plantio de soja e outros cultivos, à medida que avançam as fronteiras agrícolas.

Porém, os produtores do cerrado, distante mais de 1.600 quilômetros da costa, se dizem mais preocupados com a falta de estradas, ferrovias e hidrovias confiáveis, o que aumenta o custo do negócio. Esta situação, dizem os agricultores, está melhorando gradualmente, como também a capacidade do Brasil de suportar os altos e baixos dos mercados agrícolas.

Após quase uma década de elevação de preços e lucros recordes, os preços da soja, por exemplo, caíram bruscamente este ano, resultado em grande parte da decisão da China de frear as importações e de cancelar contratos existentes. Lá, um mercado novo e enorme surge para satisfazer a mudança de dieta de uma classe média crescente.

No passado, quando a agricultura brasileira dependia de um único cultivo, isto teria sido na certa um desastre. O Brasil, porém, empreendeu um esforço vitorioso para diversificar as exportações e reduzir sua vulnerabilidade frente a súbitas flutuações de preço de um cultivo único. Na década de 1960, o café era responsável por 60% das exportações brasileiras. Hoje, ocupa o sétimo lugar na lista.

Como resultado, a palavra de ordem de hoje para os produtores agrícolas brasileiros é diversificar ainda mais. "Estamos entrando em uma fase em que não vamos apenas cultivar coisas, mas também processá-las, transformando-as em produtos finais", diz Eledir Pedro Techio, gerente da cooperativa de crédito local e produtor de soja e milho. É evidente que mais ganhos de produção ainda estão por vir, graças à expansão das fronteiras agrícolas e a maiores produções.

Autoridades do governo calculam que mais de 20 milhões de hectares, grande parte deles potencialmente tão férteis quanto a terra cultivada agora, provavelmente começarão a produzir no decorrer da próxima década.

"Aqui não tem como errar", diz Lawisch. "Já somos os campeões de produtividade, mas acho que podemos fazer ainda melhor. Pretendemos alimentar não só o Brasil, mas também o mundo."

Cientistas fazem o cerrado brasileiro florescer

Data: 2 de outubro de 2007

PLANALTINA (DF) — Qualquer indivíduo curioso em saber como o Brasil se tornou o que o ex-secretário de Estado Colin Powell chama de "superpotência agrícola", pronta para suplantar os Estados Unidos como líder mundial em exportação de gêneros alimentícios, faria bem se começasse por aqui, nessa movimentada rede de laboratórios governamentais.

Os laboratórios e campos experimentais extensos são operados pela Embrapa, a agência de pesquisa agrícola e pecuária do Brasil, e se tornaram parada obrigatória para qualquer líder do Terceiro Mundo em visita ao país.

Apesar de pouco conhecida na América do Norte, em três décadas a Embrapa se tornou líder mundial de pesquisa em agricultura tropical, e está avançando agressivamente na direção de áreas como biotecnologia e bioenergia.

"A Embrapa é um modelo, não apenas para o chamado mundo em desenvolvimento, como também para todos os países", diz Mark Cackler, gerente e diretor interino do Departamento de Desenvolvimento Rural e Agrícola do Banco Mundial. "Uma razão-chave para o Brasil estar indo tão bem em sua economia agrícola é que investiu pesada e inteligentemente em pesquisas agrícolas pioneiras, e a Embrapa está na vanguarda desse esforço."

A Embrapa deve muito de sua reputação ao seu trabalho pioneiro aqui no cerrado, a vasta savana brasileira que se estende por mais de 1.600 quilômetros pelo Brasil central. Depreciada como inútil durante séculos, em menos de uma geração a região foi transformada no equivalente brasileiro ao Cinturão dos Grãos americano, graças à descoberta, pelos cientistas da Embrapa, de que os solos podem se tornar férteis ao serem banhados com cal e fósforo.

Quando o Prêmio Mundial de Alimentação anual foi concedido ano passado a dois brasileiros afiliados à Embrapa, a menção chamou a emergência do cerrado de "uma das maiores realizações da ciência agrícola do século XX".

A Embrapa também apoiou o principal cultivo da região ao desenvolver mais de quarenta variedades tropicais de soja, antes considerada um cultivo apenas de zonas temperadas.

"Quando eu estava trabalhando na Índia, no Paquistão e em outros países do Oriente nas décadas de 1960 e 1970, ninguém pensava que esses solos um dia seriam produtivos", diz, em uma entrevista telefônica de Iowa, Norman Borlaug, agrônomo americano que ganhou o Prêmio Nobel da Paz pelo trabalho que rendeu a ele o título de "pai da Revolução Verde". "Mas a Embrapa foi capaz de juntar todas as peças."

Como resultado, o Brasil é hoje o maior exportador mundial de soja e carne bovina, e um exportador em rápida ascensão de algodão, sendo 3/4 dele produzidos aqui no cerrado. Estimulados por esse sucesso, cientistas da Embrapa voltaram suas atenções para o trigo. Hoje em dia, o Brasil importa a maior parte de seu trigo de países vizinhos, de clima temperado.

"Acreditamos que o potencial seja enorme", diz Roberto Teixeira Alves, diretor-geral do centro de pesquisas do cerrado da Embrapa. "Lançamos só no ano passado duas novas variedades de trigo que deram certo, e acreditamos que há uma grande possibilidade de adaptar a cevada a esta região."

O laboratório da Embrapa em Manaus, no coração da Amazônia, também está estudando formas de tornar mais eficiente a apreensão e a retenção de carbono. Os cientistas estão examinando a chamada "terra preta" da Amazônia, pequenas e férteis áreas criadas por tribos indígenas pré-colombianas e que têm concentrações particularmente altas de fósforo.

"Não sabemos por que são assim, mas estamos tentando entender e reproduzir esse fenômeno para podermos nos beneficiar dele agora", diz Wenceslau Teixeira, cientista do solo encarregado do esforço. "Essas ilhas têm níveis particularmente estáveis de carbono, elemento que ajuda a reter nutrientes, o que é útil e também difícil de se achar em solos tropicais."

Embora o programa de etanol de cana-de-açúcar do Brasil esteja em grande parte concentrado em outras regiões, a Embrapa conta com uma divisão de agroenergia cuja pesquisa está voltada para encontrar maneiras de produzir biodiesel. Os cientistas da Embrapa identificaram cerca de trinta plantas que podem ser usadas em tais programas, e estão concentrados no óleo de dendê.

"A composição do óleo de dendê é uma das melhores para a produção de biocombustíveis", diz Maria do Rosário Lobato Rodrigues, diretora do laboratório de Manaus, onde se concentra a pesquisa. "Ele tem alta capacidade de fixar carbono, não requer o uso de produtos químicos para ser produzido e nenhuma parte da planta é desperdiçada."

Segundo a recém-ampliada definição de agricultura da Embrapa, nada parece fora dos limites, desde um porco tropical com menos gordura e colesterol que seu par norte-americano, e com maior produção de lombo e presunto, até a extração de biopolímeros de aranhas. Na sala de jantar executiva da Embrapa em Brasília, há até mesmo tapetes feitos com variedades de fibras naturais de algodão, que por serem produzidas em tons de verde e marrom, podem reduzir os custos de tingimento para os fabricantes têxteis.

Conseguir financiamento adequado é sempre um problema para qualquer instituição de pesquisa pública no Brasil. Porém, há dois anos, o Congresso brasileiro aprovou uma lei que permite à Embrapa auferir lucros de suas pesquisas e expande a capacidade da agência de formar empreendimentos conjuntos.

"Ser empreendedores é algo novo para nós, mas precisamos transformar nosso conhecimento em riquezas", diz Silvio Crestana, diretor-geral da Embrapa e especialista em física do solo, em uma entrevista em Brasília. "Há muitas oportunidades de ganhar dinheiro no mercado. Mas, para fazer isso, a gente precisa transformar nossa imagem, marca, prestígio e autoconfiança em dinheiro, royalties e capital de risco."

Inicialmente, a maioria de tais acordos era com empresas brasileiras. Mas a Embrapa e a Basf, indústria química alemã, anunciaram recentemente uma parceria para desenvolver e comercializar uma soja geneticamente modificada, resistente a herbicidas, prevista para estar no mercado até 2012, e que competirá com a marca Roundup Ready, da Monsanto.

Com o apoio de agências de desenvolvimento e empréstimos multilaterais como os obtidos com o Banco Mundial, a Embrapa também está tentando elevar seu status no exterior. Embora há muito tenha programas de intercâmbio que trouxeram cientistas da América Latina, da África e da Ásia para trabalhar em seus laboratórios, apenas recentemente a Embrapa abriu seu primeiro escritório no exterior, em Gana, sede do Fórum de Pesquisa Agropecuária da África.

"Essa é uma medida boa e potencialmente importante, porque há muitos lugares na África, como a Zâmbia, que têm savanas com solo e condições de chuva similares às do cerrado brasileiro", diz Borlaug. "Acredito que a soja e o milho, juntamente com a produção de carne bovina e pastos melhorados, são coisas adequadas a serem transferidas do Brasil."

Como a fabricante brasileira de aviões brasileira, a Embraer, que encontrou um nicho lucrativo vendendo jatos regionais, a Embrapa parece estar disposta a se concentrar na comercialização do conhecimento que adquiriu desenvolvendo cultivos e produtos freqüentemente ignorados por instituições de pesquisa dos países industrializados no hemisfério norte.

"Através de sua própria experiência, o Brasil tem uma vantagem comparativa que é muito relevante num contexto tropical", diz Cackler. "Para tomar um exemplo, quantas universidades americanas vão se dedicar tanto à mandioca? Simplesmente não é uma prioridade para elas. Porém, dezenas de milhões de pessoas dependem todos os dias da mandioca, de forma que nós do Banco Mundial ficamos felizes que o Brasil esteja disposto a desenvolver e transferir essa tecnologia."

Conheça mais sobre nossos livros e autores no site
www.objetiva.com.br

Disque-Objetiva: (21) 2233-1388

Este livro foi impresso na
LIS GRÁFICA E EDITORA LTDA.
Rua Felício Antônio Alves, 370 – Bonsucesso
CEP 07175-450 – Guarulhos – SP – Fax: (11) 3382-0778
Fone: (11) 3382-0777 – e-mail: lisgrafica@lisgrafica.com.br